D0637021

HET STRANDHUIS

Anne Rivers Siddons

Het strandhuis

Van Holkema & Warendorf

Oorspronkelijke titel: *Islands*
Published by arrangement with
HarperCollins Publishers, Inc.

Uitgeverij Unieboek bv,
Postbus 97, 3990 DB Houten

www.unieboek.nl

Vertaling: Milly Clifford
Omslagontwerp: Wil Immink
Opmaak: ZetSpiegel, Best

ISBN 90 269 8394 8 / NUR 340

Voor Larry Ashmead
Beloof mij de laatste dans

Alleen waar liefde en behoefte één zijn
En werk spel is voor vergankelijke belangen...
Robert Frost

Na de eerste dood komt geen volgende
Dylan Thomas

Proloog

Zelfs diep in de droom wist ik dat het een droom was, maar de zoete realiteit ervan werd er niet door bedorven. De werkelijkheid is vaak realistischer in dat soort dromen omdat de dromer weet dat hij die binnenkort moet verlaten, of het nu een prettige droom is of niet. En deze droom was heel prettig.

Ik was in het strandhuis. Niet het huis dat we de afgelopen jaren hadden gehuurd, maar dat wat van ons allemaal was, het grote, oude, jaren-twintighuis op palen aan het onmodieuze, westelijke uiteinde van het eiland. Dat was het eerste strandhuis waar ik ooit was geweest; Lewis nam me er mee naartoe in de zomer vlak voor ons huwelijk, en vanaf het begin vond ik het er heerlijk, net als in alle volgende jaren dat we er kwamen. Dat zei ik nooit tegen de anderen omdat het nogal aanmatigend klonk, alsof een buitenstaander aanspraak maakte op iets wat hij nog niet verdiend had. En hoewel ze me vanaf het begin in de armen sloten en in hun kring opnamen, wist ik dat ik inderdaad een buitenstaander was. Lewis was degene van wie ze hielden, in elk geval toen.

In de droom was het winter, en een gure wind raasde over het strand en joeg grijsbruine, striemende zandwolken op. Ik wist hoe die tegen mijn huid zouden voelen als ik het strand op zou gaan: als diamantsplinters die je bijna deden bloeden. Dat vond ik gewoonlijk niet erg, maar deze keer was ik blij om binnen in de grote woonkamer te zijn. De lampen brandden en het was er warm, en de kamer schommelde bijna in de wind, als een hut op een schip. Alle oude, scheve lampen straalden een gele gloed uit en in de open haard aan de ene kant brandde een vuur, knetterend, omdat het hout nooit helemaal droog bleef in de schuur buiten. Aan de andere kant, waar de trap omhoog ging over de rommelkast, stond de grote oude kachel met een dieprode gloed te sissen. Het rook in de kamer naar brandend hout en petroleum en vochtige kleden en zout. In mijn droom leek het de tastbare adem van het huis, en ik ademde de geuren met diepe teugen in. Ze schonken leven.

'Ik weet dat dit een droom is, maar ik hoef toch nog niet wakker te worden?' zei ik tegen Fairlie McKenzie, die op de bank onder een door zout stijf geworden oude deken lag te lezen. Haar haren vielen over het gerafelde kussen als een waterval, die zo rood zag als de gloeiende as. Ik vond Fairlie altijd op een schepsel van licht en vuur lijken: ze leek er door te glinsteren, zelfs als ze stillag.

'Nee, nog niet,' zei ze terwijl ze naar me glimlachte. 'We hebben geen haast. De jongens blijven nog uren weg. Ga zitten. Ik zal dadelijk theezetten.'

'Dat doe ik wel,' zei Camilla Curry van haar kaarttafeltje naast de kachel aan de andere kant van de kamer. Ze zat iets uit een groot boek over te schrijven in een geel aantekenboek, haar gezicht en handen in het licht van de bridgelamp. Ik zag Camilla zelden zonder pen en aantekenboek. Ze was altijd bezig met projecten die haar volkomen in beslag leken te nemen, en de rest van ons wist nooit precies wat die projecten waren.

'O, van alles,' zei ze altijd op die zachte, zangerige toon van haar. 'Ik laat het jullie wel zien als ik klaar ben.' Maar haar projecten waren nooit klaar, want we kregen ze nooit te zien.

'Laat mij maar,' zei ik, dankbaar dat ik een nuttig onderdeel kon zijn van het droomweefsel. Camilla was, zelfs in de droom, krom door de osteoporose. Dat was ze al heel lang. Op de een of andere manier deed het geen afbreuk aan haar tere schoonheid: in mijn gedachten had ze altijd een kaarsrechte houding. Lewis zei dat ze die altijd had gehad, tot de slopende ziekte haar botten begon te verteren. We hadden het er nooit over, maar we probeerden allemaal Camilla onnodige fysieke inspanning te besparen als het kon. Ze doorzag ons altijd en ze vond het vreselijk.

'Jullie blijven zitten, meisjes. Jullie kunnen hier maar zo kort blijven en ik ben hier het vaakst van iedereen,' zei ze. 'Ik vind het leuk om in de keuken te rommelen.'

Fairlie en ik keken elkaar glimlachend aan om dat 'meisjes'. Ik was bijna vijftig en Fairlie was slechts een paar jaar jonger dan Camilla. Maar Camilla was de moeder van de groep. Ze was altijd iemand geweest naar wie je ging om iets te vragen, te leren, op te biechten en te ontvangen. We wisten allemaal dat ze die rol zelf op zich had genomen. Zelfs de mannen hielden zich aan de onuitgesproken regel. Camilla zorgde dat je haar zoveel mogelijk wilde geven van wat haar hart begeerde.

Ze stond op en zweefde als een kolibrie recht op de keuken af. Haar schouders waren recht en haar tred was zo licht als die van een jong meisje. Ze zong een liedje terwijl ze liep: '*Maybe I'm right and maybe I'm wrong, and maybe I'm weak and maybe I'm strong, but nevertheless I'm in love with you...*'

'Charles vindt het een stom liedje, maar ik ben er dol op,' riep ze over haar mooie schouder. Ze droeg een dunne blouse en een gebloemde rok en hooggehakte sandalen. Omdat het een droom was, leek het heel normaal dat ze als een jong meisje liep, dat ze de kleren uit haar jeugd droeg en dat Charles leefde. Door dat alles voelde ik me nog gelukkiger.

'Camilla, ook al is het een droom, ik wil blijven,' riep ik haar na. 'Ik wil niet terug.'

'Je mag blijven, Anny,' klonk haar volle stem uit de keuken. 'Lewis komt je nog niet halen.'

Ik nestelde me op het kleed voor de open haard naast Fairlie op de bank, en legde zachte, oude kussens om me heen. Ik wikkelde me in de verschoten lappendeken van de bank. De vlammen zagen blauw van het vocht, maar gaven een gestadige warmte af. Buiten gierde de wind, die de winterdroge palmen deed zwiepen en de ramen geselde met zand. Op de ruiten zaten zoutkorsten. Ik rekte mijn armen en benen zo ver mogelijk uit tot mijn gewrichten kraakten en ik de warmte erin voelde stromen. Ik keek naar Fairlie om de gloed van het vuur over haar gezicht te zien spelen. De schemering viel snel; de mannen zouden dadelijk handenwrijvend binnenkomen en een koude, klamme wind met zich meebrengen.

'Niet van die stinkende vis binnenbrengen,' zou Fairlie vanaf de bank zeggen. 'Ik ga geen vis schoonmaken, vandaag niet of wanneer dan ook.'

En omdat het een droom was, zou Lewis er zijn met Henry, net als vroeger, en dan zou hij zeggen, zoals altijd als hij terugkwam van een tocht waarop ik hem niet had vergezeld: 'En hoe gaat het met dat luie meisje van me?'

Ik deed mijn ogen dicht en gleed weg naar droomslaap voor de gloeiende houtblokken. Het geluksgevoel prikte als lichtjes achter mijn oogleden. In de keuken begon de theeketel te fluiten.

'Er is tijd genoeg,' mompelde ik.

'Ja,' zei Fairlie.

We zwegen.

Toen kwam het vuur...

Deel een

1

Ik leerde Lewis Aiken kennen toen ik vijfendertig was en me erbij had neergelegd dat ik niet uit liefde zou trouwen, misschien alleen uit zelfbelang, en hij was vijftig en was tot voor kort jaren getrouwd geweest uit liefde. Nog lang nadat onze relatie begon dacht ik dat we de rollen hadden omgedraaid, dat ik degene was die, onhandig en dwaas, liefhad met de hartstocht van iemand die nooit eerder echte passie had gevoeld, en dat Lewis degene was die bij mij comfort en troost vond. Tegen die tijd kon het me niets meer schelen. Hij mocht de voorwaarden bepalen. Ik zou zijn hoe hij wilde dat ik was.

We ontmoetten elkaar op een middag in april, een vochtige, benauwde middag zoals het in de lente vaak kan zijn in de Low Country van Carolina, zo'n dag waarop de lucht als dikke, vochtige damp aanvoelt en de geur van de modderige moerassen rond Charleston je neus teistert en doordringt in je kleren en je haar. Ik bracht een bang kind met een klompvoetje naar de gratis kliniek waar Lewis op zaterdag opereerde, en we waren laat. Mijn oude Toyota hoestte en sputterde in de hitte en ik had de airco uitgezet om de motor te sparen. Het zweet droop van me af. Op de achterbank, vastgegespt in de veiligheidsriem, zat het kind onophoudelijk wanhopig te huilen.

Ik nam het haar niet kwalijk. Ik kon zelf wel huilen. Haar futloze moeder had haar die middag naar mijn kantoor gebracht en was voor de tweede achtereenvolgende keer verdwenen, zodat ik een plekje moest zoeken waar haar dochter die vrijdagavond kon overnachten en waar ik haar de volgende ochtend moest ophalen en naar de kliniek brengen. In mijn kantoor stapelde het papierwerk, de uitvloeisels van dringende verzoeken, zich gestadig op.

'Lieverd, hou alsjeblieft op met huilen,' zei ik wanhopig over mijn schouder. 'We gaan naar de aardige meneer die je zal helpen om je voetje beter te maken, en dan kun je hollen en springen en... zelfs voetballen.' Ik had geen idee wat aanlokkelijk was voor een meisje van vijf jaar, maar voetbal duidelijk niet. Het gehuil nam toe.

Ik parkeerde op het terrein naast het mooie oude huis op Rutland Avenue, waarin dokter Lewis Aikens Orthopedische Kinderkliniek was gehuisvest. Ik wist dat dokter Aiken al heel lang gratis spreekuur hield voor lichamelijk gehandicapte kinderen uit de regio die naar hem waren doorverwezen. Op mijn bureau werd hij beschouwd als een van de beste hulpbronnen voor kinderen, een van onze reddende engelen. Mijn bureau was een gedeeltelijk door de staat en gedeeltelijk door particuliere fondsen gefinancierd soort coördinatiecentrum voor behoeftige kinderen en pubers, en inmiddels wist ik waar alle reddende engelen te vinden waren.

Ik was op mijn tweeëntwintigste bij het centrum komen werken toen ik net was afgestudeerd. Mijn taken bestonden uit het bemannen van de telefoon en noodmaaltijden en luiers voor onze cliënten halen, en ik was er eigenlijk nooit toe gekomen om weg te gaan. Nu stond ik aan het hoofd, en mijn werk was nu meer dat van een administrateur en fondsenwerver en public relations manager, maar de kinderen kwamen nog steeds op de eerste plaats voor me. Ik ging er inmiddels van uit dat mijn karige voorraad passie alleen voor hen was bestemd. Ik had dokter Aiken of veel van onze andere zorgverleners nog niet ontmoet, hoewel ik iedereen van hun kantoren telefonisch had gesproken. Mijn kleine staf van cynisch idealistische jonge mannen en vrouwen deed nu het meeste spoedeisende werk. Maar het was zaterdag, en toen die domme moeder van het kind niet kwam opdagen bij het pleeggezin, belden de pleegouders mij op en moest ik wel gaan. Nou ja, ik had toch geen andere plannen dan de stapel boeken naast mijn bed en misschien op zondagmiddag naar de bioscoop gaan met Marcy, mijn plaatsvervangster.

Marcy en ik kwamen in de weekends wel eens bij elkaar, niet omdat we dikke vriendinnen waren, maar meer omdat het handig was. We vonden elkaar aardig en het was prettig om met iemand ergens naartoe te kunnen, maar dikke vriendinnen waren we beslist niet, en al helemaal niet het lesbische stel voor wie enkele personeelsleden ons aanzagen. Marcy had een vriend in Columbia die elk derde weekend van de maand overkwam, en ze ging er – met weinig animo, volgens mij – van uit dat ze ooit met hem zou trouwen. Ik had wat vrienden, allemaal werkzaam in het uitgestrekte medische complex dat zo goed gedijde in het centrum van Charleston, maar daar zaten geen artsen bij. Ik trok blijkbaar het administratieve type aan. Dat had mijn moeder me al kunnen vertellen, en ze had het ook gedaan. Ik kon haar stem in mijn gedachten horen toen ik met het tuigje van het autostoeltje worstelde, waarin het kind lag te spartelen: 'Als je niet eens wat aan je uiterlijk doet en je neus eens uit die boeken haalt, dan wil geen enkele interessante man je hebben. Je hebt alleen maar verstand van neuzen afvegen en de was doen. Denk je dat dat sexy is?'

En wiens fout is dat? dacht ik dan, maar het had geen zin om het hardop te zeggen. Ze was meestal dronken als ze tegen me begon – ze was gewoon meestal dronken, punt uit – en ze zou het zich toch niet herinneren. Ik kon er nooit precies achter komen wat voor type man mijn moeder interessant vond. Volgens mij vond ze ze allemaal geschikt. Zij had ze in elk geval in alle soorten gehad. Tegen de tijd dat de alcohol haar vaste geliefde werd, had ik de zorg voor mijn twee jongere zusjes en broer op me genomen en zag ik ook toe op het huishouden en de maaltijden. Vreemd genoeg vond ik het leuk. Ik voelde me belangrijk, nodig, en ik had talent voor verzorgen. Misschien was dat wel mijn grootste talent. En ik hield van mijn zusjes en broer, nog steeds. Mijn moeder is al jaren dood.

'Zo, liefje, daar gaan we,' zei ik tegen de kleine, lichtblonde Shawna Sperry, die weliswaar bang was en een snotneus had, maar niet meer huilde. Ik tilde haar op – door de stalen beugel was ze zwaar, maar ik kon het niet verdragen haar naar binnen te zien strompelen – en droeg haar de hal van het centrum in. Er was niemand. Het bureau van de receptioniste was onbezet en zo netjes dat je kon zien dat er niemand aan gewerkt had, en er heerste een stilte waarin diverse geluiden klonken. In het raam stond een airconditioner te zoemen. Stofjes dansten in het ziekelijke licht dat door de ruiten naar binnen viel. Het was een groenig, zwak licht en ik wist dat er onweer op komst was. Je hoefde niet lang in de Low Country te wonen om aan de lucht, de zee en het moeras te kunnen zien wat voor weer het werd. Fijn. Ik zou het oneindige genoegen hebben om een met staal belast kind dwars door een onweersbui naar mijn zieltogende auto te dragen. De ruitenwisser aan de bestuurderskant had het een paar weken geleden begeven en ik was er niet aan toegekomen om die te laten repareren.

We gingen zitten en ik streek Shawna's piekerige haar glad en veegde haar neus af met een papieren zakdoekje. Ik streek over mijn eigen haar. Het krulde van nature, en bij vochtig en warm weer werd het één bijna zwarte, kroezende massa. Ik vond vaak dat ik er met mijn donkere ogen en olijfkleurige huid uitzag als een Amerikaanse van gedeeltelijk Afrikaanse afkomst. Dat had mijn moeder ook al niet aangestaan. Toen ik op de middelbare school zat, had ze geprobeerd mij mijn haar te laten ontkrullen en blonderen, maar toen was mijn uiterlijk mijn vorm van rebellie geworden, en ik zat al een paar jaar op de universiteit toen ik voor het eerst zelfs maar een lipstick kocht. Ik beet op mijn onderlip. Die voelde droog en schilferig aan. Ik wist dat de kleur die ik er die ochtend op haar aangebracht, allang verdwenen was en slechts rafelige contouren om mijn mond had achtergelaten. Kleverige oksels en klamme benen van het zweet completeerden het geheel. Ik hoopte dat dokter Lewis Aiken vijfenzeventig en aartslelijk was.

Het bleef stil. Shawna leunde tegen mijn arm en viel in slaap. Door de airconditioning kreeg ik het koud in mijn door het zweet klamme kleren. Ten slotte riep ik: 'Hallo? Is daar iemand? Ik ben Anny Butler van Outreach. Ik ben hier met het meisje dat vanmiddag onderzocht zou worden.'

Weer een stilte, en toen zei een mannenstem van ergens achter de receptie: 'O, verdomme. Neem me niet kwalijk. Hoe laat is het? Sorry. Hoe kan het al zo laat zijn? Ik ben Lewis Aiken.'

Hij kwam naar voren en we keken elkaar aan, en ik begon hulpeloos te lachen. Hij was klein en stevig en op de een of andere manier van top tot teen rood, en zijn rode haar zat zo in de war dat het leek of hij met zijn vinger in het stopcontact had gezeten. Het stalen montuur van zijn bril zat met plakband aan elkaar. Hij had een dikke oranje baard waardoorheen zijn witte tanden flitsten als bij een piraat, en hij droeg de slordigste kleren die ik ooit had gezien. Hij was blootsvoets. Als ik niet had geweten wie hij was, zou ik Shawna hebben opgetild en hard zijn weggelopen. Nu keek ze naar hem en begon weer te jammeren.

Hij schuifelde naar haar toe, tilde haar op, hees haar behendig op een heup en keek haar aan.

'Ik kan het je niet kwalijk nemen,' zei hij ernstig. 'Als ik mijzelf net had ontmoet, zou ik het ook op een schreeuwen hebben gezet. Ik zie er zeker uit als Ronald McDonald, hè? Dat zeggen al mijn vrouwelijke patiënten.'

En als door een wonder hield Shawna op met huilen, keek naar hem en glimlachte, een innemend, driehoekig glimlachje als van een jong katje. Ik had het nooit eerder gezien. Ze legde een vinger tegen zijn neus en duwde.

'Niet Ronald,' zei ze giechelend.

'Juist,' zei hij. 'Ik heb mijn grote rode neus niet op, hè? Tja, ik was vergeten dat ik bezoek kreeg. Kom maar mee, dan zal ik zien of ik hem kan vinden.'

Hij pakte een map mee van het bureau toen hij naar achteren ging en bekeek die, terwijl hij Shawna nog steeds op zijn heup droeg. Ze trok lachend aan zijn haar. Hij keek op van het dossier. 'Hm. Verwijzing wegens klompvoet. Shawna Sperry. En u bent mevrouw Sperry?' zei hij terwijl hij over zijn schouder naar me keek.

'Nee,' zei ik geërgerd. Had hij me soms niet gehoord? 'Ik ben Anny Butler. Ik ben het hoofd van Outreach. U hebt al eerder iets voor ons gedaan. We hadden een afspraak...'

'Inderdaad,' zei hij, al lezend. 'Maar hier staat dat de moeder het kind zou brengen. Nou, aangenaam, Anny Butler. Jullie doen goed werk.'

'De moeder is met de noorderzon vertrokken,' zei ik, me afvragend waarom ik die uitdrukking gebruikte. Het klonk als iets uit zo'n zogenaamd komische Engelse detectivefilm waar ik een vreselijke hekel aan had. Moord hoort niet grappig te zijn. 'Misschien komt ze nooit meer terug. U doet ook goed werk. Bedankt dat u op zaterdagmiddag voor ons wil werken. Waar hou ik u vanaf? Van het golfen?'

Ik stond te ratelen, wat me zelf irriteerde, en het was trouwens overduidelijk dat de man nog nooit golf gespeeld had. Hij zou met geweld van de green van de golfclub zijn verwijderd.

'Eerlijk gezegd,' zei hij, deze keer zonder achterom te kijken, 'was ik mijn teennagels aan het knippen.'

'Jakkes,' zei Shawna, en we moesten alle drie lachen. Er zat niets anders op.

Hij nam ons mee naar een kleine, schone, witgeschilderde maar heel rommelige spreekkamer. Hij zette Shawna op de onderzoektafel en begon de beugel te verwijderen en haar zware schoen uit te trekken.

'Eens kijken wat we hier hebben,' zei hij. Ik bleef onhandig in de hoek staan omdat er geen stoel was, en bestudeerde de diploma's en foto's aan de muren. Afgestudeerd aan Duke, Johns Hopkins, diploma's van diverse colleges, bevoegd om als arts te werken in de staat South Carolina, lid van diverse universiteitsbesturen. Aan de data op de diploma's te zien moest hij een jaar of vijftig zijn, hoewel hij op een Mickey Rooney-achtige dertiger leek, met dezelfde wipneus en sproeten op zijn gezicht en armen.

Op een van de foto's stonden een verbijsterend mooie, donkerharige vrouw en twee even mooie jonge meisjes, vast en zeker haar dochters, op een strand dat overal had kunnen liggen. Ze droegen zonnehoeden en lachten naar de camera. Tanden blonken. Een gezin als uit een film. Op een andere foto zaten de vrouw, in een witte broek en gestreept T-shirt, en een veel jongere Lewis Aiken op het dek van een slanke zeilboot. Ik herkende Fort Sumpter op de achtergrond. De foto was dus in de haven van Charleston genomen. Een derde foto was van een hoog, smal huis met roze stucwerk en ronde witte zuilen in de beschutting van palmbomen. Het stond in de lengte van een ommuurd terrein, met beneden en op de verdieping dezelfde veranda's en een glimmend zinken dak. Er waren veel van dat soort huizen in Charleston, één kamer breed en met weet ik veel hoeveel kamers diep. Ik had gehoord dat de eerste inwoners van de stad hun huizen met de achterkant naar de straat bouwden om de bries van de haven op te vangen, en ook dat ze dat deden omdat de eerste huizen voor de belasting werden aangeslagen naar gelang het aantal ramen dat vanaf de straat zichtbaar was. Omdat Charleston nu eenmaal Charleston was, neem ik aan dat een van die verklaringen waar was, of misschien wel beide. Het huis stond bijna zeker op de Battery langs de zee, dacht ik.

Lewis Aiken had de zware schoen van het kind uitgetrokken plus haar sok, en begon haar voet zachtjes rond te draaien. Shawna fronste haar wenkbrauwen en trok haar voet met een ruk terug. Toen maakte ze aanstalten om weer te gaan huilen en stak haar armen naar me uit. Ik wilde naar haar toe gaan, maar hij zei: 'Het is beter dat u hier niet blijft. Ik heb gemerkt dat ze beter meewerken als de ouder of verzorger of wat dan ook er niet bij blijft. Vind u het erg om buiten in het kantoor te wachten? Het duurt niet lang.'

Ik voelde me vreemd afgewezen en ging terug naar het kantoor. Hij deed de deur dicht zodat ik hen niet kon horen. Opeens kreeg ik allerlei visioenen van kindermisbruik, maar die wist ik snel te verjagen. Het was gewoon onmogelijk dat deze glimlachende man met zijn slordige haar een kind kwaad kon doen. En we hadden al zo vaak met hem samengewerkt...

Ik liep rusteloos heen en weer. Aan de muren hingen nog meer foto's en ik boog me er in het paarser wordende licht naartoe om ze te bekijken.

Een groot studioportret van de donkere vrouw in haar trouwjurk domineerde de wand achter het bureau van de receptioniste. Van dichtbij was ze nog mooier dan op de kleinere foto's. Er sprak pit en een soort gebiedende trots uit de manier waarop ze haar hoofd schuin hield, en haar glimlach had iets uitdagends. Haar bruidegom had blijkbaar niet op de foto gemogen.

'We hebben het gedaan! Liefs, Sissy,' stond in schuin handschrift in een hoek onder aan de foto. Hij was twintig jaar geleden gedateerd. Dus waren de meisjes nu waarschijnlijk tieners. Hij leek niet oud genoeg om tienerdochters te hebben, maar het leed geen twijfel dat ze van hem en de donkere vrouw waren, want hun foto's flankeerden het grote portret, en ze stonden er in alle leeftijden op, van ernstige, mooie peuters tot gratievolle schoolmeisjes op een paard en ten slotte wat de meest recente foto's moesten zijn. Ze glimlachten steeds dezelfde glimlachjes, en ze stonden altijd samen op de foto's.

Een tweeling, dacht ik. Het is een tweeling. Wat een wonderbaarlijk gezin. Dokter Lewis Aiken en zijn mooie vrouw, Sissy, en zijn tweelingdochters – ik boog me dichter naar de foto's – Lila en Phoebe. Die hebben vast in elk tijdschrift en bijvoegsel van de zondagkranten van de Low Country gestaan. Waarom brengt de man die alles heeft zijn zaterdagen door met beenbeugels en huilende kinderen, laat staan met moeders als Tiffany Sperry?

Maar ik kende het antwoord. 'Lewis Aiken is gewoonweg een engel,' had ik medewerkers horen zeggen. Ik had minachtend mijn neus opgetrokken omdat maar heel weinig mensen echt een engel zijn, maar misschien was deze vierkant gebouwde rode man er werkelijk een, of in ieder geval iets wat er veel op leek. Hij had niets van een martelaar, maar ik wist dat dit niets wilde zeggen. St. Franciscus was aartslelijk. Josef Mengele was een elegante man.

Buiten klonk een donderklap, en de hete, verticale regen van de Low Country viel sissend op trottoirs en stroomde van autodaken. Zo te zien aan het dichte gordijn van water was dit geen buitje dat zo zou wegtrekken. Natuurlijk had ik geen paraplu bij me, omdat ik die een week of zo geleden had meegegeven aan een vermoeide, zwarte vrouw die haar kleinzoon droeg. Spastische verlamming, herinnerde ik me. Naar alle waarschijnlijkheid kon voor hem niet zoveel gedaan worden als voor Shawna. Voor sommige van de wreedste en meest willekeurig lijkende aandoeningen bestond geen genezing. We konden hooguit palliatiefzorg bieden. Ik zuchtte, hopend dat de grootmoeder en het aan haar zorgen toevertrouwde kind veilig en droog waren thuisgekomen. Dat zou Shawna Sperry en mij niet lukken.

'Verdikkeme,' zei ik in mezelf. 'Geen enkele goede daad blijft ongestraft.'

Even later kwam Lewis Aiken zijn spreekkamer uit met aan zijn hand de kleine Shawna, die vrolijk naast hem strompelde met een lolly in haar mond.

'Het is maar een lapmiddel, maar meer had ik niet,' zei hij. 'Ik ben optimistisch gestemd wat Shawna betreft. Dit is niet erg gecompliceerd. Ik wil haar naar een andere kinderorthopeed sturen, Clive Sutton. Ik zal het voor u opschrijven en hem bellen. Ik opereer geen kinderen die ik op mijn spreekuur krijg. Verstrengeling van belangen en al die onzin. Maar Clive heeft het vaker voor me gedaan en hij zal zijn honorarium aanpassen aan jullie budget en het vermogen van de moeder om te betalen. Waarschijnlijk wil hij het ook gratis doen, maar zeg hem niet dat ik dat tegen u heb gezegd. Wilt u me bellen als hij haar heeft onderzocht?'

'Natuurlijk,' zei ik terwijl ik Shawna optilde. Ik piekerde er niet over om haar door die stortregen te laten ploeteren. 'Dank u dat u op ons hebt gewacht.'

'Graag gedaan. Mijn god, moet je die regen zien. Wanneer is die begonnen? Wilt u niet wachten tot het wat afneemt? Ik sluit de boel toch nog niet.'

'Nee, ze verwachten haar terug in het pleeggezin. En ik moet voor vanavond haar moeder zien op te sporen, als het kan. Ons budget is niet groot genoeg om avonden aan de boemel te kunnen.'

'Nou, neem dan in elk geval de paraplu van het kantoor mee. We hadden er meer, maar die zijn niet als kleerhangers. Daar vind je er steeds meer van in je kast. Paraplu's verdwijnen gewoon.'

'Ik zal hem terugbrengen,' zei ik dankbaar.

'Doe geen moeite. Mijn receptioniste vindt het maar wat leuk om me op mijn kop te kunnen geven omdat ik de laatste heb laten verdwijnen, en ik vind het leuk om haar eropuit te sturen om nieuwe te kopen. We hebben een ingewikkelde werkrelatie, maar die vinden we allebei prettig.'

Ik lachte. 'Dank u,' zei ik. Ik opende de paraplu, hield die onhandig boven het zware kind en begaf me in de stortregen.

De paraplu bood Shawna bescherming, maar mij nauwelijks. Net toen we bij de Toyota kwamen, stierf de paraplu een gewelddadige dood door binnenstebuiten te klappen, en voor ik Shawna in haar autostoeltje had gezet en weer bij de bestuurderskant kwam, was ik zo doorweekt alsof ik in een zwembad was gedoken.

'Verdomme, verdomme!' mompelde ik terwijl ik mijn rok uitwrong en het water uit mijn kletsnatte haren kneep. Het was vreselijk benauwd in de auto, maar ik wist dat het kind en ik dadelijk zouden rillen van de kou als ik de airconditioning aanzette. De pleegmoeder was iemand die maar al te graag fouten ontdekte in de manier waarop we omgingen met de aan haar toevertrouwde kinderen, en ze gaf het altijd meteen door aan de Sociale Dienst. Ik stond al op haar lijstje omdat ik de moeder van het kind nog niet had kunnen vinden. Een doorweekte en rillende Shawna zou haar voor maanden munitie verschaffen.

Ik deed het portierraampje op een kier om wat door de regen frisser geworden lucht binnen te laten en veegde Shawna's gezicht en handen af met de handdoek die ik altijd in mijn auto had liggen sinds een van mijn kinderen haar Happy Meal had uitgekotst.

'Het wordt wel koeler als we rijden,' zei ik.

'Bad,' zei Shawna opgewekt, terwijl ze naar mijn natte kleren en haar en gezicht keek.

'Ja, bad,' zei ik. 'Laten we gauw naar huis gaan, dan kunnen we droge kleren aantrekken.'

Ik hoopte van harte dat de gegriefde pleegmoeder wat extra kinderkleren in huis had – dat was in de meeste gevallen zo – want Shawna had niets anders dan wat ze droeg toen haar moeder spoorloos verdween. Anders, als ze nog niet terug was – en ik koesterde geen enkele illusie dat ze was teruggekomen – zou ik kleren en tandpasta en dat soort dingen voor Shawna moeten halen. Ik vervloekte Tiffany Sperry, en niet voor het eerst. Wat kon er in vredesnaam belangrijker voor haar zijn dan haar gehandicapte kind? Maar haar vervloeken had geen zin, en dat wist ik. Voor de Tiffany's in deze wereld was bijna alles belangrijker.

'Daar gaan we,' zei ik, en ik draaide het contactsleuteltje om. Er gebeurde niets. Weer draaide ik het sleuteltje om, en nog eens. Niets. Er klonk alleen een dreigend soort gezoem. Buiten nam de regen nog een graadje in hevigheid toe.

'Ik heb honger,' begon Shawna te jammeren. 'Ik moet naar de wc.'

Ik legde mijn hoofd op het stuur en deed mijn ogen dicht. Een bliksemflits, en een hevig gerommel van donder. Shawna begon luidkeels te huilen.

Er werd op het portierraam geklopt, en toen ik opkeek zag ik Lewis Aiken staan, met doorweekte kleren en haren, en nog steeds op blote voeten.

'Wat is er aan de hand?' vormde hij met zijn mond.

'De auto wil niet starten!' schreeuwde ik terug. Ik voelde me belachelijk schuldig, alsof hij me op de een of andere enorme stommiteit had betrapt, of nog erger: dat hij dacht dat ik met opzet zijn aandacht wilde trekken.

'Kom,' zei hij, terwijl hij mijn portier opende en een vlaag regen naar binnen liet waaien. 'Mijn auto staat vlak achter deze. Ik breng jullie allebei naar huis, dan kijken we later wel naar uw auto.'

'Dat is niet nodig,' begon ik, maar toen hield ik blozend mijn mond. Natuurlijk was het nodig. Als hij ons niet naar huis bracht, dan moesten we hier de hele nacht blijven zitten.

'Nou, graag dan,' mompelde ik niet erg vriendelijk.

Hij plukte Shawna met een ervaren beweging uit haar autostoeltje en legde de handdoek die ik hem had gegeven, over haar haren en gezicht. Toen haastte hij zich met haar naar een grote, met modder bespatte groene Range Rover, zette haar op de achterbank en opende het portier voor me. Ik klom naar binnen en ging rillend zitten. Het water droop op de autobekleding. Zo te zien was het al eens door iets veel ergers nat geworden.

Hij klom op de bestuurdersstoel, schudde het water van zijn hoofd en keek me toen lachend aan.

'Dit kan het begin zijn van een mooie vriendschap,' zei hij.

'En van alle kroegen ter wereld moet ik uitgerekend in die van u verzeild raken,' zei ik, en we begonnen allebei te lachen. Opeens voelde ik me weer goed. Deze situatie, die zonet nog rampzalig had geleken, was... dat uiteindelijk niet.

Later, toen de regen was afgenomen tot een druilerige motregen en Shawna onder dak was bij haar rechtschapen pleegouders, bracht hij me naar mijn appartement op de hoek van East Bay en Wentworth, dat niets had van de charme van het omringende Ansonborough. Maar het was goedkoop en dicht bij mijn kantoor, en ik had er geleidelijk aan een thuis van gemaakt. Ik woonde er al negen jaar, drong vaak met een kleine schok tot me door. Het gebouw was in die tijd vier keer van eigenaar veranderd, en de huidige eigenaars kende ik eigenlijk niet. Het was een nog jong stel dat in het appartement op de begane grond woonde en een oogje op alles hield. De vorige eigenaar was een magere, zwaar opgemaakte vrouw geweest die er alleen maar op uit leek te zijn om mij en de lastige, oude, gepensioneerde professor van de universiteit van Charleston die tegenover me woonde, op zondige betrekkingen te betrappen. Het feit dat ze daar nooit in slaagde, weerhield haar niet van haar pogingen. Ik was blij toen er nieuwe eigenaars kwamen. Ze leken wel aardig, op een anonieme manier, en we knikten vriendelijk naar elkaar als we elkaar op de trap tegenkwamen. Ik was niet van plan mijn gewoonten te veranderen, die nog net zo sober als altijd waren, maar ik was blij dat de opvattingen van de nieuwe eigenaars anders leken te zijn dan die van hun voorgangster.

'Hartelijk bedankt,' zei ik toen Lewis Aiken voor de deur stopte. 'Ik zal naar de garage bellen voor mijn auto, dan lossen zij het verder wel op. U hebt al genoeg gedaan voor mij en Shawna.'

Hij ging rechtop zitten en trok zijn natte overhemd los van zijn lijf.

'Wilt u me een kop thee aanbieden?' zei hij.

Ik verstrakte. Wat moest dit voorstellen? Vast niet wat in de tijd van mijn moeder eufemistisch een avance werd genoemd – 'Heeft hij avances gemaakt? Zeg de waarheid...' – maar wat dan wel? Hij wist heus wel dat ik de foto's van zijn mooie gezin en huis had gezien. Een onbestemd gevoel van teleurstelling kwam bij me boven.

'Verwacht uw gezin u niet?' informeerde ik. 'U hebt de hele middag besteed aan Shawna en mij. Ga toch naar huis, trek droge kleren aan en drink een glas wijn of zo. Die is vast beter dan mijn thee, neem dat maar van me aan.'

'Mijn gezin is in Californië,' zei hij. 'Mijn vrouw en ik zijn een paar jaar geleden gescheiden en zij en de meisjes wonen nu in Santa Barbara. Haar familie woont daar. En ik heb het koud en ik heb nog een rit van vijfenzeventig kilometer voor de boeg. Ik zou heel graag iets warms te drinken willen. Ik beloof u dat uw reputatie geheel veilig is bij mij.'

En ik geloofde hem. Om te beginnen was hij een man die je wel moest geloven. En daarbij, welke man die bij zijn verstand was, zou een vrouw willen versieren die eruitzag als een verdronken kat?

'Het lijkt in de verste verte niet op de Battery,' zei ik, 'maar ik zal graag thee zetten. En noem me maar gewoon Anny. Helaas heb ik geen droge kleren voor je.'

Toen begon ik hevig te blozen. Hij grinnikte.

'Zeg maar Lewis. En maak je geen zorgen, ik ga wel op een handdoek zitten,' zei hij. 'Ik hoef echt alleen maar even iets warms te drinken. En daarna moet ik naar huis.'

'Waar is dat?' informeerde ik terwijl ik uit de Range Rover stapte en met soppende schoenen de trap naar de veranda van mijn appartementenhuis op liep.

'Edisto Island,' zei hij. 'Mijn familie heeft altijd een huis daar aan de rivier gehad. Het is veel te groot en te leeg, maar het is een van mijn lievelingsplekjes. Ik ga er bijna elk weekend naartoe.'

Hij legde een hand onder mijn elleboog en we liepen naar de veranda. Ik bedacht, terwijl een hysterische lachbui dreigde, hoe we eruit moesten zien: een kleine, natte, roodharige man op blote voeten en een kleine, natte, ronde vrouw met hondenogen. Ik wou dat de vorige eigenares ons kon zien. Dan zou ze eindelijk haar gelijk krijgen.

'Je kwam vast alleen naar de praktijk voor Shawna,' zei ik terwijl ik mijn grote, oude sleutel in het slot stak.

'Nee, ik ben vannacht in de stad gebleven. Ik heb een klein koetshuis achter een groot huis in Bull Street. Ik zou toch wel op mijn werk zijn geweest.'

‘Gebruik je het grote huis op de foto niet meer?’ vroeg ik, en weer begon ik te blozen. Ik had mezelf nu helemaal voor schut gezet.

‘Mijn vrouw wilde het hebben en dat wilde ik weer niet, dus heb ik het aan iemand anders overgedaan,’ zei hij op zakelijke toon. ‘Het was van mijn familie, niet die van haar. En toen vertrok ze naar Santa Barbara. Mammie en pappie regelden een aangrenzende *casita* voor haar.’

‘Wat erg voor je,’ zei ik, en ik meende het. Hij was blijkbaar alles kwijtgeraakt.

‘Dat vind ik ook,’ zei hij. Ik hoorde niets van enige pijn in zijn stem, maar die moest ergens diep verborgen liggen.

‘De thee komt zo,’ zei ik terwijl ik mijn deur opende.

‘Wat gezellig,’ zei Lewis. Hij keek rond in mijn kleine woonkamer, en toen ik met dezelfde onbevangen blik keek, zag ik dat hij gelijk had. Het was makkelijk om in Charleston te denken dat kamers alleen maar mooi konden zijn als ze eeuwenoud waren en vol lijstwerk en mahonie en portretschilderijen en zilver. Dat is het nadeel als je in het centrum woont, waar dergelijke kamers de norm zijn. Maar er bestaan andere manieren om iets aantrekkelijk te maken, en die moest ik benutten omdat de rest nooit binnen mijn bereik zou komen.

Ik had de kleine, hoge kamer zachtgeel geschilderd – ‘Toscaans goudgeel’ had op het blik gestaan – en de hoge sierlijsten en raamkozijnen in wit. De twee fauteuils had ik in een winkel met tweedehands meubels gekocht en de mooie bank met ronde rug op een veiling. Over de meubels had ik zachte kleden en sjaals en stukken oude stof gedrapeerd die ik in de loop der jaren had gevonden in de winkels aan King Street. Daar haalde ik mijn favoriete spullen. In de antiekwinkels, die net zo beroemd zijn als Aladdins Grot, had ik oosterse tapijten gevonden die zo dun en fijn waren dat ze rimpelden als zijde. Porselein, oude zilveren voorwerpen, prenten en lampen en spiegels waarvan de rijkversierde lijsten verkleurd waren. Boven mijn kleine, witte schoorsteenmantel had ik één origineel schilderij opgehangen, een van Richard Hagerty's surrealistische tropische voorstellingen, waarop een prachtig, primitief luipaard door een struikgewas tuurde dat in een echt oerwoud nooit zo rijk had kunnen bloeien. Ik had een jaar gespaard om dat grote schilderij te kunnen kopen, elke dag weer bang dat iemand anders me voor zou zijn. Toen ik het eindelijk mee naar huis nam en ophing, leek de kamer een eenheid en verfijning te krijgen waardoor je hem nooit meer kon aanzien voor het stoffige honk van een oude vrijster. Het schilderij fleurde de hele kamer op. Ik zette ficussen en palmen en een paar dure orchideeën neer. Het resultaat was gedeeltelijk landelijk, gedeeltelijk chic en gedeeltelijk weelderig oosters. Steeds als ik er kwam, leek het vertrek me te omarmen.

Ik pakte handdoeken uit de badkamer en gaf die aan Lewis. Toen zette ik de ketel op en ging naar mijn slaapkamer, waar ik een droge spijkerbroek en een van de oude overhemden van mijn broer aantrok. Ik droogde mijn haar, kamde het met mijn vingers en zette de airconditioner aan, wiens verschaalde, krachtige adem mijn drie kamers dadelijk in een iglo zou veranderen. Toen ging ik, ook op blote voeten, terug naar de woonkamer. Buiten was het weer gaan regenen.

'Wat een knus plekje,' zei hij, terwijl hij door de kamer liep en mijn spulletjes bekeek. 'Ik heb een hekel aan die lege, kille, "moderne" kamers. Die zien er altijd uit alsof er eigenlijk prijskaartjes aan horen te zitten. Zijn dit familiespullen?'

Hij had zijn natte overhemd uitgetrokken en een handdoek als een cape over zijn schouders gedrapeerd. Het viel me op dat hij niet in staat leek zich ergens opgelaten over te voelen. Hij zou zeggen en doen wat hij wilde zonder erop te letten of het wel volgens de etiquette was. Ik vroeg me af hoe Charleston zo'n man had kunnen voortbrengen.

'Ja, maar van families van andere mensen,' zei ik. 'We hebben altijd in een huurhuis gewoond en mijn moeder heeft weinig meer nagelaten dan wat kleren en foto's en een kunststof servies. Dat heeft mijn zus. Maar ik heb altijd iets zoals dit willen hebben, dat eruitziet alsof het al jaren in de familie is. Dus heb ik spullen van andere mensen gebruikt.'

Het was niet mijn bedoeling geweest om zielig te klinken. Ik was trots op mijn kamer en vond dat ik van geluk mocht spreken dat ik die had. Maar hij draaide zich om en keek me ernstig aan.

'Je bent nogal alleen, hè?' merkte hij op.

'Waarom denk je dat?'

'Omdat mensen die hun hele leven voor anderen zorgen, dat vaak zijn,' antwoordde hij. 'Dat heb ik vaak gezien. Doe je daarom dat werk? Omdat zorgen voor anderen je leven invulling geeft?'

Ik keek hem aan.

'Ik doe mijn werk omdat ik het leuk vind en omdat ik het goed kan,' zei ik. Ik was nijdig. Hoe durfde hij in mijn huis te komen en zijn natte kleren over mijn meubels te hangen en te veronderstellen dat hij wist hoe ik in elkaar zat? Dat gaf blijk van een aanmatiging die ik van weinig mensen accepteerde, en zeker niet van mensen die ik pas drie uur kende.

'Sorry,' zei hij met een grimas. 'Ik ben altijd zo. Wat ik denk, zeg ik meteen. Mijn moeder zei altijd dat ik vast de genen van een piraat of crimineel van mijn vaderskant heb geërfd. Zij heeft me in elk geval beter opgevoed. Neem me niet kwalijk. Ik heb geen recht om ook maar enig commentaar te leveren op jouw leven, behalve op wat je me wenst te vertellen.'

De ketel begon te fluiten en ik was blij dat ik naar de keuken kon. Dat waren niet de woorden van een oppervlakkige kennis. Hij sprak alsof we een band hadden, maar die bestond niet. Ik was niet uit op wat voor relatie dan ook, en ik wist niet wat ik met deze man aan moest.

We dronken zwijgend onze thee, terwijl we keken naar de regen en luisterden naar het monotone gespetter op de verandabalustrade. Het was nu bijna helemaal donker. Ik vroeg me af wanneer hij zou opstappen. Zijn aanwezigheid benauwde me en ik voelde me geïrriteerd.

'Zullen we een pizza laten bezorgen?' zei hij. 'Ik heb trek, en ik heb geen zin om ergens te stoppen als ik eenmaal op weg ben. Ik beloof je dat ik daarna meteen weg ben.'

'Trakteer jij?'

'Natuurlijk,' zei hij, en hij liep naar de telefoon in de keuken. Ik hoorde hem bijna meteen een nummer draaien. Hij hoefde het dus niet op te zoeken. Deze man liet blijkbaar vaak pizza's bezorgen. Nou ja, hij was ook alleen. Dat is vaak het geval met mensen die telefoonnummers van een bezorgservice uit hun hoofd kennen.

De pizza kwam en we aten in de woonkamer voor mijn lege haard en dronken de halve fles merlot die ik nog had staan. Ik dacht dat die nog over was van een dineetje dat ik maanden geleden voor Marcy en haar vriend had gekookt. Hij begon al een beetje zuur te worden, maar verspreidde een aangename warmte in de maag. Zoals ik al had verwacht, werd het kil in het appartement door de airco.

Ik ging naar de keuken om hem laag te zetten en Lewis volgde met onze borden en glazen. Het raam boven het apparaat was beslagen, en hij liep erheen en schreef er met zijn vinger *Annie* op.

Ik ging achter hem staan, veegde de *ie* uit en tekende een *y*. Hij keek met een glimlachje om.

'Toen ik in de eerste klas zat, wilde ik vreselijk graag een koosnaampje,' zei ik. 'Iedereen had er een. Mijn voornaam is Anna, dus zei ik tegen de onderwijzeres dat iedereen me Annie noemde, alleen kon ik het niet spellen, dus maakte ik er een *y* van. En dat is door de jaren heen zo gebleven.'

'Ik heb nog nooit zoiets triests gehoord,' zei hij terwijl hij zich naar me omdraaide. 'Waarom hebben je ouders je geen koosnaam gegeven? Waarom heb je niet tegen ze gezegd dat je er een wilde?'

'O, alsjeblieft zeg, doe niet alsof ik zo zielig ben,' zei ik. 'Ik vind mijn naam leuk. Het is weer eens iets anders dan gewoon Annie. Maar nu je het toch vraagt, er was eigenlijk niemand om me een koosnaampje te geven. Mijn vader liet ons in de steek toen ik acht was en mijn zussen en broer waren jonger, en tegen die tijd was mijn moeder al aan de drank. Ik heb voor ons gezorgd en dat vond ik leuk om te doen. Ik was er goed in, en ik denk dat ik een goede vervanging was voor de ouder die ze nodig hadden. Ze zijn allemaal goed terechtgekomen.'

'Dat geloof ik graag,' zei hij. 'Leeft je moeder nog?'

'Nee. Ze stierf tijdens mijn eerste jaar op de universiteit. We woonden in het noorden van Charleston. Ik kon thuis blijven wonen en ook studeren.'

Ik dronk het laatste beetje merlot op.

'Ik weet niet waarom ik je dit vertel,' zei ik. 'Ik lijk net een zielig weeskind, en dat ben ik niet. Ik heb een heel goed leven. Ik heb voor dit leven gekozen en ik zou het niet anders willen.'

'Nee?'

'Nee. Zeg, wordt het geen tijd om weg te gaan? Het regent niet meer zo hard en je hebt een lange rit voor de boeg.'

Hij gaf geen antwoord. In plaats daarvan zei hij: 'Je hebt geen echte jeugd gehad, hè? Je hebt nooit gespeeld, je hebt nooit iemand gehad die voor je zorgde.'

'Ik had een grootmoeder die heel veel hield van ons allemaal,' zei ik. 'Ze woonde in Myrtle Beach. We zagen haar vaak. Ze was er altijd als we haar nodig hadden. Ze stuurde ons regelmatig geld. Daardoor konden we thuis blijven wonen en eten kopen toen ik nog studeerde. En ik heb wel gespeeld. Ik sloot me altijd op in mijn kamer als de kinderen in bed lagen, en dan danste ik en beeldde ik verhalen uit en speelde ik de hoofdrol in elke film die ik had gezien. Ik denk dat ik elk avonturenboek in de bibliotheek heb gelezen. Ik schreef ook verhalen, in mijn dagboek.'

'Ik durf te wedden dat niemand die ooit gelezen heeft,' zei hij. 'En dat niemand je ooit heeft zien dansen. Weet je wat? Ik neem je mee uit dansen, ik weet precies de goede gelegenheid. Bij de rivier. We gaan oesters eten en we draaien nummers op de jukebox en we gaan de hele avond dansen.'

'Lewis, waarom ben je gescheiden?' vroeg ik. Ik vond het niet eens raar om dat te vragen, niet tijdens dit vreemde gesprek dat we voerden. Nu was het mijn beurt.

'Ik denk dat ze het uiteindelijk niet leuk meer vond om met me samen te wonen,' zei hij langzaam. 'Ik ben niet erg sociaal. Sissy was – is – dol op uitgaan. Ik denk dat ik een feest te veel heb overgeslagen. Ik kon niet veranderen. Maar zelfs als ik het had gekund, had ik het niet gedaan.'

'Hou je nog van haar?'

'Dat weet ik niet. In elk geval nog wel lang. Ik vind haar alleen niet erg aardig. Ze heeft geen aardig karakter. Ik vind het vreselijk dat ze de meisjes zo opvoedt dat ze op haar gaan lijken, met dure kleren en lunches en feestjes en dat soort dingen. Ze waren zulke leuke, lieve kinderen. Hun vertrek heeft me vreselijk veel verdriet gedaan.'

'Zie je ze nog?'

'Tja, Santa Barbara is ver weg. Sissy komt hier niet meer. De meisjes komen wanneer ik tijd kan vrijmaken en wanneer het haar uitkomt. En dat is lang niet vaak genoeg.'

'Nee,' zei ik, terwijl ik nog steeds uit mijn beslagen, beschreven raam keek. 'Dat geloof ik.'

Hij kwam achter me staan, sloeg zijn armen om me heen en liet zijn kin op mijn hoofd rusten. Ik denk dat hij daar niet erg voor hoefde te bukken.

'Je haar is nog nat,' zei hij. 'Ik meen het van dat dansen. Ik zal je elke dag bellen tot je ja zegt.'

Ik dacht aan zijn wereld. Ik stelde me het rijke netwerk van vrienden en nichten en neven en vriendinnetjes uit zijn jeugd voor; het hechte, barokke netwerk van connecties dat zo typisch is voor Charleston. Lewis Aiken had vast geen gebrek aan vrouwen om oesters mee te eten en te gaan dansen. Vrouwen uit zijn eigen kringen. Chique, mooie, wereldse vrouwen.

'Lewis, waarom ik?' zei ik tegen het raam.

'Waarom niet?' zei hij. Hij gaf een kus op mijn hoofd en liep mijn voordeur uit. Ik luisterde naar het zachte brommen van de motor van de Range Rover tot het verloren ging in de geluiden van East Bay.

Die avond zette ik een zender met lichte rockmuziek op en danste ik op blote voeten in het overhemd van mijn broer. Ik danste en danste tot ik buiten adem was en liet me toen op bed vallen en sliep de hele natte nacht door zonder te dromen.

2

Maandag was altijd een rustige dag op het werk. Ik heb nooit de reden begrepen. Marcy en de anderen beweerden altijd dat onze cliënten een kater hadden van het weekend en dat zal in veel gevallen wel zo zijn geweest. Hoe dan ook, ik was wel blij met die rust. Dan had ik even de gelegenheid om de altijd aanwezige administratie bij te werken, het doorweekte anker dat alle liefdadigheid ter wereld voortdurend belemmert. En ik had de kans om met mijn medewerkers te praten en samen te vatten wat we de afgelopen week hadden gedaan en wat we de volgende week wilden doen. Dat soort dingen deden we bijna alleen op maandag. De rest van de week ging een van de jongere medewerkers er (met tegenzin) op uit om onze lunch te kopen, en die aten we op terwijl we aan onze bureaus zaten te werken. Vaak bracht ik zelf mijn yoghurt en fruit mee.

Op deze maandagochtend hadden Marcy en ik geen cliënten, dus gingen we samen lunchen in de zeer populaire Hominy Grill. Het lag in de buurt van het medisch centrum, dus wemelde het meestal van de witte jassen in het restaurant en op de binnenplaats. De kaart was vernieuwend en alles werd heerlijk bereid, en meestal zaten er wat vrouwen uit de chique binnenstad en enkele rasechte douairières uit Charleston, die werden getrakteerd door hun dochters. De clientèle van de Grill was heel divers.

Marcy, die zo lang en mager is als een lat, bestelde de salade met gebakken oesters. Ik nam de groenteschotel. Ik wist dat ik niet genoeg groente at. Yoghurt en pasta vormden de standaardvoorraad in de koelkast van een vrijgezel. De schotel van boerenkool en pompoen was verrukkelijk. De macaroni met kaas deed je terugverlangen naar je jeugd.

We aten onder een parasol op de kleine binnenplaats. Toen we klaar waren, bleven we een poos zitten kijken hoe twee groene hagedissen langzaam over de witte gestuukte muur van het restaurant beneden kropen. Je zag ze nooit bewegen, maar als je even je blik had afgewend en weer keek, waren ze centimeters of zelfs tientallen centimeters verwijderd van waar ze eerst hadden gezeten. Kijken naar hagedissen is hypnotisch. We hadden geen zin om weg te gaan van onze zonnige binnenplaats en weer aan het werk te moeten.

'Laten we wat zaken bespreken,' zei ik. 'Dan lijkt het net of we werken. We blijven... nou, tot die kleinste hagedis bij de regenpijp is.'

'Hoe is het gegaan met de Sperry's?' vroeg Marcy. 'Is Tiffany nog komen opdagen?'

'Nee. Ik snap niet dat ik daar nog op hoopte. Uiteindelijk heb ík Shawna naar dokter Aiken gebracht. Ik moest haar onderbrengen bij de Boltons, en voorzover ik weet is ze daar nog. Het gaat ons een vermogen kosten, en daarbij heeft Adelaine Bolton weer genoeg om de Sociale Dienst een jaar bezig te houden.'

'Ze kan haar kind daar toch niet eeuwig laten,' zei Marcy geërgerd. Tiffany Sperry was ons steeds weer een doorn in het oog.

'O, vandaag of morgen komt ze wel weer opdagen met de een of andere smoes,' zei ik. 'De vorige keer beweerde ze dat ze gezwollen eileiders had en daardoor niet uit bed kon komen. Ze zei niet wiens bed. Als ze vanmiddag nog niet terug is, zal ik zelf de Sociale Dienst bellen. Die vrouw solliciteert naar moeilijkheden.'

'Wat zei dokter Aiken over Shawna?' informeerde Marcy terwijl ze in haar tweede glas ijsthee roerde.

'Hij denkt dat ze wel geholpen kan worden. Het was niet erg gecompliceerd, zei hij. Hij stuurt me een memo over het consult en de naam van de chirurg die de operatie misschien gratis wil doen. Ik ben bereid erom te smeken. Shawna is een lief kind. Ze was dol op dokter Aiken. En terecht. We zaten net in die stortbui en mijn auto wilde niet starten, dus heeft hij haar naar de Boltons gebracht en mij naar huis. Ik heb hem thee gegeven en daarna hebben we een pizza laten komen.'

Marcy keek me met grote ogen aan en ik bloosde. Ik had geen idee waarom ik haar over mijn avond met Lewis Aiken vertelde. Ik sprak nooit over mijn privé-leven, zelfs niet met haar. Ik wist alleen dat ik het gewoon fijn vond om over hem te praten. Ik vond het leuk om zijn naam te noemen.

'Mijn god, jij en Lewis Aiken hebben samen in jouw appartement pizza gegeten! Hoe was hij?'

'Nat en hongerig,' antwoordde ik. 'En op blote voeten. Hoe zou hij moeten zijn? Hij is een aardige, grappige man die van kinderen houdt en die van hem erg mist. Hij is gescheiden en zij woont met de kinderen in Santa Barbara. Ik heb begrepen dat ze niet op vriendschappelijke voet uit elkaar zijn gegaan.'

'Weet je dan nooit iets?' bracht Marcy uit. 'Op vriendschappelijke voet! Het was hét schandaal van het jaar. Iedereen weet ervan. Ik hoor mensen er nog steeds over praten. Iedereen weet wat een kreng ze was en ik ken niemand die niet dol is op dokter Aiken. Letterlijk zelfs. Ik denk dat hij heel veel vrouwen heeft versleten sinds zij weg is.'

Op onverklaarbare wijze voelde ik me opeens terneergeslagen.

'Waar heb je dat gehoord?' vroeg ik. 'Heb je bij de Yacht Club rondgehangen?'

'Ik lunch wel eens in de cafetaria van het ziekenhuis,' zei Marcy. 'Er is geen verpleegster die er niet alles van weet en die er niet een maandsalaris voor over zou hebben om met hem uit te gaan. Maar ik denk niet dat hij het ooit met iemand uit de medische sector heeft aangelegd. Zijn familie woont hier al sinds de hugenoten. Hij hoort tot de upper class.'

Dat wist ik natuurlijk. Het bleek maar al te duidelijk uit de foto's in zijn praktijkruimte. Toch voelde ik iets van verdriet. Natuurlijk was ik alleen maar letterlijk een toevluchtsoord geweest voor Lewis Aiken. De rest – het praten en lachen, de uitnodiging om uit dansen te gaan, de kus op mijn hoofd – hoorden blijkbaar bij zijn charme. Die gunsten zou hij met hetzelfde gemak aan welke andere vrouw dan ook schenken.

'Kwam ze uit Charleston?' informeerde ik zo achteloos mogelijk. 'Ik heb foto's van haar gezien in zijn spreekkamer, en van de tweeling. Ze zijn allemaal heel mooi. Net een gezin uit een film.'

'Nee, ze komt uit Baltimore. Hij ontmoette haar toen hij op Hopkins studeerde. Ze is inderdaad mooi, maar haar familie was lang niet zo rijk of van zulke goede komaf als die van hem. Iedereen zegt dat ze nooit echt van hem heeft gehouden, maar ze was wel dol op dat huis, op de boot, op het lidmaatschap van al die clubs, op het buitenhuis en op het geld. Ik denk dat hij meteen verkocht was toen hij haar zag. Hij heeft het blijkbaar nog lang bij haar uitgehouden nadat ze hem begon te bedriegen. Ik heb gehoord dat ze met half Charleston een verhouding heeft gehad, en veel van die mannen waren zijn vrienden. Ze was echt een stuk. Ik heb haar een keer in het ziekenhuis gezien. Je kon je ogen gewoon niet van haar afhouden.'

'Zo makkelijk kan het niet zijn om verhoudingen te hebben in Charleston,' zei ik. 'Je komt steeds bekenden tegen.'

'Je hebt geen idee hoe makkelijk het is,' antwoordde ze. 'Of anders interesseert het de meeste mensen niet wie met wie rommelt.'

'Waarom is hij dan niet bij haar weggegaan?'

'Vanwege de tweeling, denk ik. En ik heb ook gehoord dat hij gek op haar was. De scheiding moet vreselijk zijn geweest voor hem.'

'Waarom is hij dan uiteindelijk toch gescheiden?' vroeg ik. Ik schaamde me, maar ik kon niet ophouden met vissen naar alles wat met Lewis Aiken te maken had. Hij had die avond zo openhartig geleken, maar ik zag nu in dat ik eigenlijk niets van hem wist en ik wilde hem leren kennen. Ik snakte ernaar om over zijn pijn te horen.

'Dat heeft zij gedaan, niet hij. Ze waren het huis op de Battery aan het renoveren – zeker niet chic genoeg voor haar – en ze kreeg een heftige verhouding met de architect. Hij kwam niet van hier, maar hij zag eruit om op te vreten en hij had een bloeiend bedrijf. De arme man had geen schijn van kans volgens mij. Ze kwamen er openlijk voor uit en iedereen had het erover. Dokter Aiken ging naar zijn buitenhuis en zij vroeg de scheiding aan. Hij liet haar gewoon haar gang gaan. Zij zou met die kerel trouwen en ze zouden in luxe leven in het huis op de Battery, van het geld van de Aikens. Zijn familie walgde natuurlijk van haar en ze hadden haar in geen tijden gesproken, en zij nam wraak door de meisjes van hen weg te houden. Ik heb gehoord dat hij bezwaar zou maken tegen de scheiding, maar toen probeerde ze het huis in te pikken en dat deed de deur dicht. De architect is uiteindelijk toch niet met haar getrouwd, en zij ging ervandoor naar Californië, waar haar ouders naartoe waren verhuisd. Ik heb gehoord dat ze een huis voor haar hebben gekocht naast dat van hen. Ze heeft natuurlijk een royaal bedrag meegekregen, maar dat haalde het niet bij wat ze had toen ze nog met dokter Aiken getrouwd was. Ze zal wel spijt hebben van dat slippertje. Ze had alles, en dat heeft ze verspeeld.'

'Wat is er met de architect gebeurd?'

'Die is teruggegaan naar zijn vrouw in Orangeburg.'

'Wat een afgang,' zei ik lachend. 'Marcy, hoe weet je dit allemaal? Ongelooflijk!'

'Iedereen weet het. Hij is heel erg in trek.'

Lewis Aiken belde de volgende dag en nodigde me uit voor een etentje.

'Ik heb gehoord dat je erg in trek bent,' zei ik.

'Beter kun je niet hebben,' zei hij. 'Trek een spijkerbroek aan en je dansschoenen, en neem een muggenspray mee. Die tent heeft niet veel meer dan muggen en een jukebox en de beste oesters van de Low Country. Ik kom je om zes uur halen.'

Booter's Bait and Oysters ligt aan het uiteinde van een weinig voorstellende kade die zich over het moeras uitstrekt tot de Bohicket Creek, die Wadmalaw Island scheidt van John's Island. Ik zou het nooit hebben kunnen vinden. Het leek zo diep in het woeste hart van de moerassen, zo ver weg van zelfs de weinige benzinestations die we passeerden en winkels die waren opgetrokken uit bouwstenen van sintels en cement, dat we wel in een ander land leken te zijn, een continent ver verwijderd van Charleston. En ergens was dat ook zo. Dit woeste, moerassige, met zout doortrokken land had meer te maken met alligators en ratelslangen en adelaars en visarenden en af en toe een rode lynx, dan met mensen en hun bedoeningen. Als we al huizen passeerden, waren het niet meer dan bouwketen en caravans die langzaam weggleden in de wirwar van klimplanten en woekerende, altijdgroene eiken. Op de erven stonden roestige auto's, en op veranda's stonden oude banken waarvan de kapotte vering door de bekleding stak. In wat door moest gaan voor opritten, namen roeiboten de belangrijkste plaats in.

'Je weet toch zeker dat we hier goed zitten?' merkte ik op.

'Ja, hoor. Booter en ik zijn samen opgegroeid, in de zomers. Ons huis is hier niet ver vandaan. We hebben hier overal rondgezworven. Er is geen plekje van de Bohicket Creek waar we niet hebben gevist of gejaagd. Ik ken niemand die zo goed kan schieten als hij, en hij is de beste visser van de Low Country. Hij heeft voor een paar kerels boten liggen aan zijn steiger, en de mensen bleven hangen als ze terugkwamen en dronken bier, dus uiteindelijk heeft hij er een dak overheen gemaakt en wat tafels en banken neergezet, en een jukebox en een drankvergunning aangevraagd... hoewel ik daar eigenlijk nooit zeker van ben geweest. De mensen komen van overal voor de oesters. O, niet die lui uit de stad, maar mensen van hier uit de buurt. De oesters komen uit het water op de dag dat je ze eet, en je kunt ze alleen geroosterd of rauw krijgen. Junior Crosby, een oude, zwarte man die vroeger voor mijn vader werkte op Edisto, roostert de oesters. Hij heeft een ijzeren vat en een ijzeren plaat en hij stookt een vuurtje tot het precies goed is, en dan gooit hij een zak vol oesters erop en pakt ze eraf zodra ze klaar zijn, en je maakt de schelpen zelf open. Ik had het idee dat je er zelf geen hebt, dus heb ik voor ons allebei oestermessen meegenomen.'

'Nou, geroosterde oesters ken ik,' zei ik. 'Ik heb ze vaak gegeten in chique gelegenheden, bij liefdadigheidsbijeenkomsten voor de stichting. Maar je hoefde niet zelf je oesters te openen, dat werd voor je gedaan.'

'Als je iemand bij Booter daarom zou vragen, word je in de kreek gegooid,' zei Lewis. 'Maar ik zal je wel laten zien hoe het moet. En mocht je je vinger afsnijden, dan is er altijd een dokter in de zaal.'

We reden hotsend over een zandweg waarover zoveel mos en takken hingen, dat het leek of we door een tunnel reden. Toen kwamen we opeens op een open plek. Ik hield mijn adem in. De kreek verbreedde zich hier tot een zee van moerasgras, zilverkleurig in de lichte bries en met een roze gloed van de ondergaande zon. De rij bomen langs de achterste rand van het moeras was zwart. Boven het geheel was hoog aan de hemel al een spookachtig witte maan te onderscheiden.

'Wat prachtig,' zei ik.

Er was een lange kade met het beloofde paviljoen aan het eind. Het had een zinken dak. Vastgemaakt aan de steiger eronder dobberden wat vissersboten. Het hobbelige parkeerterrein stond vol bestelbusjes, oude sedans en motorfietsen. Jukeboxmuziek dreunde de stille schemering in en overstemde het gezoem van insecten en het klotsen van het water tegen de palen van de steiger.

'Kom op,' zei Lewis, en we parkeerden en gingen naar binnen.

Er waren geen muren, maar in het midden stond een bar met een gootsteen en een oude, rode koelmachine van Coca-Cola, iets wat ik sinds mijn kinderjaren niet meer had gezien. Mannen in vieze spijkerbroeken en T-shirts en een paar vrouwen in strakke spijkerbroeken en broeken met afgeknipte pijpen en korte topjes die hun middel bloot lieten, stonden aan de bar of zaten aan de picknicktafeltjes op het open plankier. Ze lachten, een paar maakten danspasjes op de maat van de muziek, en de meeste gasten dronken bier. Iedereen keek op toen we binnenkwamen. De moed zonk me in de schoenen. Ik dacht beschaamd aan mijn gestreken spijkerbroek en nieuwe, roze T-shirt, en mijn nieuwe, verblindend witte gymschoenen. Ik viel zo uit de toon dat ik net zo goed satijn had kunnen dragen. Lewis, die weer gekreukte kleren droeg en sandalen, viel op de een of andere manier niet op. Je kon aan zijn houding zien dat hij hier vaak kwam en zich er op zijn gemak voelde.

Een koor van begroetingen klonk ons tegemoet. 'Ha, die Lewis!' 'Hoe gaat het, kerel?' 'Heb je nog kinderen mishandeld?' 'Waar ben je zo lang gebleven? Ik begon al te denken dat je meedeed in die film die ze aan het opnemen zijn in de stad!' De lucht gonsde van genegenheid en saamhorigheid, net als de zwerm muggen die mijn gezicht en armen al had ontdekt. Niemand keek openlijk naar me, maar ik voelde hun blikken prikken.

Een grijsharige, gebruinde man achter de bar grinnikte, waarbij een gat tussen zijn door tabak verkleurde tanden te zien was. Hij pakte een Budweiser uit de koeler, opende die en zette het flesje met een klap neer voor Lewis.

'Ha, die Booter,' zei Lewis. 'Dit is mijn vriendin Anny Butler. Ze zorgt voor zieke kinderen en we werken af en toe samen.'

Het was kennelijk van belang dat ze iets over me te weten kwamen. Dat ik een plek in het geheel kreeg. Booter richtte zijn grijns tot mij.

'Waar kan ik u mee van dienst zijn, mevrouw?'

'Noem me maar Anny. Een cola light, graag.'

De mensen aan de bar gniffelden en ik bloosde.

'Ik heb whisky en bier,' zei Booter. 'Maar ik wil ook wel koffie zetten.'

'Bier dan maar.'

En het was lekker. Het voelde koud en klam aan in mijn hand. Condensdruppels vielen op mijn armen en handen en verkoelden die. Het was warm en benauwd onder het zinken afdak. De eskaders muggen waren venijnig en meedogenloos. Ik had me dik ingesmeerd met de sterke, dennengroene vloeistof die Lewis me had gegeven, maar blijkbaar was ik verse kost. Niemand anders aan de bar of tafeltjes leek er last van te hebben. Ik dronk vlug nog een biertje, en de steken leken minder te jeuken.

Toen kwam Junior Crosby met zijn uitrusting en het roosteren van de oesters kon beginnen. De klanten stortten zich erop als sprinkhanen. Ze stapelden de dikke schelpen op blikken borden en gingen ze te lijf met oestermessen om ze open te wrikken en de geroosterde oester vlug in hun mond te wippen. Ze smaakten verrukkelijk, de paar die ik wist te openen. Tegen de tijd dat ik mijn eerste bord leeg had, had iedereen al een derde of vierde portie gehaald, en het bier vloeide rijkelijk. De avond viel, dik en zwart, met een spookachtige maan. Het water van de kreek stroomde zilverkleurig het moeras in.

Lewis liet zich eindelijk vermurwen en opende de oesters voor me. Hij bestelde weer een biertje voor me, en nog een. Ik vond bier niet eens lekker, maar dit smaakte op de een of andere manier heerlijk. Het paste helemaal bij het zout van het moeras en de geur van de mimosa in de verte.

'Dadelijk word ik nog dronken,' zei ik.

'Nou, dat mag ik hopen,' zei Lewis. 'Want ik had beloofd dat we zouden gaan dansen, en hier gaat het dansen veel beter als je dronken bent.'

Hij liep naar de jukebox, een gedeukte oude Wurlitzer die net zo oud leek als de koeler, en koos een paar nummers uit. Overal op de steiger waren mensen aan het dansen. Ze waren me nauwelijks opgevallen, maar nu kon ik mijn ogen niet van hen afhouden. De enige platen die Booter in zijn jukebox had, waren oude rock- en country-and-westernliedjes uit de jaren vijftig, die ik me amper kon herinneren uit mijn jeugd. Overal om me heen waren stevig gebouwde, lichtvoetige mannen en slanke vrouwen met hoge kapsels aan het stampen en draaien en heen en weer zwaaien op liedjes van de Platters, Bill Haley and his Comets, Frankie Lymon and the Teenagers, Little Richard, Gene Vincent en de Blue Caps.

'We lijken wel terug in de tijd te zijn,' zei ik. 'Waar blijft Elvis?'

'Te hoog gegrepen,' grinnikte Lewis. 'Fats Domino met "Blueberry Hill" is het beschaafdste hier.'

Hij trok me mee naar de dansvloer en ik werd net zo door de muziek gegrepen als door zijn armen vol sproeten, en ik danste zoals ik nog nooit had gedanst, intens, zwetend, net zo zeker van mijn bewegingen als alle andere vrouwen, helemaal opgaand in het ritme en de vibratie van stampende voeten op de houten planken. Ze klonken hol, zoals hout klinkt boven water. Het hoorde allemaal bij de magie van de avond. Ik was er voordien – en naderhand – nooit zo zeker van geweest dat ik goed in iets was zoals op die avond toen ik danste op de steiger van Booter Crogan.

Ten slotte, toen ik lachend en hijgend in zijn armen hing, plakkerig van oestersap en zweet en met een woeste haardos door het vocht van het moeras, zette Lewis een nieuwe plaat op en trok me tegen zich aan. Deze keer was het geen rockplaat, maar Percy Sledge met 'When a Man Loves a Woman'. Het was een langzaam, suggestief, hartbrekend nummer. Ik legde mijn gezicht tegen zijn schouder en hij liet zijn kin op mijn hoofd rusten terwijl we dicht tegen elkaar wiegden, nauwelijks bewegend. Ik verloor me in hem, zijn aanraking, zijn geur. Ik wilde dat het lied nooit zou ophouden.

Toen het was afgelopen, deed ik een stap terug en schudde mijn hoofd alsof ik net boven water kwam.

'Laten we nog een biertje halen en aan het uiteinde van de steiger zitten met onze voeten in het water,' zei hij. Dat deden we. Het duizelde me zo, dat de maan zich leek te verdubbelen en daarna weer één werd, om vervolgens weer uit elkaar te gaan.

'Ik heb te veel gedronken,' zei ik. Het water was nog warm, maar vlak onder het oppervlak bevond zich de kilte van de afgelopen winter. Die voelde heerlijk aan tegen mijn branderige voeten, alsof ik ze in champagne baadde.

Hij sloeg een arm om me heen en ik legde mijn hoofd tegen zijn schouder.

'Waarom heb je geen vriend?' vroeg hij. 'Waarom ben je niet getrouwd?'

'Dat weet ik niet,' antwoordde ik eerlijk. 'Het is er gewoon nooit van gekomen. Heel lang waren de enige mannen die ik kende de "vrienden" van mijn moeder, degenen die steeds aan huis kwamen. We moesten naar onze kamers als ze kwamen, en op een avond, toen ik een jaar of zestien was, kwam een van hen achter me aan toen mijn moeder buiten westen op de bank lag. Het was niet erg. Hij was te dronken om me iets te kunnen aandoen, en ik sloeg hem met een tennisracket. Mijn moeder werd wakker en gooide hem de deur uit, en ze beloofde dat het nooit meer zou gebeuren, en dat was zo. Naderhand dronk ze wel, maar voorzover ik weet had ze geen vrienden meer.'

'Heb je hem met een tennisracket geslagen?' Lewis begon te lachen.

'Ik ben echt niet hulpeloos, hoor,' zei ik. 'En ik heb vriendjes gehad, altijd. Heel vaak op de middelbare school. Maar toen moest ik voor de kinderen zorgen tot zij naar school gingen, en nadien... Ik weet het niet. Ik wilde gewoon rust. Dat werd een gewoonte.'

We bleven even stil, en toen zei ik: 'Ik heb het gehoord, over je vrouw. Over de scheiding en zo. Ik vind het echt erg voor je, Lewis.'

Hij zei niets, en ik dacht dat ik te ver was gegaan. Maar toen schudde hij met een zucht zijn hoofd.

'Het was heel lang goed, voor mij in elk geval,' zei hij. 'Ze was betoverend. Nog steeds. Ik had haar niet laten gaan als ze nog een plekje voor mij had in haar leven. Maar ik kon dat alles... niet door laten gaan waar de meisjes bij waren. En trouwens, er was altijd iets vreemds aan ons leven, net iets uit een prentenboek. Het leek nooit helemaal werkelijkheid in mijn ogen. En dat was het ook niet, denk ik. De realiteit is er wel als ik de kinderen elke zaterdag in de kliniek zie. Al die pijn en wanhoop, geldgebrek... niet dat ik dat heb gewild voor mijn gezin, god, nee, maar er was gewoon... geen enkele duisternis. Geen contrast tegenover al dat licht. Om de een of andere reden kon ik dat gewoon niet vertrouwen.'

'Ik weet het,' zei ik. En dat was zo. Dat had ik ook in me. Ik had het nodig, die innerlijke schaduw waarin ik me soms kon verstoppen, als een grot die me beschermde tegen de verblindende wereld. Ik denk dat ook dat me aantrok in het werk dat ik doe. Ik begrijp de duisternis.

'Hoor eens,' zei hij. 'Als we terug zijn, mag ik zeker niet mee naar binnen?'

'Nee,' zei ik.

'Dat dacht ik al. Dus heb je zin om dit weekend een dag met me mee te gaan naar het eiland? Dan zal ik voor je koken. Dat kan ik heel goed. En ik zal je alles laten zien waar ik dol op ben. Ik wil graag dat je het allemaal ziet. Er is een alligatorkwekerij die je helemaal te gek zult vinden.'

'Jij weet tenminste hoe je een vrouw een leuke tijd moet bezorgen,' zei ik slaperig.

Het Ace Basin ligt in een uitgestrekte, 142 hectare grote wildernis, omringd door een ondiepe baai die wordt gevormd door het punt waar de rivieren de Ashepoo, de Combahee en de Edisto samenvloeien. Het herbergt een typisch voor een estuarium ecosysteem dat zo rijk is aan lagen en lagen van leven, zo vruchtbaar en groen en geheim, zo oud, zo volslagen anders dan de wereld van mensen en machines, dat letterlijk geen enkele andere plek op aarde er ook maar enigszins op lijkt. Het lijkt ook net zo weinig als Tasjkent of Antarctica op het mooie, chique, beschaafde deel van Charleston ten zuiden van Broad Street, met de oude, met veranda's gesierde huizen in roze en oker en geel en taupe hout of stucwerk, de kleuren van zachte warmte. Andere streken in de Low Country die ooit even maagdelijk waren, zijn onherroepelijk in beslag genomen door de mens, maar een combinatie van openbare en particuliere instellingen en personen zet alles op alles om de Ace te beschermen, en ze hebben inmiddels aanzienlijke stukken ervan veiliggesteld. In dat uitgestrekte gebied, dat voor eenderde bestaat uit licht, voor eenderde uit water en slechts voor eenderde uit grond, is het leven in al zijn overvloed vrijwel ongezien tijdens miljoenen jaren geëvolueerd, terwijl het tweemaal per dag werd doortrokken van de zoute adem van het tij. Ik had het eigenlijk nooit echt gezien, nooit echt geweten dat het daar lag, ten zuiden van mij: een dromend continent, een afgescheiden, verloren wereld. Toen ik er voor het eerst kwam met Lewis, beangstigde het me bijna.

We kwamen van een oneffen geplaveide weg op een pad van zand en grind waaraan geen eind leek te komen. Er was geen keurig bord dat Sweetgrass Plantation aankondigde, de naam van het huis, zoals bij de grote landhuizen in het westen en noorden die open waren voor bezoekers: Magnolia Hall, Middleton Place, Boone Hall, Medway. Er was niet eens een brievenbus. Het was zondagochtend elf uur en de hitte trilde al boven het wegdek. Insecten zoemden in de uitgestrekte vlakken moerasgras en hier en daar glinsterden donkere, door het tij gevormde kreken. Lewis zette de airco in de Range Rover niet aan, en het zweet droop onder mijn blouse over mijn nek en rug.

'Ik heb een hekel aan airconditioning,' zei hij toen hij zag dat ik mijn blouse van mijn huid trok. 'Mensen horen te transpireren in de zomer. Dan wordt het werkelijkheid. Dan doe je het langzamer aan en dan ruik je het moeras en de modder. Je wordt er een beetje slaperig en sexy van. Wat vind jij?'

'Ik vind dat ik er slaperig van word en ga stinken. En dat ik geïrriteerd raak. Ik wil geen modder ruiken,' zei ik terwijl ik naar een mug sloeg die sinds Charleston met ons was meegereisd. 'Waar haal jij je post op?'

'Dat doe ik hier niet,' zei hij. 'Alles wordt naar het huis of naar de praktijk gestuurd. Er is niets dat niet kan wachten tot ik terug ben in Charleston. Ik heb niet eens een telefoon. Ik gebruik mijn mobiele telefoon, en die zou ik niet eens meenemen als ik geen patiënten had gehad.'

'Dus het is hier echt behelpen,' zei ik.

'Nou, dat ook weer niet.'

De weg maakte een bocht en ik keek door een lange laan met aan weerskanten met lange slierten grijs mos bedekte eiken naar een kleine hoogte aan de rivier, waarop het huis stond. Ik hield mijn adem in. Te midden van het maritieme woud van eiken, ceders, dennen, kleine palmbomen, en moeras, leek het of het huis uit de vochtige aarde was opgerezen om uit te kunnen kijken over de blauwe rivier ervoor. Het was prachtig.

'Ik dacht dat het... Ik dacht dat er zuilen en zo zouden zijn,' zei ik onnozel. Dit grote, verhoogde, beschutte, van cipressenhout opgetrokken huis sprak me meer aan dan zuilen ooit hadden gedaan. 'Dit is fantastisch.'

'Ja,' zei hij nuchter. 'Ik heb het na de scheiding laten bouwen, toen ik wist dat ik hier veel tijd zou doorbrengen. Voorheen hadden we zo'n ding met zuilen, honderdvijftig jaar oud met rottend stucwerk, bladderende muren en genoeg schimmel om de Low Country jarenlang van penicilline te kunnen voorzien. Mijn moeder was er dol op en ik mocht niet eens reparaties laten uitvoeren. Ze zei dat ze het zo wilde houden als mijn vader had gedaan voor hij stierf. Tegen de tijd dat ze bij mijn zus in Connecticut ging wonen, was het gewoon levensgevaarlijk geworden, en het zou meer hebben gekost om het te laten restaureren dan om iets nieuws te bouwen. Dus heb ik het laten afbreken en dit laten bouwen. Ik vind dat een huis in de moerassen er zo uit hoort te zien: zilvergrijs zoals het moerasgras, op een kleine hoogte zodat de bries van het water erin kan komen, van binnen koel en beschaduwd, hoge plafonds, en overal veel glas. En een goede keuken. De oude was een verschrikking. Ik vind het heerlijk om hier te wonen, hoewel de meeste mensen in Charleston vinden dat ik de naam van de familie heb bezoedeld. Mijn moeder weet niet eens dat het oude huis verdwenen is.'

'Komt ze hier dan nooit meer?'

'Nee. Het lijkt of ze nergens meer wil komen waar zij en mijn vader samen hebben gewoond. Na zijn dood wilde ze het huis op de Battery ook niet meer. Ik denk dat ze het beginstadium van Alzheimer heeft. Mijn zus zegt dat ze nu heel vaag en vergeetachtig is.'

'Wat triest als je niet meer in je eigen huis wilt zijn. Vind je het erg?'

'Nee. Mijn thuis is nu dit en Bull Street. Jij bent eigenlijk ook niet echt thuis. Vind jij het erg?'

'Nee. Maar ik ben nooit weggegaan uit huizen zoals een plantage en dat op de Battery. Bijna alles zou beter zijn geweest dan waar ik woonde. Ik hou van mijn appartement.'

'Je zult dit nog mooier vinden,' zei hij, en hij draaide de auto een plek in onder een eik waarvan de takken letterlijk over de grond slierden. Ik keek op. Het leek of we in een kathedraal waren. Geen druppel regen kon doordringen in dat gewelf van bladeren en mos. Na het lawaai van de auto was de stilte zacht en bijna tastbaar. Ik kon de rivier op een meter of dertig verder horen stromen, aan het eind van een overkapte steiger boven het moeras.

We liepen de trap op en gingen het huis binnen. De deur was niet op slot. Eenmaal binnen hield ik weer mijn adem in. Prachtig. Eenvoudig en licht en mooi. Het water en het moerasgras en de lucht en de zon leken onderdeel uit te maken van het huis. Dit was een huis voor onbekommerde mensen.

Ik wist zeker dat hij veel dingen uit het huis op de Battery naar hier had gebracht. Op de brede, houten vloeren lagen hier en daar kleurrijke oosterse tapijten. Een met damast beklede bank, ingezakt en verbleekt maar nog steeds mooi, stond voor een grote, stenen haard tegenover twee Morris-stoelen van versleten leer. Luchtige Scandinavische en Franse boerenmeubels sloten naadloos aan bij het geheel, samen met een teer, met inlegwerk versierde schrijftafel, een indrukwekkend bureau voor een van de ramen die uitzicht boden op de rivier, en voor het andere raam een chintz fauteuil die ontegenzeggelijk sporen vertoonde van kattenkrabbels op een van de poten. Ik weet niet waarom het allemaal bij elkaar paste, maar het was wel zo. Het huis werkte stimulerend. Het zou moeilijk zijn om je hier ongelukkig te blijven voelen. Misschien, dacht ik, stemt het allemaal overeen door het simpele feit dat je van dingen houdt.

We liepen door een koele, schemerige centrale gang naar de enorme keuken met stenen vloer. Tussen alle gedroogde bloemen, opgehangen kruiden en kookgerei in bevonden zich een professioneel gasfornuis, koelkast en keukenapparaten. Iets heerlijks stond in een grote pan te pruttelen op het fornuis. Een magere, donkere vrouw stond erin te roeren terwijl een karamelkleurig kind om haar heen dartelde. Het kleed voor de haard was bezaaid met speelgoed.

'Ik dacht al dat ik je hoorde rondscharrelen,' zei de vrouw met een glimlach, maar zonder zich om te draaien. Lewis ging naar haar toe en sloeg vanachter zijn armen stevig om haar heen.

'Lindy, schat,' fleemde hij. 'Kom voorgoed met me mee, Lindy...'

'Ik ga nergens met jou naartoe, vervelende vent,' zei ze. Toen draaide ze zich om en stak haar hand naar me uit. Ik nam die aan en glimlachte terug toen ze me een warme glimlach schonk. Er lagen lachrimpeltjes rond haar ogen, maar voor de rest was het strenge, bruine gezicht glad. Ze had elke leeftijd kunnen hebben.

'Ik ben Linda Cousins,' zei ze. 'Ik ben verpleegster in de kliniek op Edisto, maar in de weekends help ik Lewis om de boel hier netjes te houden. Dit is mijn zoon, Tommy.'

'Ik ben Anny Butler,' zei ik. 'Ik ben een vriendin van Lewis, van mijn werk.'

'Ik hoop dat je een vriendin van meer dan dat bent,' zei ze terwijl haar glimlach zich verbreedde. 'Deze kerel hier heeft meer behoefte aan een goede, stevige vriendin dan wie dan ook.'

Ik voelde dat ik begon te blozen en vroeg me af hoe ik hierop moest antwoorden, maar op dat moment gluurde de kleine Tommy Cousins om de benen van zijn moeder en lachte naar me. Hij was een schat van een kind, met ogen als smeltende chocola, bijna net als die van mij, en zuivere, mooie gelaatstrekken. Ik zag dat hij een iets verhoogde schoen had en ik wierp een blik op Lewis.

'Ja, hij is er een van mij, hè knul?' zei Lewis terwijl hij over het kroeshaar van het kind streek. 'Ik heb hem een jaar of vijf geleden onder handen genomen. Voor hij kon lopen. Nu is hij niet meer te houden.'

'Ga je met haar trouwen?' vroeg Tommy terwijl hij me met een keurende blik bekeek. Ik voelde mijn gezicht nog roder worden.

De kleine jongen bleef nog een poosje naar me kijken.

'Ja, ik vind dat je het moet doen,' zei hij ten slotte. 'Ze is zacht, net als een kussen. Ze kan vast goed koken.'

Lewis wierp zijn rode hoofd in zijn nek en barstte in lachen uit, en het kind deed mee. Linda Cousins kwam naar me toe en raakte even mijn schouder aan.

'Trek je niets aan van die twee,' zei ze. 'Ze zijn zo vol van zichzelf dat er geen land mee te bezeilen is. Ik zou zo weglopen als de een niet van mij was en de ander niet in zijn troep zou verzuipen als ik het deed.'

Lewis tilde het spartelende kind op.

'Linda en haar man Robert en Tommy wonen een eindje verder aan de rivier. Roberts vader heeft mijn familie een handje geholpen en Robert en Linda doen hetzelfde voor mij, anders zou ik dit huis niet kunnen houden. Linda maakt ook de beste krabsoep die ik ooit heb gegeten, zelfs nog beter dan ik. Ze is die nu voor ons aan het maken. Ik heb haar en Robert gevraagd om mee te eten, maar ze heeft het vreemde idee dat ik je ga verleiden met de krabsoep en wijn en ik weet niet wat nog meer, dus hebben ze mijn aanbod afgeslagen.'

'Lewis, alsjeblieft...' zei ik, blozend tot mijn haarwortels, en hij lachte en legde even zijn arm stevig om mijn schouders.

'Sorry,' zei hij. 'Maar ik deel je nu mee dat ze gelijk heeft. Ik heb nog nooit een vrouw ontmoet die weerstand kon bieden aan Linda's soep... en aan mij, natuurlijk.'

Hij plaagde me, maar zijn woorden deden pijn. Linda zag het.

'Ik heb hier nog nooit vrouwen gezien die staan te popelen om jou of mijn soep te krijgen,' zei ze streng. 'Wees aardig voor deze vrouw. Ze ziet er trouwens toch te goed uit voor jouw soort.'

'Ik zal aardig voor haar zijn,' zei hij ernstig. 'Aardiger dan tegen wie ook. Ik heb wel een grote mond, maar dit meen ik.'

Hij keek me strak aan met zijn smalle, blauwe ogen. Ik wendde me af. Ik voelde me uit mijn doen en ik had een beklemd gevoel in mijn borst. Ik wilde geen kortstondige, oppervlakkige, fysieke relatie met deze man, maar ik wist niet wat ik dan wél wilde, en ik dacht niet dat er een andere relatie bestond waar hij voor zou willen kiezen. Er waren eenvoudig te veel anderen van zijn eigen wereld.

'Krijg ik een rondleiding?' vroeg ik.

Die kreeg ik. Vanaf zijn Boston Whaler op de rivier en langs de smalle kreken die door het tij waren gevormd, en in de gammele tractor die hij gebruikte om door het struikgewas en over de hoogten in het moeras te rijden, zag ik zijn wereld van glinsterende aarde en stilstaand water, van slijkgras en moerascipressen en overhangende eiken en dennen. Ik zag het leven in die ongelooflijke waterwereld: waterslangen en een paar keer de grote ratelslangen van de Low Country. Grote en kleine alligators, die als boomstammen bij met modder bedekte oevers lagen en waarvan je alleen aan hun ogen kon zien dat ze niet van hout waren.

Ik zag de kwekerij waarover hij het had gehad, een kleine, zonnige vijver omringd door riet en slijkgras, waar de moeders hun jongen grootbrachten, veilig voor alles waarvoor een kleine alligator een prooi kan zijn. De jongen waren prachtig, met gele en groene en zwarte strepen en kille amberkleurige ogen, en ze lagen in het water als kleine takken van dezelfde boom, hoewel ze allemaal verschillende leeftijden hadden. Enkele grote, luie, groengrijze moeders lagen onbeweeglijk op de oevers in de zon, en ze leken eerder te slapen dan te waken. Maar, zei Lewis, als je ook maar één beweging in de richting van hun jongen zou maken, zaten ze in een mum van tijd achter je aan.

'Op die manier raken we een heleboel domme honden kwijt,' zei hij. 'Plus wilde varkens en wasberen en wat hier nog meer rondzwerft. Je zou denken dat ze inmiddels beter hoorden te weten. Ik heb op Kiawah en bij Hilton Head gehoord dat poedels en shih tzu's geen lang leven zijn beschoren.'

Ik voelde dat de haartjes in mijn nek overeind gingen staan. Ze waren zo oud, wezens uit de oertijd, zo onaangedaan, de kleur van stilstaand water, van modderige dood. Ik dacht niet dat ik ooit sympathie zou kunnen opvatten voor de alligators van Edisto.

Maar de andere levende dieren... daar ging mijn hart naar uit. Een adelaar steeg op van zijn nest in een dode den en scheerde omlaag over het water. Visarenden cirkelden en floten in de lucht. Schildpadden lagen te zonnebaden op de met riet begroeide oevers. Een hert met een witte staart vlagde in de verte op een licht bebost duin. Overal zag je geelbruin en het felle groen van varens, groene zeeën van slijkgras rimpelden in de lichte, schone, naar vis ruikende bries, en de hoge, ongerepte torens van de moerascipres deden al het andere in het niet verzinken. Tegen de tijd dat we, laat in de middag, terugkwamen bij de steiger, was de zon al snel aan het verdwijnen achter de rij bomen aan de overkant van de rivier, en een kilte nam bezit van de lucht, net als de formaties muggen.

'Laten we binnen gaan eten,' zei hij. 'Ik was van plan een tafeltje aan het einde van de steiger te zetten. De sterren hier zijn prachtig en je moet beslist de nachtelijke geluiden horen. En ik wil je met iemand kennis laten maken. Maar we gaan straks wel naar buiten, om een uur of elf. Dan steekt de wind op en zijn de muggen weg.'

'Dat is nogal laat, hè?' merkte ik op. 'Het duurt minstens een uur om terug te rijden naar Charleston.'

'Ik hoopte dat je zou blijven,' zei hij eenvoudig.

Ik haalde diep adem en keek hem aan.

'Lewis,' zei ik, 'waarom ik? Er zijn vast wel honderd vrouwen in je leven die interessanter zijn dan ik. En vijftig die midden op Broad Street met je naar bed zouden gaan als je het ze vroeg. Ik... ik kan niet zomaar een avontuurtje met je hebben en vervolgens worden verfrommeld en weggegooid als een papieren zakdoekje.

Daar heb ik geen tijd voor, en het zou me veel pijn doen omdat ik je heel aardig vind. Dus dit kan gewoon niet verdergaan. Laten we vrienden zijn. Ik kan een heel goede vriendin zijn. En ik denk dat jij een goede vriend kunt zijn.'

Hij boog zich voorover en trok me uit de Whaler in zijn armen. Hij liet zijn kin op mijn hoofd rusten, kennelijk een favoriete plek voor hem. Ik wilde niet eens denken aan de glanzende hoofden die voorheen dat gewicht hadden gevoeld.

'Ik wil geen avontuurtje met je,' zei hij. 'Ik wil dat je een deel van mijn leven wordt. Hoe, weet ik niet, dat hangt van jou af, maar ik kom het wel te weten. Waarom jij? Omdat je een goed mens bent, Anny. Je bent een door en door goed mens. Dat wist ik zodra ik je voor het eerst zag. Ik vind het prachtig wat je doet. En je bent grappig en lief en je bent niet een van die honderd vrouwen, of vijftig. Dat hoef ik allemaal niet meer. Dat is niet wat ik nodig heb, en dat is het ook nooit geweest. Ik heb het nodig om te werken en te praten en te lachen en dat er tegen me gelachen wordt, en te dansen en iemand vasthouden die zacht en rond is en kleiner dan ik. Wat ik nodig heb ben jij. Wat moet ik doen opdat je me gelooft? Ik ben bereid er alles voor te doen.'

'Gun me dan tijd,' zei ik. 'Zeg niet dat ik vannacht moet blijven. Zeg niet dat je me wilt verleiden, ook al plaag je me alleen maar. Dit is nieuw voor me, Lewis. Ik weet dat het belachelijk klinkt dat iets nieuw is voor iemand van vijfendertig, maar dit is... heel anders dan wat ik ooit heb gedaan. Jij moet een jaar of vijftig zijn, je weet veel meer dan ik. Er is zoveel meer in jouw leven dan in het mijne. Als blijkt dat je me na een poos nog wil hebben, dan zien we tegen die tijd wel hoe het gaat. Maar vanavond wil ik naar huis.'

'Afgesproken,' zei hij. 'Maar ik wil nog steeds dat je tot een uur of elf blijft. Je moet kennismaken met die vriend van me.'

We aten zoete, volle krabsoep voor de haard, waarin geurig

ceder- en dennenhout lag te branden, en we dronken een heerlijke witte wijn met de geur van bloemen, en depten de soep op met zelfgebakken brood uit Linda Cousins' oven. Dit alles werd gevolgd door ijs van Ben & Jerry.

'Ik kan wel goed bakken, maar er gaat niets boven dit,' zei Lewis. Hij at drie schaaltjes ijs, ik twee.

We luisterden naar muziek – Pachelbel, Otis Redding – maar we dansten niet en hij raakte me niet aan. Ik voelde me doezelig en kalm en in de watten gelegd, op de een of andere manier afgesloten van mijn eigen leven. Hij moest me wakker schudden toen het bijna elf uur was.

'Kom mee naar het eind van de steiger,' zei hij terwijl hij me meenam naar de deur. 'Ik heb een deken en een trui bij me voor je. We moeten misschien een poosje wachten.'

'Wie is die vriend eigenlijk, dat hij niet gewoon naar het huis kan komen?' mopperde ik. Ik had het koud en ik was slaperig.

'Dat zul je wel zien.'

We gingen aan het uiteinde van de steiger zitten op de deken die hij had meegebracht. Ik was blij met de grote, wollen trui, en wenste dat ik dikke sokken aanhad. We zeiden niet veel. Boven ons schitterden de sterren als kristallen. Ik had er nog nooit zoveel gezien. Ik moest denken aan F. Scott Fitzgerald: 'Sterren als zilveren peper.' Waar had ik dat gelezen? Onder de steiger klotste het water, en het slijkgras op het stevige kleine duin opzij van de loopplank naar de Whaler ruiste en fluisterde. Ik zat weer te doezelen toen hij me zachtjes door elkaar schudde.

'Kijk,' fluisterde hij. Ik keek in de richting waar hij naar wees, beneden op het duin vlak onder ons. Gele ogen staarden terug, en in het licht van de sterren tekenden zich grote, behaarde oren af. Een kat, maar geen huiskat die ik ooit had gezien. Dit was werkelijk een heel grote kat.

Ik hield mijn adem in. De gele ogen keken in die van mij, en toen verdwenen ze gewoon, wegsmeltend in het donker. De plek waar de kat was geweest, leek nu zwarter te zijn.

'Een rode lynx,' zei Lewis. Ik voelde dat hij glimlachte in het donker. 'Hij komt meestal 's avonds om een uur of elf. Ik wacht altijd op hem als ik er ben. Ik weet niet of hij ook komt als ik er niet ben. Waarschijnlijk wel, maar ik wil graag geloven dat hij me even komt opzoeken. Ik zie hem hier nu al een paar jaar.'

Iets brak in me, iets dat zo diep in me verstrengeld lag dat ik niet had geweten dat het er was. Zo wild, de lynx was zo wild en hij had me zo'n kostbaar geschenk gegeven door zijn wildheid te laten zien... Ik begon te huilen. Lewis sloeg zijn armen om me heen en trok me tegen zich aan, en toen ik was opgehouden met huilen kuste hij me, een diepe, complexe kus zonder iets van oppervlakkigheid, en de tijd ging uiteindelijk niet voorbij, en wat vervolgens gebeurde, gebeurde daar in het licht van de sterren op het uiteinde van Lewis' steiger, met misschien alleen een rode lynx als getuige.

3

Het volgende weekend nam Lewis me voor het eerst mee naar het strandhuis. Het was een koele, heldere dag met een lichtblauwe lucht, en het water in de haven, waar de rivier de Cooper uitmondde in zee, glinsterde als verkreukelde folie in de lichte bries.

De twee dubbele, steile boogbruggen met twee bulten welven zich als de skeletten van reusachtige waterslangen over de brede riviermond, duizelingwekkend in hun zwevende hoogte. De oudste, die het schiereiland met Mount Pleasant verbindt, is net een angstaanjagende achtbaan met twee smalle rijstroken en een misselijkmakend ontbreken van vangrail. Er is natuurlijk wel een vangrail, maar als je in de auto omhoogrijdt, lijkt het of er niets is tussen jou en het water bijna dertig meter beneden. De nieuwe brug is breder en heeft een hogere vangrail, maar ik krijg nog steeds een droge mond en klamme handen als ik er overheen rijd. De nieuwe brug is de enige waar ik op durf. De oude is een kortere route naar East Bay en mijn appartement, maar ik neem altijd de nieuwe brug en rij maar al te graag de extra bochten naar Meeting Street in ruil voor het idee dat het veiliger is. Elke keer na die dag dat we naar het huis op Sullivan's Island gingen, haalde ik pas diep adem als we weer het niveau van de omringende moerassen hadden bereikt.

'Daar zul je je overheen moeten zetten,' zei Lewis toen we de laatste helling afreden. 'Ik kan niet elke keer dat we naar het eiland gaan, stoppen om je handen droog te wrijven.'

'Ik zal het proberen,' zei ik, glimlachend bij de suggestie dat me nog oneindig veel bezoeken te wachten stonden. Maar ik ben er nooit in geslaagd om over die angst heen te komen. Volmaakte dingen krijg je niet voor niets.

Toen ik Sullivan's Island voor het eerst op een landkaart zag, vond ik het op een ontstoken appendix lijken. Aan de landzijde is het omgeven door moerassen en ingesneden door zandbanken en doorboord door smalle getijdenkreken. Als je van de Ben Sawyerbrug vanaf Mount Pleasant op het eiland kwam, over de binnenwaterweg, leek het altijd of je een betoverd, ouderwets tafereel betrad, een soort impressionistisch schilderij. De grote zoutvlakten, het brede, glinsterende lint van de waterweg, de rand laag liggende huisjes aan de binnenste kustlijn, met kleine steigers en dobberende boten, en achter dat alles de uitgestrektheid van de blauwe Atlantische Oceaan... Het was net een zeegezicht van Cézanne. Ik was al vaak op het eiland geweest, maar alleen om door de duinen over een van de weinige paden naar het strand te gaan en daar met een vriendin op het vlakke, geelbruine strand op een vochtig strandlaken te liggen en naar de zee te kijken en terug naar de rij oude huizen achter de duinenlijn, die aan ons oog ontrokken werden door wuivend, ritselend zeegras. Ik wist dat ik nooit in een van die huizen zou komen. Die waren sinds het eind van de negentiende eeuw de toevluchtsoorden geweest voor de oude families uit Charleston, die daar in de lange, broeierige zomers de zeebries en het buitenleven opzochten. Ik had gehoord dat ze vaak hun eigen huishoudelijke spullen en bedienden meenamen. De huizen werden zelden verhuurd en er waren geen motels of pensions op het eiland. Het was duidelijk voor mensen zoals ik dat dit in de ruimste betekenis van het woord een privé-eiland was. Eenvoudig en een beetje verslonsd, met slechts enkele keten waar vis en schaaldieren werden verkocht en één benzinestation met een kleine winkel. Het meeste lawaai op Sullivan's Island werd gemaakt door schreeuwende kinderen en zeemeeuwen, en de snelste voertuigen waren de alomtegenwoordige golfkarretjes die de zomergasten gebruikten om naar de winkel te pruttelen en de *New York Times* te kopen, vaak in gezelschap van kinderen en grote honden waarvan de tong uit hun bek hing. Lewis noemde het die eerste dag een zanderige, ouderwetse familiebadplaats. Maar ik wist wie die families waren.

Als je drukke, meer algemene stranden en meer avondvertier wilde, had je Folly Beach in het zuiden en het Isle of Palms in het noorden, waar het 's zomers altijd wemelde van de strandgangers. Of als je de voorkeur gaf aan omheinde afzondering met een uitzicht op zee door hoge Palladiaanse ramen, dan had je altijd nog Kiawah of Wild Dunes, aan de overkant van de Breach Inlet op de oostpunt van het Isle of Palms. Met de nodige middelen kon je je daar inkopen. Op Sullivan's Island kwam je als je werd uitgenodigd, en zelfs toen waren strandhuizen die te koop werden aangeboden, daar net zo zeldzaam als iglo's. Sullivan's was de oudste badplaats in de regio van Charleston, en ik was er doodsbang voor.

'Waarom?' vroeg Lewis toen ik hem op die eerste dag nogmaals vertelde dat ik misschien beter nog een poosje kon wachten voor ik op bezoek ging in het strandhuis waar zijn zes beste vrienden weekends en soms weken achtereen doorbrachten.

'Ik ben niet een van jullie. Ik ben hier niet voor geboren. Ik ben niet echt iemand uit Charleston, ik woon er alleen maar. Ze zullen best heel aardig tegen me zijn, maar er is ongetwijfeld een kloof, en vroeg of laat zul je daardoor een hekel aan me krijgen.'

'Ten eerste zal ik nooit ergens door een hekel aan je krijgen, punt uit. Einde discussie,' zei hij terwijl hij door mijn verwaaide haren woelde. 'Ten tweede zijn ze niet allemaal afkomstig uit Charleston, en de rest heeft daar helemaal geen bezwaar tegen.'

'Maar ze zijn al heel vroeg getrouwd met mensen uit Charleston. Je kent er toch een paar al sinds je pas was afgestudeerd? En met de anderen ben je vanaf de wieg opgegroeid. Jullie zijn eigenlijk familie. Typisch iets voor de gegoede kringen uit de stad. Daar ben ik niet tegen opgewassen.'

'Anny, wat moet dat "daar" voorstellen? Wat denk je dat we in de stad doen? Wat denk je dat we hier doen? Rituelen van druïden uitvoeren? Dieren offeren? Aan etnische zuiveringen doen om de genen puur te houden?'

'Die zijn volgens mij heel puur.'

'Dan staat je een grote verrassing of een grote teleurstelling te wachten. Je ziet er beter uit dan zij allemaal en je bent intelligenter. Ze zullen dol op je zijn.'

'Lewis...'

'Hou je mond nu maar,' zei hij met een grijns, en hij draaide de Range Rover de oneffen, van hitte trillende weg op die over het hele eiland liep. Ik bleef een poos zwijgen.

We reden langs de met gras bedekte heuvel van Fort Moultrie, die ik al eerder had gezien maar nooit echt had bekeken. Het leek net een oeroude grafheuvel die de resten van een reus of van een groot vorst bevatte.

'Sullivan's was om te beginnen uitsluitend militair terrein,' zei Lewis terwijl hij naar het fort gebaarde. 'Fort Moultrie hield de eerste invasie van Charleston door de Britten tegen tijdens de Amerikaanse Revolutie. Overal op het eiland zijn vestingwerken en bunkers. Henry en ik waren er altijd aan het rondneuzen. We trokken alles uit behalve onze onderbroek – en soms die ook als we eenmaal binnen waren – en dan smeerden we ons in met modder of schoensmeer om ons te camoufleren en achtervolgden we elkaar door de tunnels met stokken waarvan we de punten hadden geslepen. Ik snap niet dat we elkaar niet per ongeluk vermoord hebben. Op een keer joegen we achter de hond van de McKenzies aan, Scout, en hij raakte de weg kwijt in de tunnels en we konden hem twee dagen lang niet meer vinden. Henry's vader draaide ons bijna de nek om. Ik denk dat hij meer op Scout gesteld was dan op ons.'

'Jullie moeten vreselijke klieren zijn geweest,' zei ik. 'Konden jullie gewoon doen wat je wilde op het eiland?'

'Ja. Dat deden alle kinderen. Destijds bestond het enige gevaar uit het tij op Breach Inlet en slangen die je kon tegenkomen. De kinderen kenden die al precies als ze nog maar twee of drie waren. Trouwens, er is hier nog steeds niet veel gevaar. Ik kom hier al sinds ik acht was en dit eiland is sinds die tijd niet wezenlijk veranderd.'

'Het klinkt idyllisch,' zei ik. En dat was het ook. Een vriendelijk, zonnig rijk van branding en zand en kreken en inhammen, een leengoed dat werd geregeerd door kinderen.

'Had jouw familie een huis hier?' vroeg ik.

'Nee. Mijn moeder was als de dood voor open water. Ze werd gek van golven. Ik begrijp niet hoe ze het heeft uitgehouden op de Battery. Als de golven hoog waren, deed ze de luiken dicht en ging naar de achterkant van het huis. Mijn ouders gingen altijd naar Sweetgrass. Ik vond het heerlijk om daar rond te scharrelen, zelfs toen ik nog klein was, maar behalve mijn zus en een paar kinderen van het personeel was er niemand om mee te spelen. Dus bracht ik weken en soms maanden door op Sullivan's in het huis van Henry's ouders. Hij had twee oudere zussen die de tijd grotendeels doorbrachten met hun nagels lakken en bij de post van de kustwacht paraderen, dus ik denk dat ik een soort jongste zoon was voor mevrouw McKenzie. Zij en de kinderen kwamen er 's zomers, zoals veel families uit Charleston destijds. Ik kan me niet herinneren dat ze me ooit anders heeft behandeld dan Henry. Een soort liefdevolle, goedmoedige verwaarlozing. Ze wist dat ons niets kon overkomen en dus had ze de meeste tijd geen last van ons. Ik was echt dol op haar.'

'Wist ze van de tunnels en zo?'

'Dat denk ik niet. Misschien een beetje. Maar ik weet dat ze van een paar dingen niets wist. Zoals duiken van de Ben Sawyer-brug in de waterweg. Niet dat er toen druk vaarverkeer was, maar het water was diep en stroomde snel. We liepen elkaar op te fokken. En we hebben een keer geprobeerd naar Breach Inlet te zwemmen en we eindigden halverwege het Isle of Palms. We moesten naar huis lopen opdat niemand het te weten kwam. En we zijn een keer tijdens een onweersbui met de boot van meneer McKenzie de baai op geweest terwijl de bliksem overal om ons heen insloeg. En we hebben achter de duinen zitten roken, en we hebben 's avonds een paar flessen rum uit huis meegenomen naar het strand en daar zijn we blijven slapen omdat we niet meer op onze benen konden staan.'

'Miste ze jullie dan niet?'

'Nee. We zeiden dat we gingen kamperen. Dat deden we vaak, achter de duinenrij of op Little Goat Island. Soms zagen we haar of Henry's zussen een hele dag niet. Ze wist dat we ergens in de buurt rondzwierven als onze fietsen er niet stonden. Vaak gingen we naar Camilla's huis aan het strand. Henry woonde aan de baai. Wij konden zeilen en krabben vangen, maar Camilla had het strand en de oceaan. We moesten haar laten meedoen met wat we ook deden, want alleen dan mochten we op haar strand komen, maar het was het waard. Camilla was een van de weinige meisjes aan wie we geen hekel hadden. Ze was net een kwajongen; ze kon beter zwemmen en zeilen dan wij. En haar zus was veel ouder, dus haar moeder en grootmoeder waren blij dat ze gezelschap had, ook al waren wij dat maar. Ik denk dat ze ons verdronken hadden als ze hadden geweten wat voor streken we haar lieten uithalen. Maar zoals ik al zei, was Sullivan's destijds de veiligste plek ter wereld. En Henry aanbad Camilla. Altijd al, vanaf de kleuterschool. Ze waren al een stel toen ze tien waren.'

'Maar hij is niet met haar getrouwd,' merkte ik op.

'Nee. Charlie Curry kwam vlak na haar debutantenjaar naar het ziekenhuis. Ze liet Henry vallen als een baksteen en tegen Kerstmis van dat jaar was ze met Charlie getrouwd. Een van de grootste trouwfeesten die Charleston ooit heeft meegemaakt. Henry ging er niet heen. Hij ging vervroegd terug naar Hopkins.'

'Arme Henry.'

'Nou ja, tegen die tijd was Fairlie op het toneel verschenen en het duurde niet lang of Henry viel als een blok voor haar. Wat een prachtmeid was dat. Nou, je zult het wel zien.'

'Waar kwam ze vandaan?'

'Ze kwam uit Kentucky om ballet te studeren aan de academie van Charleston. Henry ontmoette haar op een feest dat zijn moeder gaf voor de groep. Ze was een stuk jonger dan wij, maar dat kon Henry niets schelen. Maar zijn moeder wel. Die had altijd Camilla voor hem gewild. Twee van de grote oude families uit Charleston aan elkaar gekoppeld en dat soort onzin. Maar zelfs zij moest zich neerleggen bij het onvermijdelijke. Fairlie was fantastisch. Dat is ze nog, maar toen ze jong was... Mijn god, ze leek wel een kaars die licht verspreidde.'

Mijn mond voelde droog aan. Ik leek in de verste verte niet op een kaars die licht verspreidde, behalve misschien een stompje noodkaars.

'Vertel eens over de anderen,' zei ik. 'Over de Scrubs.'

'Dat heb ik al gedaan. Wel honderd keer.'

'Vertel het nog eens. Waarom jullie je de Scrubs noemden. Vertel hoe ze eruitzien. Waar ze om moeten lachen. Wat ze leuk vinden.'

Hij stopte de auto om een groepje mensen te laten oversteken naar het strand. Voorop liep een jonge vrouw in een mannenoverhemd en met een zonnebril op, gevolgd door twee bruine kinderen met verwarde haren, in badkleding en met teenslippers aan hun voeten. Achteraan liep een jong meisje in een bescheiden bikini, met in haar armen een stapel handdoeken, een koelbox, een parasol en strandspeelgoed. Ze was blootsvoets en sprong gejaagd over het hete asfalt.

'Net een eendenfamilie,' zei ik.

'Een typisch nucleair gezin op Sullivan's Island,' zei Lewis grinnikend. 'Mams is voor de zomer weg uit Charleston, paps blijft thuis in Tradd Street, werkt op de bank en komt hier in de weekenden. De kinderen. En het kindermeisje. Je herkent de kindermeisjes aan alle spullen die ze sjouwen en aan het feit dat ze altijd achteraan lopen. In onze tijd had je die niet. Ik weet niet of kinderen sindsdien erger zijn geworden of dat hun moeders het niet meer aankunnen. Als Henry en ik een tiener in bikini bij ons in huis hadden gehad, zouden we geen stap buiten de veranda hebben gezet.'

'Je klinkt of je een oversekste tiener was,' zei ik.

'En daar ben ik nooit overheen gegroeid,' zei hij terwijl hij zijn hand op mijn blote knie legde. Ik voelde de warmte ervan over mijn hele lichaam. Ik dacht aan het afgelopen weekend en voelde mijn armen en benen slap en zwaar worden. We hadden elkaar sindsdien elke avond gezien, maar we hadden niet meer gevrijd. Ik had erop gewacht, eerst opgelaten en verlegen, toen verbaasd, en ten slotte met een ongeduld dat ik tot diep in mijn maag voelde. Had hij soms spijt van die avond op de steiger? Maar als dat zo was, waarom wilde hij me dan blijven zien? Waarom bracht hij me naar dit huis dat hij, zo wist ik, voorgoed in zijn hart had gesloten?

Alsof hij mijn gedachten had gelezen, zei hij: 'Ik kan gewoon niet wachten om op een zandduin met je te vrijen. Dat is een ongelooflijke ervaring. De maan, de sterren, de duinbloemen, de zandkrabben...'

'Dan zul je lang moeten wachten,' zei ik, maar iets in me ontspande en rekte zich uit. Er kwam dus een volgende keer, al dan niet op een zandduin. En toen dacht ik: wat mankeert me? Kun je op je vijfendertigste opeens in een op seks beluste vrouw veranderen?

En ik wist dat ik dat kon.

Hij zette de auto weer in de versnelling en reed langzaam in westelijke richting. Aan beide zijden van Middle Street stonden bescheiden huisjes en bungalows, de meeste op palen. Ze waren goed onderhouden en veel ervan hadden mooie tuinen, maar voornaam waren ze bepaald niet.

'Waar zijn de grote oude huizen?' vroeg ik. 'Ik weet dat ze langs het strand moeten staan, maar ik heb er nog niet één gezien.'

'Daar staan ze ook. Op wat wij de eerste rij noemen. Dat is de eerste rij vanaf het strand. Er is een tweede rij en een derde, een vierde en ga zo maar door. De straatjes ertussendoor worden stations genoemd, omdat ze vroeger haltes waren van een trolleylijn die over het eiland liep. Hoe verder de rijen van het strand staan, hoe armetieriger ze worden.'

'Niet erg democratisch.'

'Dat vonden wij ook altijd.'

'Goed dan, nu over de Scrubs.'

'Die naam is ontstaan omdat we allemaal op de een of andere manier met de gezondheidszorg te maken hebben. Henry en ik hebben samen op Duke en Hopkins gestudeerd en we zijn chirurg geworden. Charlie heeft altijd ziekenhuisadministratie gedaan. De vader van Simms was eigenaar van een bedrijf dat medische hulpmiddelen leverde in het hele Zuiden, en Simms heeft het opgebouwd tot een nationaal concern. Het is inmiddels het op een of twee na grootste van het land, geloof ik. Simms en Henry en ik zijn hier geboren en samen opgegroeid, met Camilla en Lila. Wij vormden de oorspronkelijke groep, en toen kwamen Charlie en Fairlie en het klikte gewoon tussen ons. Door de jaren heen hebben we een hechte band gekregen, hechter dan die met onze familie. Ergens heb je gelijk. Ze zijn ook mijn familie.'

'Je vrouw...' zei ik aarzelend. 'Hoorde zij daar ook bij?'

'Nee.' Hij keek recht voor zich uit. 'Sissy heeft er nooit deel van uitgemaakt. Ze vond Sullivan's plakkerig en zanderig en sjofel en ze mocht de vrouwen niet. Nou ja, misschien Camilla een beetje, of in elk geval beviel Camilla's stamboom haar wel en het is hoe dan ook moeilijk om een hekel aan Camilla te hebben. Maar ze mocht Fairlie en Lila absoluut niet. Die waren te knap, denk ik.'

'Daar hoefde zij zich geen zorgen om te maken,' zei ik, denkend aan de stralende jonge vrouw in haar bruidsjurk.

'Sissy had altijd een hekel aan zand in haar schoenen en wind door haar haren. En het huis is wat gerieflijkheid betreft niet bepaald een paleis. Ze bleef meestal in Charleston en dan ging ze naar feesten en ze ging winkelen met de meisjes of ze bracht hen naar hun eigen feestjes.'

'En vonden die het strand niet leuk?' vroeg ik, me afvragend welk kind niet hield van golven en zand en eindeloos blauw.

'Toen ze nog klein waren, kwamen we hier wel af en toe, maar Sissy had een hekel aan de andere kinderen. Ze vond ze lawaaiige kleine vandalen die gewoon deden wat ze wilden. En zo waren ze ook, net als hun ouders vroeger. Maar ze was wel graag op Sweetgrass, en daar hebben we veel tijd doorgebracht. Ze vond het prettig om haar vrienden te kunnen uitnodigen op de familieplantage, en later in het huis op de Battery. Als ik hier naartoe ging, ging ik alleen.'

'Wat vreselijk triest,' zei ik, terwijl ik even mijn hoofd tegen zijn schouder legde. Hij stak een hand uit en aaide over mijn haar.

'Hoe dan ook, de rest van ons had eindelijk een soort systeem opgezet wat het strandhuis betrof. Camilla's moeder was er niet meer in geïnteresseerd na de dood van haar man, dus hebben we allemaal geld ingelegd en het gekocht. Het is van ons allemaal. Degene die er elk weekend wil komen of er een poos wil blijven, kan dat doen. En ze mogen iedereen meebrengen die ze willen. Sommigen hebben nog andere huizen, zoals ik op Edisto, en ze komen hier niet zo vaak als de anderen. Maar één keer per maand komen we hier allemaal een dag, soms twee dagen, bij elkaar. Niemand slaat dat ooit over. De kinderen kwamen vroeger ook mee, maar tegenwoordig zijn alleen wij er, net als vroeger. Je vroeg waar we om moeten lachen? Om alles. En wat we leuk vinden? Een heleboel dingen natuurlijk, maar hoog op de lijst staat de oceaan, en dat huis, en... wij. Vreemd, maar dat strand heeft ons altijd bij elkaar gehouden. Het water is als levensbloed voor ons, denk ik.'

Ik zweeg. Ik dacht dat ze me nooit zouden opnemen in dat complexe web van liefde en gelach, wat Lewis ook zei. Ik had zelfs nooit geweten dat dergelijke vriendschap bestond. Opeens wilde ik, meer dan wat ook ter wereld, tegen Lewis zeggen dat hij de auto moest omdraaien en me naar huis brengen.

'We zijn er,' zei hij. Hij reed een ruwe zandweg op die door een door duinen geflankeerd bos van dwergdennen en kleine palmbomen en hier en daar een eik voerde. De rit leek heel lang te duren. Aan weerskanten was niets anders te zien dan zand en lage begroeiing.

'Dit is absoluut het onelegante uiteinde van het eiland,' zei Lewis. 'De meeste mooie huizen staan meer naar het oosten. Maar daar ben ik altijd blij om geweest, want we hebben betrekkelijk weinig buren. Het strand hier is nogal smal en de duinen zijn hoog en moeilijk begaanbaar. Daardoor is het allemaal tamelijk wild gebleven.'

En toen kwamen we uit de lage begroeiing op een verblindende zandvlakte waarachter de duinen hoog oprezen, begroeid met wuivend duingras, en het geluid van de onzichtbare oceaan dreunde in mijn oren, en ik zag het huis voor de eerste keer.

Het was, zacht uitgedrukt, een huis dat uit bijeengeraapte stukken bestond. Het stond midden in de verblindend witte open plek, zonder enige schaduw, en het bladderende grijze hout straalde hitte af, net als heet asfalt. Je kon de hitte zien trillen. Het middelste gedeelte was vierkant en had een verdieping en een heleboel kleine ramen waarin ik gordijnen zag wapperen in de zeebries. Het werd bekroond door een uitkijkpost, als een kerkhoed op een weduwe. Diverse vleugels waren duidelijk later aangebouwd, en het geheel werd omgeven door een afgeschermde veranda. Het huis stond op hoge palen, en eronder lag donkere schaduw waarin ik een paar auto's en een grasmaaimachine kon onderscheiden en iets wat op een volleybalnet leek, gedrapeerd over een pingpongtafel. Op het erf, of hoe ze het schroeiend witte terrein eromheen ook noemden, moest de middaghitte nauwelijks te verdragen zijn. Maar ik had gordijnen zien golven en iets gehoord dat op het wapperen van een vlag leek. Al het leven in dit huis was afhankelijk van de wind.

'Hier wil ik zijn,' zei ik impulsief tegen Lewis, me bijna niet bewust dat ik iets had gezegd. Het huis zong voor me zoals mijn moeder nooit had gedaan.

'Ik weet het,' zei hij met een glimlach. 'En hier ben je dan.'

Een lange, houten trap leidde van het zand naar de veranda aan de achterkant. De trap had een leuning en zag er stevig uit, maar moest nodig worden geschilderd. Net als de rest van het huis. Ik vond elke schilfer en groef prachtig. Toch was dit mooie huis een wildebras in gescheurde kleren die niets anders van je zou eisen dan loyaliteit. Het had die van mij al voor we uit de auto stapten.

'Het is prachtig,' zei ik tegen Lewis terwijl we door het zand naar de trap sjokten. Distels prikten tegen mijn benen, en kleine, gemene insecten stortten zich op mijn blote huid.

'Ja,' zei hij. 'Niets ervan klopt, esthetisch gezien. Het is begonnen als een strandhuis uit New England omdat Camilla's vader in Nantucket was geweest en helemaal weg was van de oude zeemanshuizen daar. De meeste andere huizen zijn laag en liggen achter de duinen, maar hij zei dat als hij toch een strandhuis had, hij het strand dan ook wilde zien. Dit huis is een van de hoogste punten op het eiland, en door de palen is het nog een verdieping hoger geworden. Hij heeft al het land tot de eerste duinenrij opgekocht omdat hij zei dat hij niet in het badkamerraam van de buren wilde kijken. Als je in huis bent, lijkt het net of je op een schip op zee bent. Je kijkt zo over de duinen naar het strand en de oceaan. De toppen van de palmen komen bijna tot de veranda. Wie de vleugels en de veranda eraan heeft gebouwd, had alleen ruimte voor slaapkamers nodig en een plek om buiten te zitten. Niets ervan zal ooit de *Architectural Digest* halen, maar op de een of andere manier zit het goed in elkaar. Ook al zijn de slaapkamers zo klein als een kast en de wanden zo dun dat je je buren kan horen... snurken.'

Hij wierp me een wellustige blik toe.

'Och, er zijn altijd nog duinen,' zei ik, en hij lachte en pakte mijn hand en we renden de trap op naar de veranda, de wind in.

Deze sloeg ons recht in het gezicht toen we bij de achterdeur van het huis kwamen, die openstond. Ook de voordeur was open. Een stroom zoutzoete lucht waaide erdoorheen en ik kon de hele grote kamer en de veranda aan de voorkant zien, en daarachter de contouren van de duinen die afliepen naar het strand en de zee. Het was vloed, en het blauwgroene water was doorweven met wit schuim. Ik kreeg een warrige indruk van oud riet en gerafelde biezen matten en slordige verzamelingen kranten en boeken, en koffiekopjes en verfrommelde servetten, en aan het uiteinde een enorme, lege, stenen haard. Aan de andere kant voerde een smalle trap naar de eerste verdieping. Naast de hordeur aan de voorkant stonden vishengels, en om de een of andere reden lag een haveloze gele zeekajak op de veranda naast een hangmat van touw. Er was niemand in huis.

Er lag echter een briefje op de gedeukte schragentafel, vastgehouden door een fles insectenafweermiddel.

'Zijn op strand,' stond er. 'Breng handdoeken mee en wat ijs uit de vriezer en nog een parasol. Welkom, Anny!'

Het briefje was simpelweg ondertekend met 'C'. Camilla, dacht ik. Mijn keel voelde strak aan.

'Ik heb geen badpak,' zei ik met een klein stemmetje.

'Er ligt er vast wel ergens een die je past,' zei Lewis. 'Ga naar boven en kijk in de eerste slaapkamer rechts. Die is van Camilla en Charlie. Zij heeft een voorraad extra badpakken. Mensen vergeten ze soms en laten ze achter. Er moeten inmiddels een stuk of twintig liggen.'

'Ik kan toch niet zomaar in hun slaapkamer komen...'

'Welja. Dat interesseert niemand iets. Soms word je wakker en dan zie je iemand in een la snuffelen of in je koffer, op zoek naar postzegels of je autosleutels, of, en dat is veel aannemelijker, een aspirientje. Het is hier een nogal socialistisch huishouden.'

Ik liep behoedzaam de donkere, oude trap op en de kleine slaapkamer in die uitkeek over het dak van de veranda. Er stond een groot, oud, mahoniehouten bed met een heleboel gele kanten kussens en bedekt met een ivoorkleurige, katoenen sprei. Op nachtkastjes na, twee scheve lampen en een grote, oude ladekast stond er verder niet veel in de kamer. Het rook er naar zout en kamfer en generaties. En toen zag ik een kleine nis waarin een smal schrijfbureau stond met een lamp erop, stapels papieren en knipsels en postzegels en schrijfpapier waarvan de enveloppen waarschijnlijk tegen elkaar waren geplakt door het vocht, en een prachtig boek met een groenzijden omslag dat wel een dagboek zou zijn, nam ik aan. In een kleine porseleinen vaas stonden duinrozen te verwelken. Camilla's hoekje, de plek waar ze echt leefde.

In de onderste la van de ladekast vond ik de badpakken, netjes opgevouwen in vloeipapier en ruikend naar lavendel. Het moesten er inderdaad een stuk of twintig zijn, en zo te zien waren sommige zeker dertig jaar oud. Uiteindelijk koos ik een roze gebloemd katoenen badpak met een rokje, trok het aan in het schemerige licht en ging naar beneden terwijl ik mijn short en blouse voor me hield.

'Perfect,' grinnikte Lewis terwijl hij mijn kleren wegtrok om te kunnen kijken. 'Past precies bij je. Als je een bikini had aangetrokken, zou ik je meteen terug naar huis hebben gebracht.'

'Het mooiste daar boven is nog zo'n geval met ballonpijpjes en een voorgevormde bovenkant die je borsten niet eens raakt. Ik had er zo een op de middelbare school. Ik leek net de voorkant van een Studebaker uit 1953.'

Hij lachte en gaf een kus op mijn voorhoofd, en we pakten de handdoeken en het ijs en de grote parasol, liepen de trap aan de voorkant af en over het lange plankier het duin over en naar het strand.

De vloed was op het hoogste punt en de zon stond recht boven ons, zodat het hele strand en de zee één verblindende glinsterende vlakte waren. Het licht slokte de wereld op; het leek of ik door het licht blind was geworden. Het zoog zelfs de geluiden op. Ik kon groepjes mensen op het strand zien, onder parasols, en kinderen die joelend in de branding speelden, en meeuwen die door de lucht scheerden. Maar ik kon ze niet horen, net zomin als het zachte geruis van de branding die het strand op rolde en eindigde in een dunne, effen plas, omrand door schuim. Maar ruiken kon ik wel: de primitieve, metalige geur van de zee, de hete zon op het duingras, dat een beetje naar hooi rook; zelfs een vleug naar kokos ruikende zonnebrandolie. En nog iets: onder dat alles de weeïge, scherpe geur van de modder van de moerassen langs de binnenwaterweg, de typische geur van Charleston.

Naast me zei Lewis iets, maar ik kon hem niet verstaan. Hij begon te lachen. Hij wees naar het strand, maar ik kon niet zien waar hij naar wees.

Ik draaide me om en keek naar hem, en hij deed zijn zonnebril af en zette die op mijn neus en de wereld keerde weer terug, helder en met scherpe schaduwen.

In het vochtige zand van het strand stonden de woorden 'Hallo, Anny' gekerfd, in letters van wel een meter groot. Achter de boodschap, naast elkaar als dansers in een revue, stonden de Scrubs te zwaaien en te lachen.

Ik voelde hoe de wind het slappe rokje van mijn afschuwelijke badpak optilde en van mijn haar een warboel maakte. Als ik me had kunnen omdraaien en wegrennen, had ik het gedaan. Maar Lewis' hand lag stevig tegen mijn rug en dwong me naar voren, en de rij mensen die al of niet mijn vrienden zouden worden, viel uiteen en ze kwamen het duin op om ons te begroeten.

Ik wist dat ze allemaal, behalve Fairlie, van Lewis' leeftijd waren, rond de vijftig en misschien iets ouder. Maar ze leken net van die opgeschoten jongeren die je altijd in films ziet roepen: 'Hé, jongens, laten we iets leuks doen!' Ik kreeg een opeenvolging van indrukken zoals zijdeachtig rood haar, witblond haar boven een smal, diepbruin gezicht, verschoten, praktische badpakken, lange, bruine ledematen en witte tanden. Iedereen was slank. Hoe konden zoveel mensen van middelbare leeftijd er zo als slungelige en tegelijkertijd gratievolle pubers uitzien? Eén mannelijke gestalte had iets van een buikje en brede schouders, maar hij was zo lang dat hij niet uit de toon leek te vallen bij die groep slanke dennen. Lewis en ik, die daar op het duin boven hen stonden, waren de enigen die een gedrongen postuur hadden.

'Ik voel me net een tuinkabouter,' fluisterde ik vol ellende tegen hem, en hij klemde stevig een arm om mijn schouders voor ze ons in beslag kwamen nemen.

Ik werd omhelsd en op de wang gekust en meegenomen naar het strand, waar een paar door de zon verbleekte parasols stonden. Daaronder lag een wirwar van vochtige handdoeken en rubberen teenslippers en papieren bekertjes en een warm geworden koelbox. Lewis zette het ijs en de handdoeken en de extra parasol neer.

'Zo,' zei hij. 'Hier is ze dan. Eén tegelijk, anders gaat ze er als een haas vandoor. Jullie reputatie is jullie voorgegaan.'

Ik ging op een vochtige handdoek zitten en voelde het koude zand eronder in de pijpen van het badpak onder het rokje doordringen. Een voor een, als smekelingen bij een koningin, kwamen ze bij me zitten of neerknielen. Lewis stelde hen voor. Ik wist dat ik er weinig van zou onthouden, maar ik glimlachte en knikte als een idioot, en bedacht dat ik vast een pompoen met een zwarte pruik leek in een te klein ouderwets badpak.

Camilla Curry was lang en heel slank, reeds een beetje gebogen door de osteoporose die over niet al te lange tijd bezit zou nemen van haar lichaam. Maar haar lange benen en armen en haar slanke handen en voeten waren jeugdig, en haar smalle, fijn gevormde gezicht was zo sereen en mooi als dat van een beeld op een middeleeuwse graftombe. Ze had dik, kastanjebruin haar dat ze in een losse knot op haar achterhoofd droeg, en bruine, door lange, dikke wimpers omrande ogen. Haar glimlach was als die van een engel.

'Zo, Lewis,' zei ze. 'Eindelijk heb je dan de goede keus gemaakt.' En tegen mij: 'Je moet wel heel bijzonder zijn. Lewis heeft nooit eerder iemand naar hier meegebracht.'

Ik voelde een opwelling van diepe genegenheid. In al die tijd dat ik Camilla heb gekend, is dat nooit veranderd.

Haar man, Charles Curry, was de grote, breedgebouwde man die me eerder was opgevallen. Ik wist dat Charles aan het hoofd van de administratie stond van Queens Hospital in de stad, waar Lewis en Henry McKenzie als chirurg werkten. Ik herinnerde me dat, behalve ik, Charles de enige van de twee Scrubs was die niet in Charleston was geboren en getogen. Hij was getrouwd met iemand van een van de oudste en voornaamste families van Charleston, en dat leek hem evenmin te hebben gehinderd. Ik meende me te herinneren dat Lewis had verteld dat hij uit Indiana kwam, en het verwonderde me hoe goed hij zich had weten aan te passen. Hij was iets te zwaar, zijn huid vervelde als die van een oude walrus en hij had een gat in zijn zwembroek dat nog net niet obsceen was, maar zijn ruwe stem en hartelijke, luide lach klonken vol zelfvertrouwen, en ik kon me voorstellen dat alleen al zijn vitaliteit hem toegang had verschaft tot meer dan een paar saaie salons. Ik had het idee dat hem dat hoe dan ook niet interesseerde.

Vervolgens werd Fairlie McKenzie voorgesteld. Ik kreeg even de indruk dat ik op sollicitatiegesprek was voor een baan als werkster. Fairlie trok hoe dan ook je aandacht. Zelfs nu ze tegen de vijftig liep, kon je je ogen bijna niet van haar afhouden. Ik dacht aan wat Lewis had gezegd over hoe ze eruitzag toen ze als jong, aankomend danseresje pas in de stad was, en ik kon dat meisje in haar zien, alsof ze een overgeschilderd schilderij was waarvan de oorspronkelijke afbeelding weer zichtbaar werd. Haar dikke, koperrode haar wapperde in de wind en gloeide op in de zon. Ze had scherpe, vosachtige gelaatstrekken en verrassend blauwe ogen, en ze bewoog zich als een prachtige slang, opgerold en zich totaal niet bewust van haar lichaam.

'Anny,' zei ze, en in haar stem klonk Kentucky door. Het Kentucky van rasdieren, niet van de kolenmijnen. 'We hebben allemaal ademloos gewacht om te zien welke schitterende Mata Hari Lewis eindelijk zo ver heeft kunnen krijgen om haar op deze heilige grond te brengen.'

'Nou, niet bepaald een Mata Hari,' zei ik, en ze lachte, maar ze zei niets meer. Ik mocht Fairlie McKenzie niet, toen niet. Ze was scherp en sarcastisch, en haar danseressenlijf in haar zwarte wedstrijdbadpak schreeuwde bijna 'ordinair' tegen mijn ouderwetse gebloemde badpak.

Na haar kwam Henry McKenzie. Ik mocht hem meteen. De meeste mensen zouden hem mogen, dacht ik. Op de een of andere manier straalde hij veiligheid uit. Hij was de lange, blonde man die ik eerder had opgemerkt, en zijn bruine lijf was zo schraal en buigzaam als dat van een vogelverschrikker. Hij had lichtbruine ogen die slaperig leken, en een glimlach die je alleen maar lief kon noemen. Alle moeders met dochters zouden dol op hem zijn geweest. Het moest een enorm verlies zijn geweest voor de genenpoel van Charleston toen Henry de flamboyante Fairlie koos en haar liet intrekken in Bedon's Alley. Lewis had me verteld dat Henry cardioloog was en, als hij weg kon, veel tijd doorbracht met autochtone artsen in van die vreselijke arme gebieden als Haïti, het wilde, groene binnenland van Porto Rico en zelfs Afrika. Ik bedacht enigszins wraakgierig dat Fairlie vast nooit met hem was meegegaan.

'Lewis heeft me verteld over je werk bij het centrum,' zei hij. 'Prachtig werk. Ik wil er graag eens met je over praten. In alle landen waar ik kom hebben ze echt behoefte aan iets dergelijks. Misschien heb je zin om een keer met ons mee te gaan om te zien hoe we zoiets op poten kunnen zetten...'

'Henry, alsjeblieft!' zei Camilla op een toon vol ergernis en genegenheid. 'Anny heeft vast wel wat anders aan haar hoofd dan als onbetaalde hulp voor jou aan de slag te gaan in Verweggistan of waar dan ook.'

'Ach,' zei Henry droog. 'Wat ze ook verder met haar leven wil doen, knap is ze!'

Fairlie haalde haar neus op. De overige Scrubs lachten. Opeens was het goed. Op dat moment was alles goed.

Simms en Lila waren de laatste. Ze kwamen samen naar me toe. Als je de stad zou kennen, dan had je meteen 'Charleston' gedacht zodra je hen waar ook ter wereld was tegengekomen. Lila was klein en fraai gevormd. Ze had halflang honingblond haar dat uit haar gezicht werd gehouden door een zonnebril boven op haar hoofd. Ze was slechts lichtgebruind en ze had een hartvormig gezicht en grote bruine ogen die ver uit elkaar stonden. Ze droeg een blauw badpak van bobbeltjesstof met pijpjes, dat zo verbleekt was dat het bijna wit leek, en aan haar oren bungelden kleine, gouden ringen. Haar stem klonk zacht en hees, met de typische 'a' van Charleston erin. Ze had een zonnige glimlach. Ik zag haar al voor me op een veranda in de schaduw van een maagdenpalm, vragend of iemand nog een nipje lustte. Simms was niet lang en niet klein, tenger gebouwd, met bruin haar dat grijs begon te worden. Hij had de slaperige ogen en trage stem van mannen die in de gegoede kringen van de stad waren geboren en getogen, en ik kon me voorstellen hoe hij, buiten de ruime, knielange, geruite broek die hij nu aanhad, de in zwang zijnde lichtbruine broek, blauw overhemd en strikdasje zou dragen. Op zijn voorhoofd en rond zijn ogen waren witte lijnen te zien als die van een zeeman. Lewis had ze ook. Hij had me verteld dat Simms waarschijnlijk de beste zeiler van de Carolina Yacht Club was, en tevens een geduchte tegenstander. Het moest die kant van hem zijn die aan het hoofd stond van een van de grootste bedrijven die medische hulpmiddelen leverden, dacht ik. Hier, in de schaduw van de parasol, zag ik alleen de goedmoedige, ietwat lui aangelegde man die een jeugdvriend was geweest en nu een volwassen metgezel. Ik had het idee dat Simms veel meer verdiende dan de anderen, en dat kon toevoegen aan de tweehonderd jaar oude goedgeefsheid van Lila's familie. Maar hier op dit strand, onder de zon, was hij allereerst een Scrub. Om die reden vond ik hem aardig, en ik mocht Lila vanwege haar hartelijke glimlach. Lewis had me ook verteld dat Lila nogal lukraak huizen verkocht in een klein makelaarskantoor dat bestond uit vrouwen die elk huis ten zuiden van Broad kenden en al weken van tevoren op de hoogte waren wanneer het te koop zou worden aangeboden. Hij zei dat ze er goed aan verdienden.

'Je bent een frisse wind hier,' zei Lila terwijl ze me omhelsde. Ze rook naar lavendelzeep. Simms pakte mijn handen en keek me glimlachend aan. 'Van harte welkom, Anny Butler,' zei hij. 'We waren net van plan om deze vent hier eruit te gooien omdat hij zijn aandeel niet levert.'

'Hij bedoelt,' zei Lila, 'dat we om beurten voor het eten zorgen en natuurlijk worden de vrouwen ermee opgezadeld, en Lewis, als hij er al aan denkt, maakt zich ervan af door bier en zakjes pinda's mee te nemen. Dus bereid je maar voor op het voederen van een heleboel mensen, Anny!'

'Kan ik ook iets laten bezorgen?' vroeg ik, denkend aan het feit dat ik vroeg mijn werk moest beginnen en er pas laat mee klaar was.

'Geen probleem,' zei Henry. 'We halen vaak broodjes tomaat en frisdrank omdat we daarop leefden toen de kinderen nog meekwamen. Ik ben er helemaal voor om iets te laten bezorgen.'

'Jullie vergeten hoeveel liters krabsoep en tonnen garnalen ik naar hier heb gesleept,' zei Lewis met een grijns.

'Ja, maar jouw huishoudster op Sweetgrass maakt die soep en ik weet toevallig dat je de garnalen gewoon bij Harris Teeter haalt,' zei Simms. 'De regel is dat we ons moeten uitsloven voor onze smulpartijen.'

'En wie zijn die "we"?' informeerde Fairlie vanonder de breedgerande strohoed die ze had opgezet.

'Sinds wanneer heb jij iets anders leren bereiden dan tomatensoep en geroosterd brood?' plaagde Henry haar.

'Ik ruim op. Ik doe de afwas,' antwoordde ze. 'Terwijl jullie, kerels, intussen op de veranda sigaren zitten te roken of gaan zeilen.'

Geleidelijk aan stierven de gesprekken weg en leek iedereen tevreden te zijn met gewoon in de schaduw te zitten en naar de zee te kijken. Ik was blij met die rust, blij dat ik de vuurdoop achter de rug had, en ik probeerde net zo achteloos als de anderen op de handdoek te gaan liggen terwijl ik steeds het rokje over mijn kruis trok.

Al gauw werd het stil, en de mensen strekten zich uit op de handdoeken onder de schaduw van de parasols, en geleidelijk werd de ademhaling dieper. Iemand hoestte, iemand anders schraapte zijn keel. Buiten de grenzen van onze parasols zwol het geluid van roepende kinderen en radio's en golven aan en nam weer af, zoals dat gaat als je in slaap valt. Ik voelde mijn spieren verslappen en mijn ademhaling dieper worden. Dit kan ik aan, dacht ik, nog net voor mijn bewustzijn wegebde met het geluid van de zee.

'JODELA-HI-TIE!

Een schrille, bijna waanzinnige kreet rukte me uit mijn slaap. Mijn hart bonsde in mijn keel. Voor ik mijn ogen kon openen, trokken handen me overeind van de handdoek en over het strand. Ik knipperde met mijn ogen en zag dat ik door de Scrubs meedogenloos naar de zee werd gesleept.

'Hou op!' riep ik. 'Hou op! Ik heb in geen twintig jaar meer gezwommen!'

Maar niemand hoorde me boven hun eigen gejoel uit. Voor ik op adem was gekomen, stortten we ons al door de branding in water dat tot ons middel kwam, en vervolgens gingen we kopjeonder in een grote golf.

Als je een hele tijd niet in de oceaan bent geweest, dan vergeet je dat. Je vergeet dat je je moet overgeven om je te laten meevoeren door groene, van licht doordrongen golven in een soort gewichtloosheid. Volgens mij moet het zo zijn als je in die heerlijke, eindeloze, zoutachtige vloeistof in de baarmoeder dobbert. Die dag, onder het glinsterende oppervlak van de zee bij Sullivan's Island, dreef ik rond in het water, schemerig en koel in de diepte, helder en warmer als je naar het oppervlak keek. Mijn ledematen werden los en soepel; mijn haar waaierde uiteen als dat van een zeemeermin; mijn belachelijke rokje dreef om me heen als zijden tule. Ik was lichter dan de lucht en leniger dan een dolfijn, en ik wilde niet meer naar de oppervlakte komen. Ik begreep nu waarom verdrinken verleidelijk kon zijn. Toen Lewis mijn pols greep en me met een ruk overeind trok uit het water dat tot borsthoogte reikte, maakte ik me met een frons los.

'Weet je wel hoe lang je onder water bent gebleven?' zei hij strak. 'We dachten dat we je hadden verdronken. Camilla is al onderweg naar de strandwacht. Wat was er aan de hand?'

'Niets,' zei ik dromerig. 'Het was prachtig. Ik was vergeten hoe het voelde om echt ín de oceaan te zijn.'

'Nou, je hebt iedereen de stuipen op het lijf gejaagd,' zei Fairlie McKenzie. 'Ben je ook nog van plan een toegift te geven?'

'Hou je mond, Fairlie,' zei Henry, en deze keer lag er geen vriendelijke klank in zijn lijzige stem.

Lila holde over het strand om Camilla's aandacht te trekken, en de rest van ons raapte de handdoeken en koelbox en parasols bijeen en sjokte terug over de duinen naar het huis. De anderen maakten gekheid met elkaar, maar ik volgde hen opgelaten en met hangend hoofd. Ik voelde de soepelheid uit mijn ledematen verdwijnen en de sierlijkheid drupte uit mijn doorweekte rokje.

'Het spijt me,' fluisterde ik tegen Lewis toen we de veranda hadden bereikt.

'Wat?'

'Dat ik iedereen zo ongerust heb gemaakt.'

'Welnee,' zei hij. 'Ik zal je nog wel eens vertellen over de keer dat Lila en Fairlie in de boot de kreek op gingen en vastliepen in een oesterbed en we de kustwacht erbij moesten halen om ze terug te slepen. Daarbij vergeleken stelde dat van jou niets voor.'

'Dan is het wel raar dat Fairlie zo kwaad op me werd, vind je niet?' zei ik.

'Zo is Fairlie nu eenmaal. Ze is snel aangebrand en ze neemt geen blad voor de mond, en ze is jaloers op alles en iedereen die de groep dreigt op te breken. Maar ze is de trouwste vriendin die ik ken. Als ze eenmaal begrijpt dat je geen enkele bedreiging vormt voor de groep, zal ze je als een zus beschouwen. Je had moeten meemaken hoe ze tegen Sissy deed. Ze liet geen spaan van haar heel met die scherpe tong van haar.'

'Vond Sissy dat erg?'

'Ik geloof dat ze het niet eens merkte.'

'Je zou denken dat iemand die er pas later bij is gekomen, zich niet zo druk zou maken over de groep,' zei ik.

'Volgens mij is dat precies de reden waarom ze het doet,' zei Lewis. 'Ga je aankleden, dan kunnen we aan de lunch beginnen. Dat is de belangrijkste gebeurtenis hier en die kan uren duren.'

Ik verkleedde me vlug in de badkamer boven. In het schemerige groen van de oude ramen en de spiegel leek mijn huid vol kippenvel, lijkbleek. Ik had de deur op slot gedaan en toen ik naar buiten kwam, liepen Fairlie en Camilla spiernaakt en lachend door de slaapkamer met handdoeken om hun haar gewikkeld, terwijl ze droge kleren zochten. Fairlie rookte een sigaret. Niemand leek enige haast te hebben.

'Hallo, lieverd, gaat het?' vroeg Camilla.

Ik knikte heftig, met mijn blik afgewend. Ik draaide me om en liep de deur uit en de trap af in mijn droge short en blouse, en achter me hoorde ik Fairlie spottend lachen.

Nou, dacht ik, ik heb in elk geval grotere borsten dan zij. De volgende keer zal ik het haar laten zien. Ik kan net zo goed naaktlopen als wie dan ook.

We lunchten aan de gehavende schragentafel op de door horren afgeschermde veranda. De wind was gaan liggen en de langzaam draaiende ventilator boven ons bewoog de lucht net genoeg om het zweet op onze gezichten te drogen. Wangen en schouders zagen roze van de zon en natte haren droogden op zonder gekamd te zijn. Fairlie en Lila en Camilla hadden dozen en zakken opengemaakt en heerlijke dingen tevoorschijn gehaald: kaviaar en toostjes, vers fruit, brood en kaas en koude garnalen en krabbenpoten, en dunne plakken gerookte zalm. Bedauwde flessen wijn stonden op een zijtafel. Wie had het over broodjes tomaat en frisdrank?

'Het spijt me echt,' zei ik. 'Ik wist het niet, van het eten. Volgende keer breng ik wat extra's mee.'

Fairlies wenkbrauwen gingen omhoog: volgende keer?

'Maak je geen zorgen,' zei Camilla. 'Lewis heeft de wijn betaald. Volgende keer kun je een voorgerecht meebrengen. Haal gewoon iets bij de chinees, dat is prima.'

'Ik kan wel iets beters bedenken,' mompelde ik. Ik was van plan om zoiets chics en ingewikkelds te maken dat het met applaus en kreten van verrukking begroet zou worden, en dat de eerstvolgende keer meebrengen.

We aten en dronken wijn en praatten en lachten wel drie uur lang. Muziek uit een gebarsten witte plastic radio omringde ons: de Tams, de Shirelles, de Zodiacs. Strandmuziek. De gesprekken gingen hoofdzakelijk over hun jeugd, over hun eerste jaren samen als groep. Ik begreep dat het in dit huis niet ging over gebeurtenissen van buitenaf. Ze leidden allemaal een druk bestaan in Charleston met werk, andere vrienden, families, liefdadigheidsinstellingen, comités, vakanties, goede en slechte tijden. Maar hier, als ze onder elkaar waren, konden ze een poosje leven in een parallel universum waar de tijd stilstond. Ik vond het niet erg om te luisteren naar verhalen over mensen die ik nooit zou kennen, grappen die ik nooit zou begrijpen, verwijzingen die ik nooit zou kunnen volgen tot iemand zo vriendelijk was het aan me uit te leggen. Ik wist dat Lewis me mettertijd in het web van de Scrubs zou brengen. Nu was ik tevreden met gewoon te zitten, mijn maag vol met garnalen en wijn, en te luisteren naar het ingewikkelde verbale vlechtwerk van deze groep vrienden. Nooit eerder had ik zoiets gehoord.

Uiteindelijk verloor de zon de felle hitte en werden strand en zee grijzer, en de lucht boven de binnenwaterweg tegenover het huis kleurde roze en ten slotte vuurrood door de zonsondergang. Hoog boven de oceaan, die nu een doffe donkergrijze kleur had, tekende de maan zich al af. En nog steeds bleven ze praten en praten en nog eens praten. Ik wilde niet dat ze zouden ophouden. Dit was de nieuwe taal die misschien mijn leven zou gaan definiëren.

Niemand had haast. We bleven zitten tot de dichte, plotselinge duisternis van de Low Country over ons viel, tot de maan wit werd, tot de vele sterren te zien waren. We dronken de laatste wijn op en nog steeds waren ze aan het praten. Toen iemand zich ten slotte naar me omdraaide en zei: 'Vertel eens over jezelf, Anny, en niets weglaten, hoor', merkte ik dat ik bijna geen stem meer had.

'Ik denk dat ik vergeten ben hoe ik moet praten,' zei ik, en ze lachten, zelfs Fairlie.

'Dat is geen ongewoon syndroom hier,' zei Lewis. 'Ik zal jullie alles over Anny Butler vertellen, want anders laat ze het beste toch weg.'

En hij begon. Hij vertelde over mijn jeugd en mijn moeder en zussen en broer, en over mijn werk en wat ik deed, en over onze ontmoeting met de rode lynx op de steiger van Sweetgrass. Ik hield mijn adem in, maar hij zei niets over wat er verder was gebeurd. Ik vermoedde echter dat het toch wel duidelijk was, want iedereen glimlachte toegeeflijk.

'Dus je bent echt iemand die graag zorgt,' zei Henry. 'Mooi. Dat is Camilla ook, maar we hebben haar al bijna uitgeput.'

'Dat zal niet gebeuren,' zei Camilla vanuit het schemerdonker van de oude hangmat waarin ze zich had genesteld. 'Maar over zorg gesproken, ik heb deze week het ergste meegemaakt wat je maar kan overkomen. Ik moest mijn moeder naar Bishop Gadsden brengen. Ze kon gewoonweg niet langer op Tradd blijven, zelfs niet als Lavinia daar de hele dag was en Lydia en ik elkaar 's nachts zouden afwisselen. Zodra je haar even de rug toe hebt gekeerd, is ze de deur al uit. Margaret Daughtry vond haar vorige week naast hun visvijver, en dat is een paar straten verder. Ze droeg haar bontjas over haar nachtjapon. Ik begrijp niet dat ze zo ver kon komen zonder dat iemand haar heeft gezien. Nou ja, het wemelt van toeristen op straat en die denken waarschijnlijk dat oude dames in Charleston regelmatig over straat wandelen in nachtpon en bontjas. En vorige week zette ze een pan op het vuur en draaide de pit aan terwijl Lavinia in de badkamer was, en toen ging de rookmelder af en de brandweer kwam. Lydia en ik konden bijna geen oog dichtdoen toen we daar waren. We lagen gewoon te wachten tot ze door het huis begon te scharrelen, wat ze elke nacht doet. Ik kan haar toch niet van die smalle, oude trap laten vallen, en ik weiger haar op te sluiten in haar eigen huis. En we kunnen haar echt niet bij ons in huis nemen en blijven werken, en Lydia heeft haar kleinkinderen in huis genomen sinds Kitty... nou ja, je weet wel. Dus heeft Charlie hier en daar aan de bel getrokken en haar in Bishop Gadsden weten te krijgen, en eergisteren heb ik haar daar naartoe gebracht. Mijn god, ze dacht dat ze naar een bijeenkomst van de tuinclub ging. Het was vreselijk. Ze heeft een heel mooie suite en veel van haar vriendinnen wonen daar al, en Lydia en ik gaan haar om beurten elke dag opzoeken, maar ik zal me altijd schuldig blijven voelen. Toen ik wegging, begon ze te huilen en ze zei: 'Wanneer mag ik weer naar huis?' en ik heb de hele terugweg zitten huilen. Want ik weet wat ze bedoelt. Ze wil haar eigen huis, het huis dat ze door de jaren heen zo mooi en gezellig heeft gemaakt, en haar spullen, en haar vrienden, en de straat die ze kent, en leven volgens haar eigen ritme en zelf dingen beslissen, en vooral niet door een gang of in een kamer komen en een menigte oude mensen zien die allemaal op elkaar lijken en naar talkpoeder en urine stinken en die ze niet herkent. Natuurlijk wil ze dat. En ik weet gewoon niet hoe ik haar dat kan geven.'

'Dementie,' zei Lewis, 'is verwoestend. Ik denk dat ik mezelf dood zou schieten als ik nog goed genoeg was om te beseffen dat ik het had. Zien jullie al voor je dat Anny mijn luiers zou moeten verschonen?'

Dat zou ik kunnen, dacht ik. Alsof Henry mijn gedachten had geraden, keek hij me met een glimlach aan.

'Dat is iets wat we allemaal onder ogen moeten zien, als onze ouders die leeftijd tenminste bereiken. En het zal ons ook op een dag overkomen, en dan zullen onze kinderen zich net zo voelen als jij nu, Camilla,' zei Lila. Voor de verandering klonk ze nu niet opgewekt.

'Ik verdom het gewoon,' zei Fairlie strak. 'Ik ga nog liever over straat zwerven dan dat ik me door iemand in een tehuis laat dumpen dat ik niet ken, met een stel mensen die me niets interesseren, en iedereen die in mijn buurt durft te komen met luiers, maak ik af.'

'Dat zijn dingen waar niemand aan wil denken,' zei Camilla. 'Dat heb ik ook nooit gedaan, tot het gebeurde. Maar nu ga ik plannen maken. Ik weet niet wat, of hoe ik het kan bewerkstelligen, maar mijn kinderen mogen dit niet meemaken met Charlie en mij.'

Camilla's twee zoons woonden aan de Westkust met hun gezinnen en deden iets onbegrijpelijks in Silicon Valley. Ik had niet het idee dat Charlie en Camilla hen vaak zagen.

We zwegen, en keken hoe de maan zijn zilveren slakkenspoor trok over het water. Ik wist dat we allemaal met onze gedachten op een pijnlijk fel verlichte, steriele plek ver in de toekomst waren, een plek die een bedreiging betekende voor het leven. Een wind stak op vanaf de binnenwaterweg, en opeens voelden mijn door de zon rood geworden schouders koud aan. Hier en daar begon iemand zich uit te rekken. Ik wilde niet dat deze magische dag zou eindigen op die kille plek in de toekomst.

'Laten we allemaal hier komen wonen en voor elkaar zorgen,' zei Fairlie. 'We hebben alle nodige medische hulp voorhanden, en God weet dat Simms ons genoeg pillen kan geven om ons in stand te houden tot de Grote Zaligheid ons roept. Vlak over de brug zijn winkels en het ziekenhuis is maar twintig minuten hiervandaan. We kunnen makkelijk iemand vinden om te koken en schoon te maken en boodschappen te doen.'

Ze keek naar mij. Ik keek onaangedaan terug.

'Het is best een goed idee,' merkte Lila op. 'Het hoeft niet hier te zijn... Het weer is te wisselvallig en misschien waaien we wel een keer naar West Ashley. Maar iets leuks, met een heleboel kamers, of misschien zelfs huisjes, met een centrale woonkamer en eetgedeelte. Er zijn een heleboel van dergelijke oorden op de eilanden. Ik kan morgen beginnen met zoeken.'

'Niet van die oorden,' zei Simms. 'Ik ga mijn oude dag niet doorbrengen op Hilton Head.'

'Nee, echt, ik durf te wedden dat ik binnen een maand iets kan vinden,' zei Lila.

'We hoeven nu niet te beslissen hoe of waar,' zei Charlie. 'Maar wel dat we het zullen doen als de tijd daar is. We kunnen zelfs iets zoeken waar we een maand of twee kunnen verblijven om te zien of we het wel met elkaar kunnen uithouden. Later, natuurlijk. Nu is dit huis perfect.'

De stemming werd luchtiger en het gesprek ging over op rare en bizarre dingen die we met ons allen zouden doen. Een geriatrische bende vormen en toiletpapier stelen uit hotels en motels. De supermarkt bestormen en bezet houden in onze rolstoelen. Naakt zwemmen in welk water dan ook dat het meest dichtbij was – want water hoorde erbij – en zo'n schandalige ophef maken dat de huizenprijzen in een omtrek van vijf kilometer drastisch zouden zakken.

'Doktertje spelen op het strand,' zei Lewis.

'Dat kun je nu ook doen!' bulderde Charlie, en we moesten allemaal lachen.

Het idee liet ons de verdere avond niet los, als rijp fruit dat boven onze hoofden bungelde. Een voor een deden we er weer het zwijgen toe. Toen zei Camilla: 'Laten we het doen. Laten we allemaal instemmen om het te doen. Als het niet werkt, dan zit niemand eraan vast, maar denk goed aan het alternatief. Met ons allen kunnen we genoeg inbrengen om het te laten slagen.'

'En we hebben een nieuw lid dat minstens vijftien jaar jonger is dan wij. Wat vind je, Camilla? Je hebt toch altijd al een dienstmeisje willen hebben?' zei Fairlie.

Deze keer was de stilte die viel niet vredig en bedachtzaam. Het gonsde in mijn oren. Ik hoorde Lewis inademen om iets te zeggen, en ik wist dat zijn boosheid het hele idee zou vernietigen.

'Ik heb een dienstmeisje,' zei Camilla. 'Maar ik zou graag een dochter willen.' En ze glimlachte naar me, met die archaïsche glimlach die zo paste bij haar middeleeuwse schoonheid.

Mijn ogen prikten en ik glimlachte terug, en het onheil was afgewend.

'Laten we stemmen,' zei Henry met een strakke blik naar Fairlie, die de beleefdheid had om beschaamd te kijken. 'Iedereen die ervoor is dat de Scrubs gezamenlijk ten onder gaan, zegt ja.'

En we riepen allemaal: 'Ja!'

'Dat is dan geregeld,' zei Henry. 'Laten we dan nu zweren op... op wat? Wat is ons het meest heilig?'

'De wijnkast!' 'De sleutel van de grote badkamer boven!' 'Het visgerei!' Elk voorstel werd uitgejouwd.

'De foto in de gang misschien, boven de kapstok?' opperde ik aarzelend. Het was een foto van hen allemaal. Ze waren toen veel jonger maar goed te herkennen, en ze stonden breed te lachen bij de voordeur van het huis terwijl Camilla een grote, ouderwetse sleutel ophield. Waarschijnlijk hadden ze het huis toen net gezamenlijk gekocht.

'Perfect!' riep Camilla. 'Dat was de eerste keer dat we hier allemaal samen waren, weten jullie nog? Dat het toen zo regende en het toilet verstopt raakte, en dat Lila gestoken werd door een kwal?'

Een goedkeurend gejuich steeg op, en ik voelde me belachelijk trots. Henry haalde de foto van de muur en hield die ons om beurten voor.

'Zweer het,' zei hij, en we zeiden allemaal: 'Ik zweer het.'

'Stel dat we... dat we er misschien niet allemaal meer zijn tegen die tijd?' zei Camilla. 'Mag degene die overblijft dan nog meekomen of niet?'

'Het geldt voor ons allemaal,' zei Lewis. 'Ook al zijn er nog maar twee of drie van ons over, dan doen we het nog. Het gaat niet om stelletjes, maar om de Scrubs.'

We pakten onze spullen en gingen uiteen. De laatsten – Lewis en ik – deden de deur op slot. Lewis stak de sleutel in zijn zak. Ze hadden allemaal eigen sleutels.

Fairlie treuzelde een beetje. Toen ik haar had in gehaald, zei ze: 'Goede keus. Ik wou dat ik op dat idee was gekomen.'

'Dank je,' zei ik, maar ze was al weggelopen met die dansende tred van haar, en ze hoorde me niet.

'Goed gedaan, Anny Butler,' zei Lewis, en hij kuste me op de achtertrap die naar de duinen voerde.

Lewis en ik trouwden in september van dat jaar in de kleine, witte slavenkapel op Sweetgrass. Er waren niet veel gasten: de Scrubs, zijn dochters, die er aardig en afstandelijk uitzagen, mijn zussen en broer, Marcy van mijn werk, Linda en Robert en kleine Tommy, die liep te stralen. Linda maakte haar krabsoep voor het feest. Iedereen bleef tot heel laat en dronk een heleboel champagne.

Toen we plannen maakten voor de bruiloft, vroeg Lewis waar ik graag naartoe wilde op huwelijksreis.

'Overal behalve Sea Island,' zei hij, en ik nam aan dat daar zijn huwelijk met Sissy was begonnen.

'Het strandhuis,' zei ik. 'Ik wil onze huwelijksreis in het strandhuis doorbrengen.'

Hij lachte me uit, maar dat is precies waar we naartoe gingen. De overige Scrubs kwamen in het weekend met eten en wijn en smakeloze maar toch fantastische cadeautjes, zonder er ook maar een moment bij stil te staan dat ze misschien stoorden. Ik dacht er ook niet over na. Ik was een Scrub. We waren een eenheid.

Lewis had gezegd dat we misschien het grote huis op de Battery konden openen en daar gaan wonen, maar op de laatste avond van onze huwelijksreis, voor de anderen kwamen, vroeg ik: 'Wil je dat echt?' en hij zei nee.

'Ik ook niet,' zei ik, helemaal slap van dankbaarheid dat ik nooit zou hoeven proberen om in overeenstemming met dat huis te leven. 'Ik was er zo bang voor.'

'En ik ben het gewoon beu,' zei hij. 'We gaan gewoon in Bull Street en op Edisto en hier wonen, voorlopig. Denk er maar op je gemak over na waar in Charleston je voorgoed zou willen wonen. En of je dat wel wilt.'

'We moeten eigenlijk een soort receptie of feest geven voor al jouw kennissen en zo, en dat is half Charleston,' zei ik.

'Dan doen we dat. Als we gesetteld zijn. Dan gebruiken we daar het huis op de Battery voor. Een laatste grandioos afscheid.'

Maar op de een of andere manier kwam het er nooit van.

Ik heb altijd gehoord dat je verandert door het huwelijk, en dat is natuurlijk zo, maar niet altijd volgens de bakerpraatjes. Met Lewis veranderde mijn leven niet radicaal. Het kleine huis in Bull Street was weliswaar elegant en had veel mooie details, maar het was niet zo heel veel groter dan mijn appartement, dus vanaf het begin had ik niet het idee dat ik rondwaarde in grote ruimtes. Ik bracht niet veel mee naar Lewis' huis, dus puilde het niet uit van de meubels. Wat er was, had hij van het huis op de Battery meegebracht na de scheiding, en het was oud en mooi en glanzend onderhouden, maar hij had geen grote barokke meubels, geen enorme kroonluchters boven de kleine Engelse eettafel, geen franje en geen kwasten.

'Je kunt naar de Battery gaan wanneer je maar wilt en uitkiezen wat je graag zou willen,' zei hij. 'Niemand zal je een strobreed in de weg leggen.'

Maar hoe mooi het oude huis ook was, ik wilde er niet naar binnen. Ik wilde er zelfs liever niet langs als ik een keer ging joggen. Voor mij straalde de Battery te veel van Sissy uit.

'Ik hoef niets anders dan wat ik al heb,' zei ik, en ik meende dat in alle opzichten.

'Ik ook niet,' zei hij.

Aan de buitenkant veranderde ons leven niet. Ik bleef werken met de Shawna Sperry's van mijn wereld en probeerde hun achteloze moeders te beteugelen. Ik vroeg discreet en soms minder discreet door de telefoon om geld, diensten, tehuizen en behandelingen voor mijn schaapjes, ik hield toespraken, en woonde saaie vergaderingen bij van mijn bestuur waarin ik verantwoording moest afleggen voor paperclips en papieren luiers in plaats van jonge levens die waren vastgelopen. En zoals altijd maakte ik me er thuis druk om.

'Dan neem je toch gewoon ontslag?' zei Lewis. 'Je hoeft immers niet te werken? Je kunt vrijwilligerswerk gaan doen of een eigen bedrijf opzetten. We kunnen zelf een kind krijgen.'

Ik keek hem aan.

'Daar heb ik er op dit moment twintig van,' zei ik. 'En jij hebt er twee. Lewis, ook al zouden we nu proberen kinderen te krijgen, dan ben jij bijna zeventig als de oudste nog maar pas is afgestudeerd. Maar als je het echt meent...'

'Nee,' zei hij met een grijns. 'Ik wil alleen maar jou. Ik wil alleen niet dat je me naderhand gaat verwijten dat we geen kinderen hebben.'

'Ik heb sinds ik acht was voor kinderen gezorgd,' zei ik. 'En ik heb geen zin om weer aan de luierfase te moeten beginnen.'

Dus kregen we geen kinderen van onszelf. Tot voor kort miste ik ze ook niet.

Lewis hield zijn belachelijke werkuren op de kliniek aan. Als we er al in slaagden om 's avonds samen te eten, dan was dat pas om een uur of negen of tien. In de weekends vertrokken we meestal op vrijdag naar Sweetgrass en bleven daar tot zondagochtend, om vervolgens naar het strandhuis te gaan. Dat veranderde zelden.

Nee, ons leven was uiterlijk niet drastisch veranderd. Maar voor mij persoonlijk veranderde er wel veel. Ik leerde lachen, spelen, boos worden, schreeuwen, mokken, me onredelijk gedragen. Ik leerde huilen. Tijdens onze eerste ruzie, toen Lewis me er valselijk van beschuldigde dat ik Corinne, onze werkster, niet had betaald, ging ik tegen hem tekeer, barstte in tranen uit en holde naar boven. Ik lag met bonzend hart op bed te wachten tot hij boven zou komen en kil zou aankondigen dat ons huwelijk was afgelopen. Natuurlijk gebeurde dat niet. Toen ik uren later naar beneden ging, zat hij de *Post and Courier* te lezen en een koude pizza te eten.

'Heb je een dutje gedaan?' informeerde hij.

'Na al dat gedoe over Corinne?' zei ik ongelovig.

'O,' zei hij. 'Ik heb de cheque voor haar in de zak van mijn witte jas gevonden. Wil jij ook een stuk pizza?'

Toen besefte ik voor het eerst dat het huwelijk over alles van je gaat, niet alleen over je goede kanten. Niets tijdens mijn jeugd of volwassen leven had me daar op voorbereid. Ik voelde me zo bevrijd dat het leek of ik had leren vliegen.

Dat eerste jaar gingen we naar veel feesten die ter ere van ons werden gegeven, en ik ging naar King Street en kocht wat dingen die me wel geschikt leken, hoewel ik me nooit de elegantie en het animo eigen heb weten te maken die horen bij een echt chic feest in Charleston, en toen de eerste uitnodiging voor een liefdadigheidsbal kwam, begon ik te huilen.

'Lewis, ik kan het niet,' snotterde ik. 'Ik kan het gewoon niet. Gewonere dingen misschien wel, maar niet een bal.'

'Je hoeft niet te gaan. Ik heb het af laten weten toen Sissy wegging. Niemand verwacht nog dat ik kom. We gaan gewoon niet.'

'Maar we moeten vroeg of laat toch iets terugdoen voor al die feesten van dit jaar,' zei ik.

'Waarom?' vroeg hij.

En aldus werden we de excentrieke Aikens, die geen feesten gaven en niet aan bals deden.

'Ik moet er niet aan denken wat je moeder van dit alles zou hebben gevonden, Lewis,' zei een oude dame een keer tegen hem tijdens een brunch op de Carolina Yacht Club. Dat soort bijeenkomsten kon ik nog wel aan.

'Iedereen zegt dat je je hele erfenis de rug toekeert.'

Haar blik gleed even over mij en wendde zich toen af.

'Toe, Tatty,' zei Lewis tegen de oude dame, die ongetwijfeld een tante of een achternicht of iets aangetrouwds was. 'Je weet dat ik nooit vaak naar feesten ben gegaan.'

'Nou, een poos wel,' zei ze. 'En het was zo fijn je zo in je element te zien.'

Ik wist dat ze het over het Sissy-tijdperk had en mijn gezicht gloeide, maar niet langer van verlegenheid maar van kwaadheid.

De oude dame wankelde weg op haar hoge hakken en Lewis zei binnensmonds: 'Maar dat was in een ander land en dat rotwijf is trouwens dood!'

Alle hoofden in de eetzaal werden omgedraaid toen we als pubers stonden te ginnegappen.

We verhuisden niet uit het huis in Bull Street. Jaar na jaar gingen we naar Sweetgrass en naar het huis op Sullivan's Island. Af en toe gingen we op reis, soms naar het buitenland, maar op de een of andere manier voelde ik me dan steeds als een vogel die even op een kabel was neergestreken, klaar om weer gauw weg te vliegen. Vaak had ik het gevoel dat mijn werkelijke leven zich afspeelde in het strandhuis en dat de rest een soort rijke, eindeloos fascinerende halfwaardetijd was. Ik genoot van het chique Charleston, maar als ik daar was, popelde ik om naar Sullivan's Island te gaan.

Ik kon me niet voorstellen dat de anderen zich misschien ook zo voelden; het was de obsessie van een pelgrim, niet van iemand die tot een groep behoorde. Maar toch, als ik zag hoe we allemaal op het strand zaten of in zee zwommen of voor de haard luierden, als ik luisterde als we liepen te wandelen en te lachen, en zelfs probeerde op te vangen wat we niet zeiden, dacht ik dat zij misschien ook een beetje dat gevoel hadden. Dat dit huis en zijn bewoners de werkelijkheid waren en de rest slechts een schaduw ervan. Dat het op een atavistische manier ons thuis was, en wij het gezin vormden. Ik weet dat ik er al die jaren dat we bij elkaar waren, zo over heb gedacht.

Wij met ons kleine aantal vormden een veelheid.

Als ik denk aan de tweede zomer dat ik naar het strandhuis ging, denk ik aan honden en aan licht.

Dat jaar leken er overal honden te zijn: op het strand, in de golven, met hun eigenaars in golfkarretjes naar de winkels, luierend in de schaduw onder veranda's en auto's, mee dravend door Middle Street terwijl hun neuzen over het onkruid langs de kant van de weg snuffelden, op zoek naar wie weet wat. Ze varieerden van staanders en setters, werkhonden voor de vele jagers die de zomer op het eiland doorbrachten, tot kleine, vrolijke bastaardhonden.

De tijd van labradors en golden retrievers lag nog in de toekomst.

In het strandhuis hadden we onze eigen beesten. Charlies twee boykinspaniëls, Boy en Girl, kwamen bijna altijd mee met de Curry's; ze brachten hun tijd grotendeels slapend door op de veranda en aten wat ze konden bedelen. Ze kregen meer dan genoeg. Ze werden door ons allemaal verwend.

'De beste jachthonden ter wereld,' zei Charlie liefdevol. 'Ze zijn legendarisch. Een bek zo zacht als fluweel. Ze hebben nog nooit een eend verfomfaaid.'

'Dat komt omdat ze nog nooit een eend hebben gepakt,' zei Lewis lui vanaf de hangmat. 'Charlie heeft een hekel aan jagen. Dat zijn de twee duurste schoothonden van Charleston.'

'Nou, als ik met ze ging jagen, dan zouden ze de beste zijn,' zei Charlie grinnikend. Het was bijna niet mogelijk om hem te ergeren of kwaad te maken. Hij was een van de beminnelijkste mannen die ik ooit heb gekend.

'Ze zijn ook lief, maar ze poepen meer dan welke andere hond ook,' zei Camilla. 'Ik neem ze nooit mee uit zonder mijn schepje en plastic zak.'

En dat was zo. Camilla nam de honden altijd mee op lange wandelingen langs het strand. Haar lange, iets gebogen gestalte en de dolenthousiaste honden vormden een vaste lijn in het patroon van die zomer. De honden renden van de duinen naar de golven en weer terug, snuffelend naar krabben en holen waar schildpadden hun eieren hadden gelegd. Camilla's kastanjebruine haren wapperden in de wind, en af en toe kon je haar lippen zien bewegen als ze iets tegen de honden zei. Ze bukte zich regelmatig om de verbazingwekkende hoeveelheden poep op te rapen. Vaak verdween ze uit het zicht waar het strand een bocht maakte naar het oosten. Soms bleef ze uren weg. We maakten ons geen zorgen om haar. Op een gegeven moment kwam ze wel weer terug, nog steeds sereen, met verwarde haren en een blos op haar fraai gevormde jukbeenderen. Dan lieten de hijgende honden zich uitgeput neervallen op de veranda.

'Je moet ze niet zo ver laten rennen,' zei Charlie een keer in alle ernst, en de rest van ons barstte in lachen uit. Het idee dat Camilla Curry een paar legendarische jachthonden zou uitputten, was te belachelijk voor woorden. Soms ging ze zonder de honden langs het strand wandelen, en dan kwam ze veel later terug met haar handen vol schelpen. Ze leek nooit behoefte te hebben aan gezelschap, en we vroegen nooit of we mee mochten. Camilla leefde in een glazen bol van privacy.

Henry's springerspaniël Gladys kwam ook mee. Gladys woonde 's zomers in het oude huis op het eiland van de McKenzies, aan de binnenwaterweg. De dochter van Fairlie en Henry, Nancy, nam in de zomer vaak haar kinderen mee naar het huis, en als zij er niet was, zorgde Leroy, Henry's manusje-van-alles, voor Gladys. Volgens Fairlie hield Gladys meer van Leroy dan van Henry, maar als ze bij ons in het strandhuis was, week Gladys niet van Henry's zijde. Ze was een mooi beest, en Simms zei dat ze de beste duivenhond was die hij ooit had gezien.

'Ik probeer Henry steeds over te halen om haar te laten dekken zodat ik een pup kan krijgen, maar hij wil het niet. Hij gunt het beest ook niets.'

'Gladys staat boven vleselijke lusten,' zei Henry vanonder de rand van zijn lelijke vissershoed. Hij hing onderuit in een klapstoel, met zijn lange, met goudkleurig haar bedekte benen voor zich uitgestrekt. Hij had geen schoenen aan, en ik zag dat zelfs het haar op zijn lange tenen blond was. Henry, de gouden jongen. Soms verbaasde het me dat Henry ging jagen.

Simms' jachthonden waren in een kennel op zijn plantage op Waccamaw Island, maar Lila's belachelijke speelgoedhondje, het dwergkeesje, ging met hen mee naar het strand. Sugar kefte veel, ze was grillig en innemend, en ze had de moed van een leeuwin. Het was prachtig om te zien hoe ze in de golven sprong, achter de grote honden aan, en hoe haar pootjes dan begonnen te trappelen en ze haar kin boven het water hield terwijl de andere honden nog maar net met hun poten in het water stonden. De mannen maakten grappen over speelgoedhondjes, maar Sugar bracht veel tijd door op ieders schoot, vooral op die van mij. Ik was gek op dat gekke, ruimhartige schepseltje.

Lewis' jachthonden, Sneezy, Dopey en Sleepy, hadden een luxe kennel en ren op Sweetgrass, overschaduwd en groter dan mijn oude appartement. Lewis ging niet meer op jacht. Hij zei dat hij op een dag besloten had om geen vogels meer uit de lucht te schieten. Maar hij was dol op de honden, en als we op Sweetgrass waren lagen ze voor de haard bij ons, zwommen ze vanaf de steiger in de rivier met ons, en sliepen ze bij ons op het mooie, oude bed van Lewis' grootmoeder. Ik hield ook van de honden, maar ze snurkten vreselijk, en vaak gaf ik het op en kroop ik in de logeerkamer in bed als het kabaal te erg werd. Dan vond Lewis me daar 's morgens, en hij schudde zijn hoofd en beloofde de honden 's avonds in de kennel te doen, maar dat deed hij nooit. Ze gingen niet mee naar het strandhuis.

'Genoeg is genoeg,' zei Lewis. 'Ik heb geen zin om mijn zondagen te verdoen met poep opruimen.'

Dus bleven Sneezy, Dopey en Sleepy thuis, waar Robert ze verwende met eendenborst en lamsvlees en ze mee uit nam in de bossen en moerassen van Edisto. Een beter leven kon je als hond niet hebben, vond ik.

Dat was het eerste jaar dat ik de beroemde optocht zag die op Sullivan's Island werd gehouden om de Vierde Juli te vieren. Het was een ongeregelde, gezellige, lukrake bedoening, met versierde golfkarretjes, een paar motorfietsen van het Isle of Palms, de brandweerauto's en ambulances van het eiland, met gillende sirenes, en een heleboel kinderen. Allemaal met honden. De honden van het eiland, waarvan de meeste elkaar kenden van hun nachtelijke snuffelpartijen bij vuilnisbakken, paradeerden naast hun eigenaars, uitgedost met bloemen en vlaggetjes en linten. Alle mogelijke soorten honden waren er, en ze waren allemaal verenigd door ieders trots en blijdschap dat ze op Sullivan's Island hoorden. Onze honden liepen niet mee, maar toen het vuurwerk opspatte en uiteenviel in de donkerblauwe avondlucht, jankten ze eensgezind hun eigen volkslied voor de verjaardag van ons land. Enkele ervan woonden in huizen van Charleston die jaren ouder waren dan dat land zelf.

Dus was het de zomer van de honden. En de zomer van het licht.

Het licht op het eiland was gewoonweg magisch dat jaar, voor mij in elk geval, want ik had het nooit eerder zo gezien. Het was honingkleurig en zacht, en zo helder dat alles – Charleston in de verte, Fort Sumter dichterbij, de grote tankers en vrachtschepen die langs voeren, de griezelige, zwarte, stille kernonderzeeërs van de marine die af en toe het wateroppervlak doorbraken – leken omlijnd te zijn door diep, helder blauw. Ik herinner me niet dat de hitte trilde boven het strand, en geen mist in de avond. In elk geval toen Lewis en ik er waren, waren de maan en sterren net zo duidelijk als op een sterrenkaart in een klaslokaal, en het zwarte water met roomwitte kuiven schitterde vaak van de fosfor. Op een avond, heel laat, gingen Lewis en ik erin, naakt en een beetje rillend, en we voelden hoe het zijdeachtige water siste van het zeevuur. Naderhand bedreven we de liefde achter de eerste duinenrij. Het was onvergelijkelijk.

'Dit is hemels,' zei ik op de veranda, na een langdurige lunch.

'Ik heb nog nooit meegemaakt dat het zo lang zulk mooi weer is. Geen wonder dat iedereen naar Sullivan's komt.'

'Het is vaak juist helemaal niet zo,' zei Henry. 'Augustus is hier meestal net zo slecht als in Charleston. Je wordt alleen sneller nat. Dit is heel ongewoon. Ik kan me niet herinneren dat we ooit zo'n zomer hebben gehad, jij, Lewis? Camilla?'

'Ik herinner me alleen muggen en zandklissen,' zei Lewis.

'Ik herinner me dat mijn vader zei dat volgens de ouderen een zomer als deze het weer beïnvloedt,' zei Camilla zonder op te kijken van haar breiwerk. 'Maar de enige invloed die ik heb gemerkt waren onweersbuien en hittegolven.'

'Je weet dat er iets op til is als je de Grijze Man ziet,' zei Simms met een grijns.

'Wat is dat?' vroeg ik. Om de een of andere reden stonden de woorden me niet aan.

'Dat weet niemand eigenlijk,' zei Simms. 'Ze zeggen dat er een man in een lange, grijze jas op het strand verschijnt als er een zware storm op komst is. Als de mensen hem zien, weten ze dat ze zich erop moeten voorbereiden.'

'Als ik hem zag, zou ik maken dat ik hier wegkwam,' zei ik huiverend.

'Simms, je weet dat het alleen op Pawley's Island gebeurt,' berispte Lila hem. 'Niemand heeft hem ooit ergens anders gezien.'

Ik keek naar haar. Ik had verwacht dat ze de Grijze Man zou bestempelen als een griezelverhaal voor kinderen, maar ze keek heel serieus.

'Geloof je in hem, Lila?' vroeg ik.

'Ach, ik geloof niet níét in hem,' zei ze langzaam. 'Mijn vader heeft een vriend op Pawley's die beweert dat hij hem heeft gezien, en twee dagen later was er een tornado. Een heleboel mensen hebben hem gezien. Maar ik weet niet of het daarna altijd heeft gestormd.'

Toen we die avond naar huis reden en de ontelbare zilveren sterren vervaagden toen we de lichten van Charleston naderden over de brug, zei ik tegen Lewis: 'Geloof jij in hem? In de Grijze Man?'

'Niet echt, maar ik wil hem wel instandhouden. Ik denk dat alleen maar in de Low Country een Grijze Man kan bestaan.'

Op Labor Day waren we allemaal in het strandhuis, en daar wist Henry me eindelijk over te halen om met hem mee te gaan op een van zijn missies, deze keer naar de bergen van centraal-Mexico.

'Het ligt heel achteraf,' zei hij. 'Het is een vreselijk arm en achtergebleven gebied, en de enige gezondheidszorg heeft jaren bestaan uit een bankroete overheidskliniek in een stad vijfenzeventig kilometer verderop die alleen bereikt kon worden via een ezelpad, dat de helft van de tijd ook nog eens half geblokkeerd was door stenen en modder en kuilen. Maar nu is er pas een nieuwe weg geopend en ligt het dorp binnen het bereik van een grotere verkeersweg die naar diverse grote steden leidt. Een zekere dokter Mendoza heeft daar een klein ziekenhuis opgericht, of dat hoopt hij in elk geval te doen, en hij heeft wat verpleegsters gevonden en geld ingezameld voor apparatuur. Hij heeft contact opgenomen met onze mensen in Washington en hulp gevraagd van wie dan ook kon komen. Ik was daar toevallig, dus zei ik dat ik zou komen. Nu er toegang is tot andere, dichter bevolkte gebieden, zou de opzet in de lijn van Outreach – natuurlijk lang niet zo professioneel – een zegen zijn voor het dorp. Anny, ga alsjeblieft mee. Ik kan je niet betalen, maar ik garandeer je een schoon bed en een eigen kamer, en alle steun die ik je kan geven. Er zullen ook andere artsen zijn. Ik weet niet wie of welk specialisme ze hebben, maar we hebben in elk geval gezelschap en misschien zul je de plaatselijke bevolking aardig vinden. Ik in elk geval wel. Er komt ook een tolk. Wat vind je ervan? Hou je van burrito's?'

Ik dacht aan mijn laatste bestuursvergadering, die geheel in beslag was genomen door een discussie over onze pogingen om giften en diensten te krijgen. Ik was bijna in slaap gevallen tijdens de minutieuze opsomming van gegevens over ons huidige budget en een diner dansant in het huis van een bestuurslid op Kiawah Island, die net een groot paviljoen met uitzicht op zee had laten bouwen en inrichten. De werktitel was 'het Outreach-strandbal'.

'Ik heb binnenkort vakantie,' zei ik tegen Henry. 'Dus ik denk dat ik meega. Op het moment kan ik het woord Kiawah niet meer horen.'

Pas toen keek ik vragend naar Lewis.

'Ik ben gek op burrito's,' zei hij. 'Heb je nog plek voor een oude bottenkraker?'

Henry omhelsde me lachend en gaf Lewis een klap op zijn arm.

'Wist je dat in de bergen van Mexico meer giftige schorpioenen zitten dan waar ook ter wereld?' zei Fairlie terwijl ze de wijn in haar glas liet ronddraaien. Maar ze zei het glimlachend. We waren vriendinnen geworden en we konden elkaar plagen zonder ons af te vragen of het misschien een steek onder water was.

'Geen wonder dat ze artsen nodig hebben,' zei ik. 'Ga mee, Fairlie. Ik kan wel iemand gebruiken om mee naar het damestoilet te gaan.'

'Die hebben ze niet,' zei Fairlie lachend. 'Trouwens, wat moet ik daar doen? Danslessen geven?'

We lachten allemaal, en Camilla keek me glimlachend aan.

'Goed van je, Anny,' zei ze. 'Ik maak me altijd zorgen om Henry tijdens die reizen van hem. Ik denk steeds dat hij er met een warmbloedige señorita of zo vandoor gaat en dat we hem dan nooit meer terugzien. Jij kunt hem in de gaten houden.'

'Hij heeft al een warmbloedige señorita,' zei Fairlie terwijl ze Camilla haar tanden liet zien. Die lachte hartelijk.

'Inderdaad,' zei ze.

Die avond, vlak na zonsondergang, ging ik langs het strand wandelen met alleen Gladys als gezelschap. Het was een verzengend hete dag geweest, maar vanaf het water van de binnenwaterweg kwam mist opzetten over de duinen, en ik wist dat dit betekende dat het weer zou omslaan. Opeens voelden het lege strand en het warme water rond mijn enkels schrijnend en weemoedig aan. De zomer liep ten einde. Dat maakte me triest.

Ik draaide me om en wilde teruggaan. De mist had de bovenkant van de duinenrij bereikt en het strandhuis was nog maar vaag zichtbaar. De verlichte ramen brandden vrolijke gaten in de mist. Opeens kon ik niet wachten om weg te gaan van het strand en weer naar binnen te gaan. Ik liep naar de trap naar het houten plankier en floot Gladys. Ze kwam opgewekt achter me aanhollen. Onze voeten gleden weg in het droge, zachte zand.

Toen ik opkeek zag ik Camilla bovenaan staan, op een kleine afstand van het huis. Ze droeg haar oude regenjas, die om haar heen wapperde. Ik vroeg me af wat ze buiten in de mist deed, want ze zei altijd dat ze er pijnlijke botten van kreeg.

'Hé!' riep ik. 'Wat doe jij daar?'

Ze gaf geen antwoord, en ik legde mijn handen om mijn mond om harder te kunnen roepen.

'Camilla?'

Weer geen antwoord. Ik keek achter me om te zien of Gladys nog bij me was, en toen ik me weer omdraaide, was Camilla naar binnen gegaan. Gladys en ik holden de trap op en naar binnen alsof iemand ons op de hielen zat.

Ze zaten allemaal om het onnodige maar mooie vuur in de open haard en dronken wijn. Opeens hield ik van hen met een intensiteit die aan mijn hart trok.

'Je haren zijn nat,' zei Lewis.

'Er is een dikke mistbank, voor het geval dat jullie het nog niet hebben gemerkt,' antwoordde ik. 'Camilla, wat deed jij buiten op de duinen? Ik riep naar je, maar je hebt me zeker niet gehoord.'

Ze keek naar me.

'Ik ben niet buiten geweest,' zei ze. 'De hele middag al niet.'

'Ik weet zeker dat jij het was. Je droeg die oude regenjas met de capuchon.'

'Die heb ik van de lente al aan het Leger des Heils gegeven,' zei ze.

Er viel een stilte.

'Je hebt de Grijze Man gezien,' zei Simms met een grijns vol leedvermaak. 'Er komt storm, wedden?'

'O, welnee,' zei ik gemelijk. 'Het was gewoon iemand die zijn hond zocht of zo.'

'Nee. De Grijze Man,' viel Charlie Simms bij. 'Die is helemaal van Pawley's gekomen om jou te zien. We kunnen maar beter veiligheidsmaatregelen nemen.'

Onderweg naar huis, door de dikke, witte mist, zei ik tegen Lewis: 'Ik heb echt iemand gezien op de duinen. Een echte persoon. Waarom blijft iedereen steeds doorzeuren over die vervloekte Grijze Man?'

'Om je te plagen,' zei hij kort. Verder zei hij niets.

'Lewis, je denkt toch niet echt...'

'Waarschijnlijk niet,' zei hij.

We zeiden niets meer tot we thuis waren.

'Wil je een beker warme chocola?' vroeg hij.

'Ik denk dat ik maar naar bed ga. Ik moet vroeg op als ik wil regelen dat ik twee weken vrij kan zijn.'

'Nou, dan ga ik nog wat lezen,' zei hij, en hij gaf een kus op mijn voorhoofd. 'Ik kom straks wel.'

Ik bleef nog lang wakker liggen, zelfs nadat hij boven was gekomen en zelfs nadat ik hem diep hoorde ademen toen hij in slaap was gevallen. Ik had gewild dat hij geamuseerd zou ontkennen, me zou plagen, en, besefte ik, me zou geruststellen. Het knaagde aan me dat hij niets van dat alles had gedaan.

Ciudad Real betekent 'koninklijke stad', en het is moeilijk voor te stellen dat iemand van de 355 inwoners ook maar stilstaat bij de ironie ervan. Het ligt in de noordelijk centrale staat Chihuahua, ineengedoken in een uitsparing in de Sierra Madre-keten, ongeveer halverwege de kleine stad Madera en de zee. Tot voor kort was er alleen een wegverbinding met de iets grotere dorpen Oteros, en de weg daarvandaan leidde naar de spectaculaire Barranco del Cobre, ofwel de Copper Canyon, waar hij ophield. Over de bergen liepen voetpaden naar stadjes aan de kust, maar het was niet mogelijk om goederen en de oogst daarheen te vervoeren en ze te verkopen, en vervoer via de grote Copper Canyon Spoorweg die de bergachtige binnenlanden van het noorden van Mexico verbindt met de Stille Zuidzee, konden de meeste dorpelingen niet bekostigen. Er waren trouwens maar weinig inwoners die iets verbouwden of fabriceerden. Het was een straatarm dorpje te midden van dwergeiken en stekelige cactussen. Er hing voortdurend een stofwolk boven. In het dorp was een kleine, afbrokkelende kerk van leem, een cantina met kamers erboven voor de magere tienerprostituees en hun klanten, een soort benzinestation annex winkeltje waar met vliegenpoep bevlekte blikken levensmiddelen en Amerikaanse snacks en frisdrank en af en toe een jerrycan oude benzine werden verkocht. In de cantina en in het winkeltje was een telefoon, maar geen van de vreselijk vieze en vervallen huizen leek er een te hebben, en de enige televisieantenne die ik zag, bevond zich op het dak van de cantina. Op het door de zon gebakerde pleintje stond de fontein droog en waren de marktkraampjes bijna helemaal leeg. Een paar kooplieden verkochten magere, mistroostig uitziende kippen en enkele uitgemergelde geiten, wat hobbelig aardewerk en manden verlepte groenten en fruit die ze in de tuinen achter de huizen verbouwden. We kwamen er al snel achter dat er alleen Engels werd gesproken door de ongekamde priester, de arts die ons had laten komen en de vrouw achter de bar van de cantina, die tevens de hoerenmadam was. Om daar vanaf Charleston te komen, moest je naar Atlanta vliegen, daarvandaan naar Mexico City en vervolgens naar Chihuahua. Daar stapte je in een gedeukte bus die je naar Madera bracht, en voor de rest van de reis naar Ciudad Real was je afhankelijk van de vriendelijkheid van vreemden.

We kwamen op vrijdag 8 september om drie uur in de middag aan in Madera, zo vies en moe als ik in elk geval nog nooit was geweest, en daar wachtte de al eerder genoemde dokter Lorenzo Mendoza ons op in een Land Rover waarbij de Range Rover van Lewis een Rolls-Royce-limousine leek. Hij was een gedrongen, donkere man met de energie van een Tasmaanse duivel en een glimlach die zo breed was als zijn gezicht.

'Mijn Amerikanen zijn er!' riep hij, en hij omhelsde ons om beurten. Toen hij bij mij kwam, aarzelde hij en zei toen: 'U bent verpleegster? Fantastisch!' om me vervolgens te omhelzen zonder op antwoord te wachten. Hij rook sterk naar zweet, maar dat deden wij ook. Ik verlangde er zo naar om een bad te nemen en te gaan slapen, dat ik met het meest onwelriekende monster in de Land Rover zou zijn gestapt. Toen ik tussen Henry en een gastro-enteroloog uit Houston geklemd zat, begon ik te schokken van het ingehouden lachen. Ik voelde Henry's schouder schudden en wist dat ook hij uit alle macht een lachbui probeerde te onderdrukken. Ik keek niet naar hem, want dan hadden we ons niet kunnen beheersen. Op de bank voor me zat Lewis te slapen. Hij kon overal slapen. Heel even had ik een vreselijke hekel aan hem. De gastro-enteroloog keek recht voor zich uit. Twee algemeen chirurgen uit Fort Worth zaten ineengedoken op de voorbank naast dokter Mendoza, die hen belaagde met een spervuur van informatie.

De nieuwe weg, zo vertelde de dokter, verbond Ciudad Real met Madera, daarvandaan met Chihuahua en vervolgens met snelweg 40, die zich door het smalste gedeelte slingerde en bij McAllen Texas binnenging.

'Nu zijn we te bereiken voor allerlei medische faciliteiten en kunnen we voorraden ontvangen,' riep hij opgewekt. 'Ik had mijn ziekenhuisje en tijdelijke behuizing voor het personeel al gebouwd voor de bulldozers kwamen. Het is klein, maar het zal groeien, en ik vind het zo slecht nog niet. Nu mijn nieuwe vrienden me nieuwe technieken kunnen leren en er een paar nieuwe medewerkers komen en we zelfs een verpleegster hebben die het verplegend personeel instructies kan geven, zijn we binnenkort vast een belangrijk regionaal centrum.'

En hij lachte, ietwat hysterisch. De twee chirurgen grinnikten wanhopig. Lewis snurkte. Henry maakte een snuivend geluid.

'Waag het niet!' fluisterde ik hem nijdig toe. De gastro-enteroloog hield zijn blik strak op de weg voor ons gevestigd.

We reden hotsend door het verlaten Ciudad Real, waarbij we stof en kippen en een paar magere zwarte honden verjoegen. Een dikke vrouw met onmogelijk dik, met lak bespoten zwart haar zwaaide uit een raam boven de cantina: de hoerenmadam, hoorde ik later, señora Diaz. In de twee weken dat we daar waren, heb ik niet één glimp opgevangen van señor Diaz. Die was er wel degelijk, verzekerde dokter Mendoza ons, hoewel hij zich zelden liet zien.

'Hij is gewoon verlegen,' verklaarde hij.

We reden door een bocht waarboven een groot rotsblok hing,

en daar was het ziekenhuis van dokter Mendoza. Het belangrijke regionale medisch centrum. Het bestond uit drie splinternieuwe dubbelbrede caravans die naast elkaar waren geplaatst op een open plek tussen dwergeiken, en die met elkaar verbonden waren door een houten plankier. Achter de caravans bevond zich een soort lage houten barak met wat plastic klapstoelen in de aarde en aan de ene kant een buitendouche. Ik vroeg me bijna hysterisch af hoe hij de caravans en het materiaal voor de barak over de nieuwe weg naar hier had weten te krijgen.

Op de bank voor me werd Lewis wakker.

'Grote god,' zei hij.

'Ja!' riep dokter Mendoza enthousiast. 'God is groot, nietwaar?'

Het was een onwerkelijke avond. De Amerikaanse artsen werden ondergebracht in de barak – 'splinternieuw, nog ruikend naar vers hout!' – maar niemand had hem verteld dat ik zou komen. De verpleegsters hadden onderdak gevonden bij dorpelingen, maar hij dacht niet dat er nog plek was. We zouden in de cantina gaan eten en dan bedenken waar ik kon slapen.

'Een schoon bed en een eigen kamer, hè?' Ik wierp Henry een vernietigende blik toe. 'Misschien is er ergens een geitenstal waar ik nog bij kan.'

'Het spijt me, Anny,' mompelde hij. 'Ik ben nog nooit ergens geweest waar ze niet een hotel of motel of iets dergelijks hadden.'

'Nou en of je spijt hoort te hebben, Henry,' zei Lewis dreigend. Maar ik zag zijn lippen trillen. Het was voor ons alle drie duidelijk, al voor het werd geregeld, dat ik boven de cantina zou slapen bij de drie tienerprostituees.

'Maar het is de beste kamer,' verzekerde dokter Mendoza me in alle ernst. 'Die waar ze drie of vier uur blijven. Er staat een televisie en er liggen gebloemde lakens op het bed.'

'Je kunt nog rijk worden van dit alles,' zei Lewis tegen me. En we barstten allemaal in lachen uit. Alleen de chirurgen en de gastro-enteroloog snapten de grap niet.

Achteraf kan ik me die twee weken in Ciudad Real net zo scherp voor de geest halen alsof ik ze op een televisiescherm zou zien. Ze hebben de surrealistische helderheid van koortsdromen: details zijn zo duidelijk alsof ze door een schijnwerper verlicht worden. Ik herinner me de beelden, de geluiden, de geuren en de smaken zo goed dat ik me er helemaal in kan verliezen. Bijna alles kan dat allemaal oproepen: het geluid van cantina-muziek, de smaak van stof, de geur van vers hout in de barak en van verschaald zweet en parfum in mijn peeskamer, de smaak van warm rundvlees en taco's. Ik wil die tijd niet meer oproepen. In veel opzichten was het afschuwelijk en het is niet te vergelijken met de prachtige oorden waar Lewis me in de jaren erna mee naartoe heeft genomen. Maar desondanks zit het net zo vast in mijn onderbewustzijn als een bot in de keel van een hond. Ik denk dat het komt omdat die weken zo op zichzelf stonden, zo totaal zonder enige samenhang. Tijd noch buitenwereld leek er enig vat op te hebben. Die hyperrealiteit is nog steeds een bron van zowel plezier als pijn voor me.

Helemaal niets ging zoals we hadden verwacht. Toen we de eerste ochtend in de piepkleine wachtkamer van het ziekenhuis kwamen, wemelde het er al van de ellende van Ciudad Real. Geduldige oude mannen en vrouwen; jammerende kinderen; hoogzwangere vrouwen; stoïcijnse, knorrige mannen met een verscheurende hoest of bloederig verband rond een arm of een been; zelfs een zwarte hond die onder het bureau van de receptioniste lag te kwispelen. De twee toegezegde artsen kwamen niet opdagen.

'Ik heb bericht gekregen dat ze in Guatemala zijn opgehouden,' zei dokter Mendoza. 'Natuurlijk weer geklier bij de grens.'

'Die artsen mogen van mij oprotten,' mompelde Lewis tegen Henry.

De drie verpleegsters, die de slaap nog uit hun ogen wreven, waren klein en gedrongen, en uit hun zwarte ogen en ietwat platte neuzen bleek hun indiaanse bloed. Ze droegen verpleegstersuniformen die niet erg schoon waren, en ze spraken geen woord Engels. De tolk had zijn vliegtuig naar Chihuahua gemist en overwoog een auto te huren.

'Die kunnen we ook vergeten,' mopperde Henry.

'Ik wist niet dat er Eerste Hulp zou zijn,' merkte Lewis op een vriendelijk toon op die ik nog nooit van hem had gehoord. Het klonk onheilspellend. 'Het zal moeilijk worden om technieken en ideeën over te brengen als we de hele dag bezig zijn met inlooppatiënten te behandelen. De meeste mensen zien eruit alsof een verpleegster of een huisarts het wel af zal kunnen.'

'O, maar jullie behandelen en ik zal kijken, en dan laat ik het de twee artsen wel zien als ze komen,' zei dokter Mendoza opgewekt. 'En u ziet: we hebben verpleegsters.' Hij gebaarde naar de drie jonge vrouwen. Ze keken terug met nietszeggende, donkere blikken.

'Maar ze spreken geen Engels,' merkte een van de chirurgen op strakke, verstikte toon op. 'En als ik me niet vergis, spreekt geen van ons voldoende Spaans. Wie gaat er vertalen?'

Dokter Mendoza wierp me een hoopvolle blik toe.

'Nee, sorry,' zei ik. 'Ik ben helemaal niet goed in Spaans. Ik ben hier eigenlijk om te helpen een systeem van hulpbronnen op te zetten waar uw patiënten terecht zullen kunnen.'

Dokter Mendoza dacht even na en zei toen iets in rad Spaans tegen een jong meisje dat er redelijk mobiel uitzag. Ze ging weg en sjokte terug naar de stad.

'Ik heb de juiste oplossing gevonden,' zei de dokter. 'Mevrouw Diaz spreekt uitstekend Engels. Zij zal ons helpen.'

En zo gebeurde het dat op de eerste dag in het ziekenhuis van dokter Mendoza de hoerenmadam van het plaatselijke huis van plezier dienstdeed als vertaalster en soms als handhaafster van de orde, en ze deed het uitstekend.

'Wat gebeurt er als je weer tot de orde van de dag moet overgaan?' vroeg ik haar toen we in de plastic klapstoelen buiten de barak gingen zitten en het zweet van onze gezichten veegden. Ik was aangesteld als receptioniste en moest de afspraken noteren, en dat heb ik gedaan tot de dag van vertrek. Ik voelde bijna direct sympathie voor deze grote, vitale vrouw met haar weelderige geverfde haar en zoveel lipstick dat je er een taart mee kon glaceren. Ze was intelligent, ijverig, zakelijk, en bijna onverstoorbaar. Ik vond dat ze het veel verder had kunnen brengen dan hoerenmadam in een dorp, maar dat zei ik niet.

Carmella Diaz grinnikte. Ik zag een gouden tand flitsen.

'Mijn waardeloze *esposo* kan zijn luie lijf overeind hijsen en in de cantina werken,' zei ze kalm. 'Het werk begint pas in de avond en er is niet veel voor nodig om die hyena's te beteugelen. Tegen de tijd dat ze mijn meisjes willen, zijn ze toch al te dronken om problemen te veroorzaken.'

Ik voelde mijn wangen branden en begon toen te lachen. Waarom niet? Zo ging het nu eenmaal in Ciudad Real.

We schiftten en behandelden de patiënten zo goed we konden tot na acht uur die avond. Koorts, diarree, gebroken botten, snijwonden door god mocht weten wat, hoesten, zware verkoudheden, en paar echte medische problemen die zonder faciliteiten en verpleging niet konden worden opgelost.

'Je moet elk geval evalueren en de echte probleemgevallen naar de dichtstbijzijnde grote stad verwijzen,' zei Lewis aan het eind van die oneindige dag. 'Ik kan hier niet opereren zonder operatieassistenten en apparatuur en met alleen maar penicilline als antibioticum. Er zijn een heleboel nieuwe, goede antibiotica. Ik zal een lijstje maken. En verdovingsmiddelen. Je kunt niet iedereen dezelfde verdoving geven. Je hebt met de grootste spoed een internist nodig; die kan vertellen wat je op voorraad moet hebben. En een hoofdverpleegster met een gedegen opleiding. De verpleegzorg zal hier het grote verschil maken.'

'Maar we hebben al verpleegsters,' zei dokter Mendoza terwijl hij naar de drie jonge vrouwen gebaarde, die geen spier vertrokken.

'Maar wie leidt ze dan op?' wilde een van de chirurgen weten.

'Een van jullie?' zei dokter Mendoza hoopvol.

'Nee. Geen sprake van,' zei Henry. 'Ik wou dat je wat meer had uitgeweid over je problemen toen je contact zocht met onze mensen in Amerika. Je hebt geen nieuwe technieken nodig, maar goed opgeleide technici.'

'En nu zijn jullie er,' zei de dokter met een stralend gezicht.

De volgende ochtend zei de zwijgzame gastro-enteroloog kortaf: 'Zorg dat jullie dat water koken!' en huurde vervolgens de echtgenoot van señora Diaz in om hem naar Madera te rijden. De twee chirurgen hielden het vol tot woensdag. Op deze manier, dacht ik, wordt señor Diaz nog rijk.

Om de een of andere reden kwam het bij ons drieën niet op om weg te gaan. Er moesten zoveel zieken behandeld worden, en we deden ons best, dag na dag. Henry en Lewis depten kelen met desinfecterende middelen, prikten steenpuisten door, beluisterden longen, hechtten diepe snijwonden, klopten op zwangere buiken, en deelden aspirine en vitaminen uit en de weinige penicilline die ze nog hadden. Ik hield baby's vast die een prik moesten krijgen, schreef patiënten in voor afspraken, en leerde injecties geven. De drie verpleegsters sloegen het allemaal onaangedaan gade.

's Avonds, toen we zo moe waren dat we amper de heuvel op

konden lopen, gingen we naar de cantina. Het was een rokerige plek waar de sfeer een soort onderhuidse dreiging had, maar de vaste klanten raakten snel aan ons gewend of ze waren te dronken om nog tekeer te gaan tegen de indringers, en het eten was er niet slecht. Meestal leek het op kip en af en toe meende ik geitenvlees te proeven, maar ik vroeg er niet naar en algauw deed het er ook niet meer toe. Na de eerste vier of vijf keer dat er naar mijn diensten werd gevraagd, had de scherpe tong van Carmella Diaz iedereen ervan weten te doordringen dat ik niet te koop was. Ik weet niet wat de vaste klanten dachten als ik Lewis en Henry een kus op de wang gaf en naar bed ging op het belachelijke tijdstip van negen uur, zelfs nog voor de *puta's* aan het werk gingen.

'Het gerucht gaat dat je een soort vruchtbaarheidsgodin bent,' grijnsde Lewis.

'God, spaar me!' zei ik.

Het viel me niet moeilijk om in slaap te vallen tussen mijn gebloemde lakens. Ik had al heel lang geen televisie meer gekeken. Er was maar één zender vol ruis, en in het Spaans. Het ging blijkbaar over voetbal. Engelstalige kranten of tijdschriften wisten niet de weg te vinden naar Ciudad Real.

'Je kunt al je oude tijdschriften van kantoor naar hier sturen,' zei ik, en ze moesten lachen. We lachten heel veel in die twee weken, Lewis en Henry en ik. We hadden iets kameraadschappelijks in onze tijd daar, en ik denk altijd dat iets dergelijks moest zijn ontstaan tijdens de bombardementen op Londen. Ik voelde me nauw aan hen verwant, alsof we een eenheid vormden.

Tegen de tijd dat we zouden vertrekken zat ik met Carmella op de plastic stoelen en bedacht dat ik haar erg zou missen. Ze vroeg me waarom ik naar Ciudad Real was gekomen, en ik vertelde haar over Outreach en wat de bedoeling ervan was.

'Maar ik denk niet dat jullie daar al ver genoeg voor zijn,' zei ik. 'Misschien als er voldoende personeel is in het ziekenhuis...'

'Dus je wilt iemand die uitzoekt wat de mensen nodig hebben en gratis kunnen krijgen,' zei ze zonder er doekjes om te winden.

'Precies,' zei ik.

'Dat kan ik ook wel,' zei ze geringschattend. 'Nu de nieuwe weg open is zullen een heleboel rijke mannen naar ons dorp komen. De mensen hebben over mijn meisjes gehoord. Ik zal ze eraan herinneren dat onze mensen veel dingen nodig hebben die zij kunnen leveren zonder dat hun vrouwen iets hoeven te weten over hun avonden hier.'

Ik bewees hoe ik me had aangepast door te zeggen: 'Prima. Ik had het zelf niet beter kunnen bedenken.'

Op onze laatste avond in het dorp gaf Lewis vijftig Amerikaanse dollars aan Carmella en volgde me naar boven naar mijn kamer.

'Ze zullen het er nog jaren over hebben,' zei hij. 'Ze zullen zich steeds afvragen wat voor vrouw jij bent dat een man vijftig dollar voor één nacht met jou heeft betaald.'

We lagen in bed, mijn wang tegen zijn borst, en luisterden naar de muziek uit de cantina en de kreten van zogenaamde opwinding die de drie jonge vrouwen slaakten. Ze klonken steeds hetzelfde: '*Aye, mi Dios!*' gevolgd door een reeks hoge geluidjes alsof een kleine hond aan het keffen was.

'Zullen we?' zei Lewis terwijl hij me tegen hem aan trok.

'Kef-kef-kef!' riep ik.

Nog voor het licht werd op de dag van ons vertrek, drukte dokter Mendoza onze handen, kondigde aan dat hij voorbereid was op alle medische noodgevallen en verdween met opgewekte tred in zijn ziekenhuis. Carmella kwam afscheid van ons nemen en omhelsde ons.

'Ik zal laten weten hoe het gaat met de hulp,' zei ze.

Henry en Lewis en ik liepen met de armen om elkaars schouders naar de Land Rover.

'Waar ging dat over?' wilde Henry weten.

'Chantage,' antwoordde ik kalm.

Toen we wegstoven van het plein bleven alleen een stofwolk achter en Carmella, die nog vaag zichtbaar stond te zwaaien.

Tijdens de vlucht van Chihuahua naar Mexico City en vervolgens naar Atlanta, sliepen we. Toen we in de terminal van Atlanta kwamen leek alles te fel en te groot en te luid. Het was een aanslag op onze zintuigen. Ik voelde me suf en dom. Het leek wel of ik van onder water naar de oppervlakte was gekomen.

Henry gaf onze tickets voor Charleston aan de controleur en de man wierp ons een bevreemde blik toe.

'U maakt zeker een grapje?'

'Nee, hoezo?' vroeg Henry.

'Waar hebben jullie gezeten? Charleston is hermetisch afgesloten. De orkaan Hugo is er twee avonden geleden dwars doorheengegaan en heeft het zowat met de grond gelijkgemaakt. Een deel ervan is tot rampgebied verklaard en valt onder het leger.'

Het was 23 september 1989, en het leven van ons allemaal was veranderd.

4

Naderhand werd Hugo de meest destructieve orkaan van die eeuw genoemd. Ondanks het feit dat Andrew, die een paar jaar later het gebied rond Miami verwoestte, technisch gezien een destructievere en meer geldverslindende orkaan was, wisten de mensen van de Low Country in hun hart dat Hugo, die op een vreemde manier hun eigen orkaan was, meer had veranderd dan levens. Hij had een manier van leven veranderd.

O, Charleston en de eilanden werden uiteindelijk opgeruimd en opnieuw opgebouwd zodat de toevallige bezoeker alleen zag wat historici altijd over ons hadden gezegd: het mooiste historische district van het land. De door paarden getrokken wagens reden weer, de touringcars blokkeerden de smalle straten en groepen toeristen blokkeerden opritten en straten, geleid door moederkloeken in lange rokken en met strohoeden op, die de plaatselijke gidsen waren.

Maar tot op de dag van vandaag heeft de bevolking van Charleston het over ‘vóór Hugo’ en ‘na Hugo’. Vanaf de ochtend van 22 september 1989 waren we kwetsbaar als nooit tevoren in onze smalle, mooie straten. We werden niet langer beschermd door schoonheid en voornaamheid. Niemand vergat wat Hugo had aangericht. We wisten dat een ander frivool gedoopt monster onverwacht kon opdoemen uit de wateren bij Kaap Verde, waar de grote Atlantische orkanen ontstaan. In die eerste dagen zag je overal mensen lopen die steeds over hun schouder keken.

Die dag in Atlanta, bij de balie van Delta Airlines, staarden we niet-begrijpend naar de man erachter, zoals je doet als iemand opeens heel vreemd doet. Toen begonnen we door elkaar heen vragen op hem af te vuren.

'Wat is er nog over?' 'Hoe kom je daar als je niet kunt vliegen?' 'Zijn er veel doden? Veel gewonden?' 'Waar is de ergste schade door gekomen? De wind? Het water?' Hij hief vermoeid zijn handen op. Blijkbaar had hij al die vragen al vaak moeten beantwoorden.

'Ik weet verder niets,' zei hij. 'Alleen dat u daar niet kunt landen. De rest heb ik van horen zeggen. Over de Nationale Garde en de plunderingen en zo. Daar is een krantenkiosk. Er zullen vast wel krantenberichten over zijn.'

We keken elkaar met witte gezichten aan. Toen haastten Lewis en Henry zich naar de rij telefoons aan de andere kant van de hal en ik holde naar de kiosk, intussen in mezelf mompelend als een dwaze mantra: 'Laat alles goed zijn met het strandhuis, laat alles goed zijn met het strandhuis.' En toen, beschaamd: 'Laat alles goed zijn met onze familie en onze huizen. Laat ons allemaal hier goed doorheen komen.'

Lewis kwam terug en we gingen in de wachtruimte zitten om de *Atlanta Journal-Constitution* te verslinden. Er stonden weinig details in en veel sensatieberichten. Verwoesting. Waarschijnlijk in weken geen elektriciteit. Gaslekken, omgewaaide hoogspanningsmasten, overstroming door springvloed. Overal waren bomen omgewaaid, ramen uit de sponningen gerukt, daken weggeblazen, hele huizen verwoest. Plunderingen in de zakenwijk. Elektriciens en loodgieters uit acht staten schieten te hulp. Groot tekort aan eten en water. President Bush heeft noodtoestand uitgeroepen in gebied. Schepen zijn op snelweg geworpen en zitten vast tussen huizen.

Hele stukken langs het strand weggevaagd.

Ik begon te huilen. Lewis sloeg zijn armen om me heen en liet zijn kin op mijn hoofd rusten.

'Wacht,' zei hij. 'Wacht tot we iets weten. Henry heeft de laatste telefoon die niet bezet was. De stad staat er al driehonderd jaar. Een paar boomstammen en takken en dakpannen kunnen we wel opruimen. Wacht tot Henry verbinding krijgt.'

Niet lang daarna zagen we Henry's lange gestalte, uit de toon vallend in zijn vrijetijdsbroek en gekreukt hawaïshirt en sandalen, door de wachtruimte aankomen. De mensen keken hem na. Een paar deinsden achteruit. Mijn snikken veranderden in hikken van een wilde lachbui.

'Hij is niet om aan te zien,' bracht ik gesmoord uit.

'Ik heb ze te pakken gekregen,' zei hij. 'Een groot gedeelte ten zuiden van Broad Street heeft blijkbaar nog telefoonverbinding. Ik denk dat we hetzelfde net hebben als de ziekenhuizen, en hun telefoon doet het ook. Allereerst heb ik Fairlie gebeld, en toen Charlie in het ziekenhuis. Het had allemaal erger kunnen zijn, denk ik.'

We keken hem met ingehouden adem aan.

'In Bedon's Alley is alles redelijk in orde. Fairlie is er niet weggegaan, maar ze zei dat het de afschuwelijkste nacht was die ze ooit heeft meegemaakt. Camilla is bij haar gebleven terwijl Charlie in het ziekenhuis was. In Tradd Street zijn wat bomen omgewaaid, maar het dak van hun huis bleef heel en de vloedgolf miste hen op een haar na. Lila en Simms hebben minder geluk gehad. De Battery kreeg een regelrechte treffer. Maar het huis is blijven staan, al stond er bijna een halve meter water beneden en hebben ze geen ramen meer. Lewis, ik denk dat jouw huis op de Battery er slecht aan toe is. Twee eiken door het dak, en het portiek en de veranda zijn weg. Meer weet ik er niet over.'

'Dat is nu een probleem voor Monumentenzorg, niet voor mij,' zei Lewis gelaten. 'Wat heb je over Bull Street gehoord?'

'Charlie kent niemand die daar al is geweest, maar de universiteit is er goed van afgekomen en daar zit jij in de buurt. De vloedgolf was beneden het ergste, maar jouw huis ligt redelijk ver naar boven. Een paar omgewaaide bomen, dat is alles wat ik weet...'

'De vloedgolf,' zei ik. Dat was nooit bij me opgekomen. Ik had altijd gedacht dat het gevaarlijkste van een orkaan de windkracht was.

'Hij ging dwars over het schiereiland,' zei Henry. 'Boten uit de jachthaven liggen op Lockwood Avenue. Laaggelegen straten stonden onder water. Toen het water zich terugtrok, bleef er een ongelooflijke hoeveelheid modder en troep achter. Ik denk niet dat een van ons dat is overkomen. Maar Lewis... Charlie denkt dat een operatiekamer van jou in het souterrain is ondergelopen. Dat was op heel Rutledge het geval.'

Ik keek naar Lewis. Hij keek in het niets en zuchtte toen.

'Daar gaat mijn no-claim van de verzekering,' zei hij. 'Nou ja, daar is een verzekering voor, denk ik maar. En hoe is het op Edisto? En Wadmalaw?'

'Dat weet ik niet. Charlie zegt dat hij had gehoord dat de mensen aan de kant van de rivier veilig waren, maar dat het strand de volle laag heeft gekregen. Misschien is alles goed bij Simms en bij jou.'

Ten slotte, omdat niemand het wilde vragen, deed ik het.

'En het strandhuis?'

Henry boog zijn hoofd.

'Ik weet het niet. Niemand weet het. De Ben Sawyer-brug is onbegaanbaar en de Nationale Garde laat niemand toe op de eilanden. Maar Charlie had een paar luchtfoto's gezien in de *Post and Courier* en het leek... het leek of er nooit huizen hadden gestaan. Alles was gewoon weg. Kale stranden met platgeslagen duinen.

Maar hij had ook gehoord dat enkele huizen daar helemaal ongeschonden waren. Het moeten enkele minitornado's zijn geweest, waarbij het ene huis met de grond gelijk is gemaakt en het andere ernaast niet. Er gaan mensen met een veerboot naar het Isle of Palms, maar op Sullivan's Island wordt nog niemand toegelaten.'

Hij zweeg even en zei toen: 'Fairlie zei dat Leroy de volgende ochtend in tranen naar het huis kwam en vertelde dat hij op het laatste moment moest vertrekken van de politie, maar dat hij Gladys niet had kunnen vinden, en hij mocht haar niet zoeken. Dat ziet er niet goed uit. Het huis ligt op laag terrein.'

'O, Henry,' zei ik, en de tranen begonnen weer te stromen. Die mooie, domme, lieve Gladys. De beste duivenhond van de Low Country.

Lewis zei: 'Wat erg, Henry. Maar misschien is ze er toch goed afgekomen.'

'Natuurlijk is dat mogelijk,' zei Henry terwijl hij zich afwendde. 'Als die lui ons zouden toelaten om te kijken. Ik ga erheen zodra we terug zijn. Wat kunnen ze me maken? Neerschieten?'

'Ik ga met je mee,' zei Lewis met schorre stem.

Toen verlieten we de wachtruimte en gingen naar beneden om een auto te huren en terug naar Charleston te rijden.

We zeiden niet veel tijdens de vijf uur durende rit. Er viel blijkbaar niets te zeggen. De levendige, onwerkelijke afgelopen twee weken hoorden niet bij wat ons te wachten stond. En de plek waar we naartoe reden was onwerkelijk. Je kunt niet goed praten over iets wat je je niet kunt voorstellen.

Het was warm, zelfs heet in het zuidoosten in september. Buiten waren de bladeren nog niet aan het verkleuren. Ze zagen er stoffig en verlept uit. Er was veel vrachtverkeer. In de huurauto zoemde de airco zacht en hulde ons in koude, muffe lucht. Ik snakte naar slaap, maar ik kon de rust niet vinden.

Henry reed de hele weg. Als Lewis of ik hem probeerden af te lossen, zei hij: 'Ik heb iets nodig om me op te concentreren.' Dat gold voor ons alledrie, maar we voelden dat Henry het nog het meest nodig had. Hij was zo gehecht aan Gladys.

Toen we de Low Country op een kilometer of zeventig genaderd waren, begonnen we de sporen te zien die Hugo had achtergelaten. In het begin alleen gevallen takken en bladeren, en water in de greppels langs de weg. Vervolgens omgewaaide bomen, meest dennen met oppervlakkige wortels. Op de vlakte langs de kust lagen hele bossen omver, alsof ze geveld waren door een reusachtige zeis. Op vijfentwintig kilometer van Charleston zagen we ingezakte huizen, ingestorte daken, kapotte ramen. In voortuinen stonden natte meubels. Veel huizen hadden helemaal geen dak meer. Overal lagen bomen over zijwegen, hoewel de snelweg was vrijgemaakt. We zagen geen mensen. Wel een paar auto's, waarvan de meeste helemaal gemangeld waren.

We waren over snelweg 26 gekomen. Lang voor die met een bocht naar East Bay draaide, zagen we dat de verwoesting ons voorstellingsvermogen ver te boven ging. Toen we om zeven uur 's avonds eindelijk de bocht naar East Bay hadden genomen, zagen we hele horden van de Nationale Garde die auto's lieten stoppen, straten die bezaaid waren met takken en rommel, elektriciteitskabels die aan omgevallen palen bungelden, winkels waarvan de ruiten waren dichtgetimmerd, als ze al ruiten hadden. Veel ervan hadden geen daken meer. De havenpakhuizen links van ons waren leeg. Alles was stil.

Nergens waren lichten te zien.

Een jonge politieman hield ons aan en keek in de auto.

'Wat zoekt u hier?' vroeg hij. 'Over een uur gaat de avondklok in.'

Henry gaf hem het identificatieplaatje dat de meeste artsen altijd in hun auto hebben, en Lewis haalde dat van hem ook tevoorschijn. De jongeman bekeek ze en vroeg toen: 'Waar wilt u naartoe?'

'Bedon's Alley,' zei Henry. De politieman keek op zijn klembord.

'U kunt via East Bay,' zei hij. 'Die is vrijgemaakt. Maar kijk uit bij Calhoun, die staat onder water. En Tradd Street en Church Street zijn onbegaanbaar door bomen en puin.'

'En Elliot Street?' vroeg Henry.

De politieman keek weer op zijn klembord.

'Die is zo te zien vrij. Maar wees voorzichtig. Overal rijden ambulances en brandweerauto's en die stoppen niet bij kruispunten. En daarbij lopen er een heleboel mensen rond te kijken.'

We zeiden niets. Die mensen waren onze vrienden en buren die treurden om hun verminkte stad.

Er was een stille, griezelige groene schemering gevallen toen we Elliot Street in reden, langzaam een paar bochten namen en door Bedon's Alley naar het huis van Henry en Fairlie reden. Al die tijd hoorden we geen enkel geluid en zagen we geen enkel licht. Alle ramen leken te zijn dichtgetimmerd. Overal lagen bladeren en takken. Opeens roken we een doordringende lucht.

'Jezus, dat lijkt wel een barbecue,' zei Lewis. 'Is er iemand gek geworden?'

Henry wees zwijgend. Rookwolken stegen op in de melkachtige lucht. Ze leken uit de achtertuinen van verscheidene huizen te komen. Door de ijzeren hekken heen zagen we mensen lopen.

'Ik weet het al,' zei ik. Dat was het eerste wat ik over mijn lippen kon krijgen sinds we bij East Bay waren gekomen. 'Ze zijn hun vlees aan het roosteren. De vriezers doen het niet meer.'

'Dat ruikt feestelijk,' zei Henry strak.

'Nou ja, het is toch beter om het te roosteren en met elkaar te delen?' zei ik. 'Wat moet je er anders mee? Aan de honden voeren?'

Hij antwoordde niet, en ik kromp in elkaar.

'Henry, het spijt me.'

Hij maakte een afwerend gebaar met zijn hand en stopte de auto voor zijn huis. Ook dat was dichtgetimmerd en stil, net als de andere, maar even later werd de massieve oude deur opengegooid en rende Fairlie de trap af naar ons toe. Henry ontvouwde zijn lange lijf vanachter het stuur, deed een grote stap en sloot haar in zijn armen. Ze legde haar hoofd tegen zijn schouder en zo bleven ze een hele tijd staan. Ik zag dat de laatste zonnestralen de bovenkant van haar hoofd in een gouden gloed zette. Ze droeg een afgeknipte spijkerbroek, een haltertopje en teenslippers. Zelfs om half acht wees de thermometer in de auto nog vierendertig graden aan. Achter hen, boven aan de trap naar het huis, stond Camilla met een bleek en kalm gezicht en een glimlachje rond haar mondhoeken. Ook zij droeg een korte broek.

We stapten langzaam en met verstijfde ledematen uit de auto en voelden de klamme hitte op ons vallen. Het was niet warmer dan in Ciudad Real, dacht ik, maar veel klammer. En toen dacht ik: hoe kan ik nu aan Ciudad Real denken?

Camilla kwam de trap af, liep naar Lewis en mij en sloeg haar armen om ons heen. We omhelsden elkaar zwijgend. Ik voelde de pezige kracht van haar lange armen, de vogelribben in haar slanke bovenlijf.

Ze maakte zich los en keek naar ons.

'Goddank zijn jullie er,' zei ze zacht. 'En goddank hebben jullie dit niet hoeven meemaken.'

Haar ogen waren vochtig.

Toen draaide ze zich om naar Henry en Fairlie. Ze hadden elkaar losgelaten en keken door de straat naar de kapotte daken en afgebroken takken. Camilla ging zwijgend naar Henry, sloeg haar armen om hem heen en legde haar gezicht tegen zijn schouder, net zoals Fairlie had gedaan. Ze zei niets, en Henry evenmin. Hij hield haar alleen vast en streek alleen de haren weg die door het zweet aan haar voorhoofd plakten.

'Het komt wel goed, Cam,' zei Henry toen, en ze deed een stap achteruit en keek glimlachend naar hem op. Er lagen tranen op haar wangen.

'Nu wel,' zei ze.

We bleven een hele tijd in de achtertuin van Fairlie en Henry zitten. Die was groter dan de meeste tuintjes van Charleston, en comfortabel uitgerust met niet bij elkaar passende stoelen, een ronde, smeedijzeren tafel en een hangmat aan een standaard. Hij was ook bezaaid met palmbladeren en verdrogende bladeren van de eiken die de tuin schaduw gaven, en takken, en zelfs wat dakpannen. Lewis en ik hadden hier vaak gezeten met de Scrubs, met kaarslicht, tevreden luierend na een van Fairlies verbazingwekkend onsmakelijke schotels van koude pasta. Omdat het allemaal zo groot was, hadden de Scrubs zowel huis als tuin als de plek gekozen om in de stad bij elkaar te komen. Ik hield van de bemoste, slordige oude tuin. Die zou nooit worden aangedaan tijdens een rondleiding.

Deze avond zaten we in het licht van een tiental sputterende kaarsen en een petroleumlamp. In de hele straat was geen ander licht te zien dan dat van flakkerende kaarsen en de grote, witte maan boven de gehavende daken. Zelfs zonder elektrisch licht konden we alles heel duidelijk zien in het heldere maanlicht.

'Het lijkt wel of God, of wie dan ook over orkanen gaat, iets probeert goed te maken,' zei Fairlie. Ze schudde met haar vuist naar de hemel.

'Vergeet het maar!' riep ze.

We hadden perfect gegrilde biefstuk en de laatste van Fairlies tomaten gegeten, en veel rode wijn gedronken die Simms had meegebracht. Hij had een wijnkelder in zijn souterrain op de Battery.

'Tenminste, die hád ik,' zei hij wrang. 'Deze lagen daar te drijven. Op de benedenverdieping lagen er een paar op de bank. Op wat ooit een bank was, moet ik zeggen. Daar zijn ze terechtgekomen door de vloedgolf. Er liggen er nog een heleboel als iemand zin heeft om te snorkelen.'

'Al die mooie meubels van jullie, ik moet er niet aan denken,' zei ik. 'Die waren toch grotendeels van jullie grootouders?'

'Ik heb met Tyrell en een paar lui van de plantage het meeste naar boven gebracht,' zei Simms. 'We hebben de ramen dichtgespijkerd, maar we hadden het net zo goed met papieren zakdoekjes kunnen doen. We hebben in elk geval meer geluk dan de meeste anderen in Charleston. Morgen staat er een ploeg klaar om aan de slag te gaan. Over een paar dagen kunnen we weer terug, denk ik.'

Lila en Simms logeerden bij Henry en Fairlie. Wij bleven die eerste nacht ook slapen. We hadden geen idee of we in Bull Street konden komen, en ik was opeens helemaal uitgeput. Zelfs toen we het nog over de schade en de veranderingen en het nimmermeer hadden, doezelde ik weg.

'Arme jij,' zei Camilla. 'Jullie hebben een lange reis achter de rug vandaag, hè?'

Lewis streek mijn weerbarstige haar achterover en zei: 'Gisteravond om deze tijd lag ze in de beste kamer van een Mexicaans bordeel te slapen. Ze had nota bene een televisie en gebloemde lakens. Heel luxe, al moest je er niet aan denken wat er eerder tussen die lakens was gebeurd.'

Camilla lachte haar warme, hese lach.

'Daar wil ik meer over horen. Ik wil trouwens over de hele reis horen. Toe, Lewis, we hebben afleiding nodig.'

'Een andere keer, dat beloof ik,' zei Lewis. 'We moeten eerst iets anders doen, en dat kan een poos duren.'

'Wat willen jullie in vredesnaam doen zonder licht en met al die troep in de straten?' vroeg Lila. Sugar, die op haar schoot lag, werd wakker en blafte gebiedend drie keer. Dat werd ergens in het donker beantwoord door zwaarder geblaf.

'Boy en Girl logeren ook bij ons,' zei Fairlie. 'Daar hadden we het op het strand toch over? Wij allemaal samen onder één dak. Misschien kunnen we gewoon allemaal hier blijven.'

Er blonken tranen in haar ogen, en ik wist dat ze aan Gladys dacht, het vermiste lid van de familie. Ik kneep even in haar hand en ze glimlachte waterig naar me.

Henry en Lewis en Simms stonden op. Henry zei: 'Ik heb Charlie gesproken en hij zei dat ze ons twee of drie dagen en nachten achter elkaar nodig zullen hebben. Overal breken mensen benen of krijgen ze een hartaanval terwijl ze de boel bij hun huizen proberen op te ruimen. Ik zei dat als we vanavond moesten komen, we ter plekke zouden doodvallen van vermoeidheid, en hij zei dat we dan maar morgenochtend moesten beginnen.'

'Hij is degene die dood neervalt als hij niet wat rust neemt,' zei Camilla. 'Ik heb hem niet meer gezien sinds de nacht dat Hugo toesloeg, en ik weet dat hij niet langer dan een uur of twee per keer kan slapen. Hij klinkt vreselijk, helemaal buiten adem en zwak. Beloof dat jullie hem naar huis zullen sturen!'

'Dat zullen we doen. Nu moeten jullie even goed luisteren,' zei Lewis. 'Wij gaan naar het eiland om de schade te bekijken. Een andere gelegenheid krijgen we niet. Ik vind... dat we het moeten weten.'

'Wat?' riep Fairlie. 'Hoe denken jullie daar te kunnen komen? De brug is onbegaanbaar! De Nationale Garde is voortdurend aan het patrouilleren. Jullie kunnen op zijn minst gearresteerd worden. Ik heb gehoord dat ze ook opdracht hebben gekregen om plunderaars neer te schieten. Zijn jullie gek geworden? Wat willen jullie doen, zwemmen?'

'Nee,' zei Simms, 'zeilen.'

Camilla en Lila en ik keken hen ongelovig aan. Toen zei Lila: 'Hebben we dan nog een boot?'

'De oude,' zei Simms. 'Ik had de *Venus* verder de rivier de Ashley op gebracht, en die moet veilig zijn. Maar de *Flea* dobbert nog rond de steiger van de Yacht Club. Joost mag weten waarom de club niet is weggeblazen, maar dat is niet gebeurd. Ze hebben goed werk gedaan door de boten stevig vast te leggen.'

'De *Flea*...' zei Lila. 'Maar die is zo klein, Simms. En hoe denken jullie trouwens op het eiland te komen zonder gezien te worden door een patrouille? Ik vind het maar niets.'

'Ze houdt ons drieën wel,' zei hij. 'En weet je nog dat we hem rood hebben geverfd toen we hem aan de kinderen gaven? Hij heeft zelfs een rood zeil. En in het donker lijkt dat zwart.'

'Nou, maar jullie niet,' snauwde Fairlie. 'Wat willen jullie doen, je grimeren?'

'Ja,' zei Henry.

'Maar zonder licht...'

'Fairlie,' zei Simms, 'ik heb mijn hele leven al vanaf de Yacht Club naar het eiland gevaren. Ik kan het blindelings. En het maanlicht is zo helder dat het bijna dag lijkt. We gaan alleen naar Henry's steiger, lopen naar het strandhuis en daarna komen we meteen weer terug. Maar we moeten weten hoe de toestand is.'

Mijn hart voelde opeens aan als een ijsklomp. Nee, Lewis, zei ik in stilte. Het maakt niet uit. Niets is belangrijk, alleen dat jij veilig bent.

Maar toen hij naar me keek en vragend zijn rode wenkbrauwen optrok, glimlachte ik. Mijn broer zou me een schijtlijster hebben genoemd.

'De jongens gaan een avondje stappen,' zei ik, en ze lachten even. Daarna gingen ze naar boven in het grote huis en kwamen terug in donkere broeken en windjacks.

We keken ongelovig naar hen. Ze leken net een stel maffiosi.

'Dit heeft Simms meegebracht,' zei Henry. 'Ik zorg voor de grime.'

En hij hield een blikje zwarte schoensmeer op. Fairlie en Camilla en ik schoten in de lach. Lila kon alleen maar staren.

'Nou, ga jullie gezichten dan maar insmeren, dan kunnen we onze dappere helden uitzwaaien,' zei Camilla.

'Dat doen we wel bij de steiger,' protesteerde Henry, maar ze pakte het blikje van hem af en dwong hem om voor haar te gaan zitten.

'Stilzitten,' zei ze. 'Ik ben gewend om jongetjes op te maken voor Halloween. Dadelijk herken je jezelf niet meer.' Toen begon ze Henry's gezicht te bewerken met schoensmeer.

Daarna deed ze hetzelfde bij de anderen. Ze bleven allemaal zwijgend staan of zitten. Opeens waren ze niet alleen maar de echtgenoten en vaders en artsen en zakenlieden die we kenden, iets meer dan vrienden. Ze hadden zich teruggetrokken in zichzelf, in de dierlijke regionen van de man, ver weg van de vrouwen.

'Goed,' zei Henry. 'We gaan.'

Ze draaiden zich om en liepen de tuin uit, op weg door de verwoeste straten naar de Yacht Club. We keken hen na, de donkere figuren die zich geruisloos voortbewogen. Ik kreeg kippenvel. Ik kende Lewis niet. Ik kende deze mannen niet.

'Henry, zet iets op je hoofd!' riep Fairlie hem na. 'Dat haar van jou kun je al van een kilometer afstand zien!'

Hij maakte een v-teken naar haar. We moesten allemaal lachen, en de kille betovering was verbroken. Maar toen ze uit het zicht waren, keken we elkaar zwijgend aan, alsof we in elkaars gezichten wilden zien wat we nu moesten doen.

We gingen zitten en wachtten.

Het werd nu helemaal donker en zwermen muggen belaagden ons, maar we gingen niet naar binnen. Zo lang we in de door kaarsen verlichte tuin zaten, konden we de illusie bewaren dat we gewoon een zomers etentje in de tuin hadden gehad. Er was nog veel wijn over en we dronken er ook veel van. Door de warmte en de stilte en de wijn nam de ongerustheid wat af, maar bleef ondanks alles sluimeren. In het begin praatten we nog wat.

'Help me onthouden dat ik morgenochtend contact moet opnemen met mijn kantoor,' zei ik. Ik voelde me vreselijk schuldig dat ik er amper aan had gedacht sinds we twee weken geleden, een eeuwigheid terug, naar Mexico waren vertrokken.

'O,' zei Fairlie. 'Dat was ik vergeten. Iemand van je kantoor had gebeld, een zekere Marcy, kan dat? Ze zei dat jullie bijna geen benedenverdieping meer hebben, maar dat de eerste verdieping en de archieven in orde zijn.'

Mijn kleine kantoor, een voormalig huis in een zieltogende wijk, keek uit over de jachthaven aan Ashley. Ik zag al voor me wat de vloedgolf had aangericht, en ik deed mijn ogen dicht in een opwelling van diepe vermoeidheid. Al dat werk, al die pogingen om geld in te zamelen, al dat schooien en flikflooien om geld...

'Morgen gaan we met Charlies Navigator alles nalopen,' zei Camilla. 'Misschien valt het allemaal wel mee.'

Later, ik weet niet hoeveel later, maar de maan begon al te zakken naar de South Battery, zei Lila: 'Weten jullie waar dit me aan doet denken? Aan die scène in *Gejaagd door de wind*, waarin Scarlett en Melanie en de andere vrouwen zitten te naaien terwijl ze wachten op het bericht dat hun mannen veilig zijn teruggekeerd. Overal waren yankees, net als de Nationale Garde nu. De vrouwen repten er niet over. Ze zaten gewoon te praten alsof er niets aan de hand was. Dat heb ik altijd zo'n prachtige scène gevonden.'

'Wie van hen kan Rhett zijn en wie Ashley?' merkte Fairlie op. Haar stem klonk dof van vermoeidheid.

Daarna bleven we gewoon zwijgend zitten.

Ik weet niet hoe lang daarna ik het geluid hoorde. Ik had zitten dutten, de kaarsen waren opgebrand en de maan ging onder. Het was bijna helemaal donker.

In de diepe stilte hoorden we iets rinkelen. En toen krabbelende poten. En toen rende Gladys, doorweekt en vuil en in extase, de veranda op terwijl ze zo hard kwispelde dat haar hele achterlijf heen en weer ging.

Fairlie liet zich op haar knieën vallen en nam de spartelende hond in haar armen. Gladys likte zo slurpend over haar wangen, dat ik wist dat Fairlie huilde.

Toen doemden de mannen opeens op in de tuin. We keken naar hen. Ze zagen er zo geestdriftig uit dat het bijna van ze af straalde.

Verdomme, dacht ik. Zij waren commando aan het spelen terwijl wij hier gewoon dood zaten te gaan. De rotzakken.

Maar ik wist waarom ik zo kwaad was.

'En?' informeerde Camilla. Ze zat rechtop, met haar handen ineengevouwen op haar schoot.

'Het strandhuis staat er nog,' zei Lewis. 'Ik snap werkelijk niet hoe het kan want er ligt alleen maar puin omheen. Maar het is er. Door de ruimte eronder is het gespaard gebleven voor de vloedgolf. We hebben de pingpongtafel een eind verderop bij Stella Maris gezien, en ik denk dat de grasmaaier ergens op de punt ligt.

Maar op de horren en de trap en het plankier naar het strand na ziet het er redelijk uit. Zelfs de ramen zijn er nog allemaal.'

Ik voelde de tranen opkomen en in mijn neus prikken.

'En... en ons huis? Hoe staat het daarmee?' vroeg Fairlie.

'Je bedoelt: waar is het?' zei Henry. 'Er is letterlijk niets meer van over behalve de steiger. We zijn er geweest. Ik zag niet eens waar het huis kon zijn.'

'O, Henry,' begon Camilla, maar hij schudde zijn hoofd.

'We maakten er toch nog maar weinig gebruik van. Zelfs de kleinkinderen hebben tegenwoordig andere dingen te doen in de stad. Maar ik zal het geld van de verzekering wel goed weten te gebruiken, wees daar maar niet bang voor.'

'En Gladys?' vroeg Fairlie, nog steeds met haar armen om de hond.

'Ze zat op de veranda van het strandhuis, zo ver mogelijk onder de hangmat als ze wist te komen. Ze trilde als een blad, maar zodra ze onze voetstappen hoorde begon ze te blaffen. Ik heb mijn short om haar bek moeten binden zolang we op Sullivan's Island waren. De Nationale Garde was overal.'

'Hebben ze jullie niet gezien?' vroeg ik.

'Misschien, maar ze hadden wel betere dingen te doen. Je zult het eiland niet meer terugkennen. Er is... bijna niets meer over.'

'Behalve het huis,' zei Lila.

'Behalve het huis.'

'Dan komt het wel goed met ons.'

'Ja,' zei Henry. 'Dat denk ik wel.'

Toen de nacht langzaam begon over te gaan in de ochtend, lagen Lewis en ik verstrengeld en bezweet op het smalle bed in de kamer waar Fairlies kleinkinderen altijd sliepen. Het gegons van de muggen had me gek moeten maken, maar de afgelopen twee weken had ik niet anders geslapen dan met muggen om me heen. Volgens mij konden die Mexicaanse muggen hun soortgenoten uit de Low Country nog het een en ander leren.

We waren allebei te moe om te praten, maar we konden ook niet echt slapen. Boven ons, ergens op de tweede verdieping, liepen Boy en Girl en Sugar rond te neuzen. Ik wist dat Gladys, nat en stinkend en wel, bij Fairlie en Henry op bed zou slapen.

Ik keek naar de paarse Barney op het stoeltje naast het bed. Lewis keek ook.

'Wat is erger?' vroeg hij. 'Een Mexicaans bordeel of een Barney?'

'Absoluut Barney,' zei ik.

En toen vielen we in slaap.

Het duurde nog een week of zes voor we naar Sullivan's Island konden, hoewel we langs de vreemd geschulpte kust zeilden, of er met de boot van Simms langs voeren. Vanaf het water leek het net een verlaten, door granaten bekogeld strand uit de Tweede Wereldoorlog, vond ik. De strijd was voorbij, maar de slachtoffers lagen er nog, onbeweeglijk. De duinen waren weg, of helemaal vervormd. Toen we eindelijk door Middle Street reden, zagen we dat de palmen en eiken die de oude huizen overschaduwden, ontworteld op de grond lagen met verdorde bladeren. Sommige bomen lagen op de ingestorte daken van de weinige huizen die er nog stonden. Geen enkele boom stond nog overeind. Er was geen duingras meer. De meeste strandhuizen lagen in puin. Enkele stonden nog dapper en onverklaarbaar overeind, als schildwachten die een strijd niet hadden zien aankomen. Ons huis was daar één van. Het stond heel ver aan het strand met niets eromheen. De oleanders en palmen waren weg. Het plankier naar het strand en de trap waren verdwenen. We hebben er niets meer van teruggevonden. De horren van de veranda waren verscheurd als natte papieren zakdoekjes. Aangespoeld puin van wie weet waarvandaan lag in de tuin, en een badkuip op pootjes, waar iemand ooit heel trots op geweest moest zijn, stond schuin tegen de steiger. Overal lagen dakpannen. Maar de ramen waren nog afgetimmerd, en hoewel er dakspanen van het dak waren verdwenen, bood het nog steeds beschutting, en als door een wonder stond de hangmat nog vredig op de veranda. De vloedgolf was blijkbaar vlak onder de veranda en door het souterrain gegaan, en had in een kolkende stroom de huizen in de buurt van de binnenwaterweg weggevaagd, waaronder dat van Henry.

Toen we de eerste keer kwamen, op verkenning, heerste er een doodse stilte op het eiland. Er was zelfs geen vogelgezang te horen. Alleen het kabbelen van de golven op een vreemd strand en hier en daar het wapperen van een gescheurde vlag.

Maar een week later, toen we terugkwamen aan het hoofd van een karavaan van vrachtauto's vol houten planken en rollen horrengaas en dakspanen, had het eiland zich koppig hersteld. Overal waren herstelwerkzaamheden bezig. Overal kon je timmeren en boren en bulldozers horen. Veel eigenaren van de huizen stonden toe te kijken hoe hun verleden in puin omlaag werd gehaald en hoe er voorzichtig een begin werd gemaakt van hun toekomst. Sommigen gingen weg en kwamen nooit meer terug, zo hoorden we later, maar een verrassend aantal bewoners van Sullivan's Island was bezig met opbouwen.

'We lijken wel gek,' zei Fairlie op die eerste dag, toen we toekeken hoe Tyrell en mannen van Simms' fabriek voorraden uitlaadden en het puin begonnen op te ruimen.

'Misschien,' zei Henry. 'Maar jij wilt toch ook dat het allemaal hersteld wordt?'

'Natuurlijk, alleen hebben we in Kentucky nooit iets ergers dan een paar overstromingen en met modder overdekte renbanen.'

'Je moet er wat voor overhebben om in een paradijs te leven,' zei Camilla, terwijl ze glimlachend keek naar het geteisterde oude huis dat zo lang van haar familie was geweest. 'Mijn vader zou het enig vinden om te zien dat de uitkijkpost er nog steeds is terwijl de torenspits van de St. Michael en al die andere kerktorens het hebben begeven. Hij was er altijd trots op dat hij een praktiserend heiden was.'

De warme, stille herfst van de Low Country duurt lang, soms bijna tot Kerstmis. Simms' mannen werkten gestaag door in oktober en november, en wij hielpen mee in de weekenden. In Charleston zelf waren onze huizen weer in orde, en de plantages op Edisto en Wadmalaw waren, hoe doorweekt ook, weer in bedrijf. Ons kantoor werd langzaam weer opgebouwd. Ik raakte eraan gewend om de stad te zien zoals die in de eerste maanden was. Je went aan alles, of in elk geval geef je het een plek in wat je al meegemaakt hebt, zodat je niet steeds geschokt raakt als je het weer ziet. Van alle wrakken om me heen hadden alleen de oude eiken in White Point Garden het vermogen om een brok in mijn keel te brengen als ik ze zag. Over het algemeen denk ik dat het gezien de omstandigheden wel goed met ons ging, hoewel in andere delen van de stad de situatie nog heel slecht was. Die herfst ging onze aandacht alleen uit naar het strandhuis.

Op het laatste weekend voor Thanksgiving namen we eten en wijn mee en een bos late zinnia's uit Lila's tuin en maakten aanstalten om het dak af te maken en de veranda af te schilderen en vervolgens te vieren dat alles klaar was. Lewis bracht champagne mee en Simms een zak oesters die hij de vorige dag uit zijn kreek op Wadmalaw had opgevist. Henry en Fairlie hadden drijfhout verzameld tijdens hun lange wandelingen over het strand in de herfst, en was zilverachtig opgedroogd en klaar om te worden gestookt. Camilla had het beddengoed en de spreien mee naar huis genomen en alles gewassen en gedroogd, en lag het heerlijk geurend en opgeschud op alle bedden.

'Voor het geval dat iemand wil blijven slapen,' zei ze.

'Ik weet wel wie die iemand zal zijn,' zei Charlie terwijl hij naar haar glimlachte. Ze haalde haar schouders op en gaf een wrang glimlachje terug. Zo hoort het, dacht ik. Hun slaapkamer was van haar geweest als klein meisje. Zij horen de eersten te zijn die in slaap vallen bij het geluid van de golven en wakker worden met de schone, frisse geur van zout en zeewier.

Het was een bijna volmaakte dag, zo'n dag met een gouden randje waar je voor de rest van je leven op bepaalde momenten aan zult terugdenken. Ik zie die dag meestal voor me vlak voordat ik in slaap val. De zon stond nu natuurlijk lager, maar midden op de dag was het warm genoeg om truien en jacks uit te trekken. Lewis droeg zelfs een korte broek en een T-shirt, en Fairlie trok een badpak aan uit de la boven en ging uitdagend een minuut of vijf zwemmen. De rest van ons juichte haar toe, maar maakte geen aanstalten om haar voorbeeld te volgen. In de lage hoek van het licht leek de kalme zee een glinsterende laag tin, en Fairlie kwam eruit rennen als een soort slungelachtige godin. Ik zag Henry heimelijk grijnzen, en Camilla, die hen beiden gadesloeg, glimlachte ook.

We namen de honden voor het eerst mee. Het was gewoon te hectisch om ze voordien in de gaten te houden. Ik had verwacht dat ze nerveus en van streek zouden zijn als ze zagen hoe hun wereld veranderd was. Over Boy en Girl had ik me geen zorgen hoeven maken. Die liepen nog voor het portier achter ze was dichtgevallen, al naar het water met hun neus over het zand. Sugar volgde, springend als een konijntje om over deze nieuwe duinen te kunnen kijken. Alleen Gladys vond het maar niets. Ze had zitten rillen en janken toen we naar het huis reden, en uiteindelijk had Henry haar moeten dragen en neerzetten op de door nieuwe horren omgeven veranda. Ze hield op met janken, maar ze bleef op haar plek onder de hangmat liggen. Ik ging erin zitten en schommelde zacht heen en weer terwijl ik haar aaide.

'Ze moet zich eroverheen zetten,' zei Henry. 'Ze kan niet haar verdere leven bang blijven voor het eiland.'

'Als jij onder deze hangmat een zware orkaan had moeten doorstaan, zou je ook bang zijn,' zei ik tegen hem.

Lewis en ik en Simms en Lila waren vroeg in de middag klaar met het opnieuw schilderen van het plankier en de trap, en Henry en Fairlie harkten puin en spijkers en stukken horrengaas en opgedroogde palmbladeren op en stopten alles in een enorme mand die ze hadden meegebracht. Camilla en Charlie legden de laatste dakspanen op hun plaats. Ik herinner me dat ik op de bovenste tree naar hen zat te kijken met het warme, geelbruine zand en de blauwe zee voor me en een lichte bries op mijn gezicht. Charlie zat op het dak van de veranda kapotte dakspanen los te trekken en gooide die naar Camilla. Hij had zijn shirt uitgetrokken en zijn brede schouders en borst waren verkleurd door de zon, en zijn bijna kale hoofd glom rood. Elke keer als hij een dakspaan los had gemaakt, riep hij: 'Onderuit!' en Camilla, met haar kastanjebruine haar wapperend rond haar gezicht, probeerde hem te vangen, of ze moest hem uit het zand oprapen en op de groeiende stapel op het grote zeildoek leggen. Ze wist er veel te vangen, en ze bewoog zich zo lenig als de kwajongen die ze als kind hier moest zijn geweest. Ze keek lachend op naar Charlie, en hij lachte terug. Het viel me op dat ik hen nog nooit fysiek samen iets had zien doen. Zelfs als we gingen dansen, danste Camilla met iemand anders. Charlie, zo beweerde hij steeds weer, danste niet. Maar in dit gecoördineerde ballet van gooien en vangen kon je zien hoe goed ze konden zijn als ze samen zouden dansen.

Later die middag koelde het af en ging de lage zon onder, en

Henry stapelde het drijfhout in de haard en stak het aan. Het sputterde even, vlamde toen op en begon te gloeien met een zacht, sissend geluid. We applaudisseerden. Het hart van het huis was weer tot leven gekomen.

We bleven lang zitten na de geroosterde oesters en gumbo van garnalen, omdat niemand van ons een einde wilde maken aan de avond. Ik voelde me alsof ik na een lange, wilde zeereis in een veilige haven was gekomen. Ik denk dat we ons allemaal zo voelden. Niemand zei veel, maar we glimlachten vaak.

Lewis opende de champagne en schonk die in, en ik deelde de glazen uit. Hij ging voor de haard staan en hief zijn glas.

'Op de Scrubs,' zei hij. 'Op ons allemaal. En op het huis.'

We hieven allemaal onze glazen en zeiden: 'Op het huis,' en we dronken. Ik zette mijn glas neer en glimlachte naar Camilla, die voor de haard zat met haar armen om haar knieën. Maar ze keek niet naar mij. Ze keek met een vage rimpel van verbazing tussen haar wenkbrauwen naar Charlie, die tegenover haar zat in de oude rieten schommelstoel. Ik keek ook.

Charlie zat heel stil met zijn glas in zijn hand in het vuur te kijken, met iets van verwondering op zijn gezicht. Toen, zo langzaam als een smeltende sneeuwpop, zakte hij voorover, uit zijn stoel en op de vloer. Het champagneglas viel kapot en een plas borrelend schuim vormde zich eromheen.

Lewis en Henry waren meteen bij hem en ik merkte dat ik Camilla's ijskoude handen had beetgepakt terwijl we als verdoofd toekeken.

'Help me om hem in de Navigator te tillen,' zei Henry. 'Die is het grootste. Ik ga achterin bij hem. Lewis, jij rijdt.'

'Wacht...' begon Camilla toonloos.

'Geen tijd,' snauwde Henry. 'Anny, neem Camilla mee in de Rover. Fairlie, ga met hen mee.'

‘Waarheen?’ vroeg ik onnozel.

‘Naar Queens. De ingang van de Eerste Hulp. Laat de Rover maar voor de deur staan. Ik regel het wel met de bewakingsdienst. Kom, Lewis!’

De Navigator reed met gierende banden de oprit af en was al uit het zicht voor Simms en Lila en Fairlie en ik Camilla de Range Rover in hielpen. Toen ze wegreden, zag ik hoe Henry op de achterbank met zijn vuist op Charlies borst sloeg. Ik kon Charlies gezicht niet zien. Henry keek fel en geconcentreerd.

Op de rit terug over de twee grote bulten van de brug zei ik niets, maar Simms, op de voorbank, draaide zich om naar Camilla en sprak zacht en kalm, op een effen, normale toon. Ik hoorde Lila ook tegen Camilla mompelen, maar ik kon haar niet verstaan. Toen ik in de achteruitkijkspiegel keek, zag ik dat zij en Fairlie met hun armen om Camilla zaten en dat Camilla heel rechtop en stil en wit zat, met haar ogen strak gericht op de weg voor ons. In al die waanzinnige tijd die het ons kostte om bij de ingang van de Eerste Hulp van Queens Hospital te komen, heb ik Camilla geen enkel geluid horen maken.

Pas nadat ik de auto tot stilstaan had gebracht, besefte ik dat ik over de afschuwelijke brug had gereden zonder er meer aandacht aan te schenken dan aan een verkeerslicht.

Toen we bij de hartbewaking kwamen, zaten Henry en Lewis op een met plastic overtrokken bank in de wachtkamer. Ze zaten onderuitgezakt met hun hoofden tegen de leuning. Ze droegen allebei groene operatiekleding met maskers bungelend om hun hals. Ik kon vanaf de deur zien dat Henry tot zijn middel doorweekt was van het zweet. Hun ogen waren gesloten en ze zagen grauw van uitputting.

Henry leek onze aanwezigheid te voelen voor we een geluid konden maken. Hij stond op. Camilla bleef stokstijf staan en keek naar hem, en hij stak zwijgend zijn armen naar haar uit. Als een slaapwandelaarster liep ze naar hem toe en hij trok haar dicht tegen zich aan. Lewis kwam naar hen toe en omhelsde hen beiden. Niemand zei iets.

De oorspronkelijke drie van Sullivan's Island, dacht ik, en ik begon te huilen. Achter me begonnen Fairlie en Lila ook. Simms maakte een gesmoord geluid.

Veel later, toen we Camilla meevoerden van de hartbewaking en naar de Range Rover, bleef ze staan en keek naar ons allemaal. Dat was, zei Lewis naderhand, de enige keer dat ze haar iets hadden horen zeggen.

'We hebben het huis klaar, hè?' zei ze op verwonderde toon, als een kind.

'Dat hebben we,' zei Henry. Ze klampte zich aan zijn arm vast alsof ze een oude vrouw was. Hij ondersteunde haar.

'Je gaat vanavond met ons mee, punt uit,' zei Fairlie. 'Morgen zullen we ons wel bezighouden met... met alles. Vannacht moet je rusten.'

'Nou, dan gaan wij ook met jullie mee,' zeiden Lila en ik tegelijk.

Ze keek ons aan.

'Nee,' zei ze, en haar stem klonk zacht en schor, alsof ze heel hard geschreeuwd had. 'Het was allereerst mijn huis en het zal altijd mijn huis blijven, en daar ga ik heen. Denk je dat ik ook maar één nacht in Tradd Street kan doorbrengen zonder hem? Dat was óns huis. Het strandhuis is van mij. En als iemand van jullie probeert mee te gaan of komt kijken, dan... dan bel ik de politie. Dat doe ik echt. Laat me nu met rust. Ik moet een heleboel opnieuw in orde brengen.'

We keken haar verbijsterd aan.

Ze pakte Henry weer bij de arm en hij knikte alleen naar ons, en samen liepen ze de lange witte gang door en de rest van Camilla's leven tegemoet.

Deel twee

5

Op een grauwe middag, eind oktober 1998, zaten we op de veranda van het strandhuis, gehuld in truien en handdoeken tegen de strakke bries uit het oosten. Die zou weldra regen brengen, je kon het al ruiken, en dan zou de wind toenemen omdat die uit het oosten kwam, waar alle grote weersveranderingen beginnen. Dat zou het einde betekenen van de gedempte kleuren van de bomen, en waarschijnlijk het einde van de lange, zachte herfst. We hadden het vuur al vroeger aangestoken en we gingen naar binnen, uit de paarse schemering, verlangend naar warmte en drankjes en warm eten. Maar op deze middag was het gevoel van eindigheid overweldigend, en we waren langer op de veranda blijven rillen dan we anders gedaan zouden hebben.

Iets knaagde aan me, iets uit mijn herinnering. Ik kon het bijna in de diepte ervan zien glinsteren, als een goudvis. Maar ik kon het niet vatten. Het leek belangrijk, maar ik wist niet waarom. Het had een onrustige glans, als schubben.

Ik hoorde hoe de wind toenam, en hoe het zand van de duinen tegen de ramen kletterde. We hieven allemaal onze hoofden op.

'De zomer is voorbij,' zeiden Henry en Lila tegelijk, en we moesten allemaal lachen. Toen wist ik het weer.

'Weten jullie nog die keer dat ik op het strand was en dat ik Camilla op de duinen meende te zien? Het was net zo'n middag als nu, wanneer je weet dat het weer voorgoed zal omslaan. En iedereen lachte me uit en zei dat ik de Grijze Man had gezien en dat we storm zouden krijgen...'

Toen zweeg ik. Nog geen drie weken later was Hugo gekomen. En Charlie was een van degenen geweest die me had geplaagd met de Grijze Man. Ik keek naar Camilla.

Ze glimlachte in haar schommelstoel bij het vuur. Dat was haar plekje geworden sinds Charlies dood. Voordien had hij daar altijd gezeten.

'Het geeft niet,' zei ze. 'Het is lang geleden. We hebben het er over gehad, Charlie en ik. Hij vond het grappig, zelfs na Hugo. Hij zei dat het hem verbaasde dat jij de Grijze Man had gezien, want hij had het misschien eerder van Fairlie verwacht. Hij dacht waarschijnlijk dat jij niet het type was om... om je dingen in te beelden. Na Hugo moest ik er af en toe aan denken, maar ik heb er nooit om moeten lachen.'

Ik bestudeerde haar in het licht van het vuur. Ik dacht dat in de afgelopen tien jaar zij het minste van ons allemaal was veranderd. Natuurlijk was ze nu erg gebogen door de osteoporose en er liepen zilveren strepen door het dikke, kastanjebruine haar. Maar er waren geen rimpels te bekennen op haar middeleeuwse gezicht, en haar bruine ogen glansden nog steeds tussen de dikke wimpers. Ze droeg haar haar nog steeds samengebonden in haar nek en soms liet ze het loshangen. Ze was nog steeds slank, nog steeds fijngebouwd, nog steeds zo sereen als een witte kaars. Ze ging nog steeds met de oude honden over het strand lopen, zij het veel langzamer, en ze lachte nog steeds met Lewis en Henry om hun jeugdjaren op het eiland.

Ze bracht nu veel tijd door in het strandhuis. In het begin maakten we ons zorgen omdat ze alleen was en eenzaam zonder Charlie, maar we kwamen tot de conclusie dat het haar op een primitieve manier ook kracht gaf. Haar gezicht had nu kleur en ze lachte vaker dan ik me kon herinneren. Ik vond haar nu werkelijk mooi, zoals slechts enkele vrouwen mooi worden na hun zestigste.

Met de rest van ons was het minder goed gesteld. Henry's haren waren helemaal wit, hoewel hij nog net zo slank en bruin was als voorheen. Lewis was bijna al zijn haren kwijt op een kring rood haar na, en nu was zijn hoofd net zo vol sproeten als de rest van zijn lijf. Fairlie was nog net zo slank en soepel als een jong meisje en haar rode haar vlamde nog in de zon, maar op haar gezicht lag een netwerk van fijne rimpeltjes, als oude organza. Van een afstand zag je het niet; de Fairlie van nu was bijna de Fairlie van toen. Maar alleen bijna.

Lila was grijs geworden en iets gekrompen – vrouwen uit Charleston zorgden dat ze niet dik werden – maar ze droeg haar bobkapsel nog steeds uit haar gezicht door middel van een haarband of een zonnebril, en ze had haar lange, gebloemde rokken niet afgezworen, en haar stem klonk nog steeds helder en zangerig en lief. Je kon je niet voorstellen dat Lila een koele, competente, rijke makelaar in onroerend goed was geworden, maar ze had nu haar eigen bedrijf en verdiende letterlijk miljoenen. De oude huizen ten zuiden van Broad Street werden met tientallen tegelijk opgekocht en gerenoveerd door welgestelde nieuwkomers, en Lila had er een behoorlijk aantal van verkocht.

Simms was helemaal grijs en had een snor laten staan, ook grijs, die belachelijk had moeten lijken bij zijn ronde gezicht maar hem op de een of andere manier wel stond. Hij zag er niet meer uit als de jongste van de mannen van de Yacht Club, dacht ik. Wanneer was dat gebeurd?

Ik had witte haren in mijn wilde zwarte haardos en een achterwerk dat smeekte om het pantybroekje dat ik niet wilde dragen. Gelukkig noemde Lewis het alleen 'goed te omvatten'. En de huid onder mijn kin was slapper geworden. Vijfenveertig was iets anders dan vijfendertig.

Die middag voelde ik een golf van liefde voor ons allemaal in me opkomen. We waren nog steeds de Scrubs. Als ik naar ons keek, registreerde mijn brein de veranderingen wel, maar mijn ogen zagen ons nog steeds zoals we waren geweest in die eerste zomers. Onze gezichten van toen waren op mijn netvlies gebrand. Het hart ziet wat het wil zien.

Het huis was niet echt veranderd. De balustrade van de veranda en de trap naar het plankier die we opnieuw hadden aangebracht in de weken na Hugo, waren nu wat gebladderd en wankel. En de toen nieuwe dakspanen waren verweerd en kleurloos geworden. Op de overloop en in de keuken lekte het flink en we hadden het er steeds over dat we de lekken moesten laten repareren, maar om de een of andere reden maakte geen van ons aanstalten om een loodgieter te bellen. We zetten emmers neer als het regende en genoten van het geluid van de regendruppels die erin spatten. Ik denk niet dat iemand nog veranderingen wilde.

'We zullen het een keer moeten laten doen,' zei Lila bezorgd. De makelaar in haar kwam naar boven. 'Het zal een heel stuk in waarde dalen als we het niet doen.'

'Mijn god, heb je al een berekening gemaakt?' zei Lewis, en ze lachte blozend.

'Natuurlijk niet. Ik kan gewoon de gedachte niet verdragen dat het... dat het wegrot.'

'Het is steeds al aan het wegrotten,' zei Camilla kalm. 'Zelfs toen ik nog klein was, mankeerde er altijd wel wat aan. Ik denk niet dat ik hier zou willen blijven als alles gerepareerd en geverfd en behangen was.'

'Nou, dat is het in elk geval niet,' zei Fairlie, en we glimlachten voldaan.

Dat was het zeker niet. Het huis had nog dezelfde dakspanen en dezelfde hobbelige, vochtig ruikende en bladderende rieten stoelen die er stonden toen Camilla het erfde. Lila had een mooi, nieuw kleed meegenomen om het ragdunne oosterse kleed te vervangen dat doorweekt was geraakt toen Hugo's regen door de schoorsteen naar binnen stroomde. Het nieuwe kleed was dik en roomkleurig en nodigde uit tot er lui op liggen, maar dat deed niemand. In al die schemerachtige tinten trok het wit steeds onze aandacht. Uiteindelijk gaf Lila het op, haalde het oude oosterse kleed van haar zolder, hing het te drogen in de frisse lucht en de zon, en legde het weer terug voor de haard. Wij en het huis slaakten een zucht van genoegen, en Lila gaf het nieuwe kleed mee aan Camilla, voor in de stad. Buiten waren de contouren van de duinen anders dan voorheen, en kleine palmen hadden de plaats ingenomen van de oleanders en palmen die elkaar voor de veranda hadden verdrongen, maar dat was buiten. Binnen was het nog steeds ons.

Vanaf het begin had het me verbaasd hoe oppervlakkig de leegte was die Charlie in het strandhuis had achtergelaten. Niet dat we hem niet misten. Een van ons schoot altijd wel vol als iemand het over Charlie had, en Boy en Girl, tien jaar later met grijze snuiten en kreupel, keken nog steeds benieuwd naar hem uit als ze uit de auto kwamen en de trap op strompelden, het huis in. Alleen daardoor al werden we steeds tot tranen toe geroerd. Als het gebeurde, klopte Camilla de honden op de rug en keek weg naar de zee. Ze vond het vreselijk als iemand haar zag huilen. En slechts weinig mensen hadden dat ooit meegemaakt.

Nee, het was meer het gevoel dat onze eenheid niet was verbroken, de wetenschap dat Camilla zo met Charlie verweven was dat hij, ook al was hij er niet lijfelijk, zich nog steeds in ons midden bevond. Ik was blij dat de integriteit van de groep niet in het geding kwam, ook al was een dierbaar lid ervan weg, en dat zei ik ook een keer tegen Camilla.

'De kern zal altijd blijven,' zei ze.

'Het lijkt wel of hij er nog steeds is,' zei ik kort na Charlies overlijden tegen Lewis.

'Waarschijnlijk is hij nu ergens bij Kaap Hoorn,' zei Lewis. Want Camilla had Charlie, volgens zijn wens, laten cremeren en wij hadden zijn as uitgestrooid in de zee voor het strandhuis.

Bijna iedereen, behalve wij, was woedend op Camilla. Alle oudere vrouwen in haar leven – en dat waren er veel, want net als Lewis was Camilla familie van half Charleston – waren ontsteld.

'Jouw familie werd altijd begraven in Magnolia Cemetery,' zei iemand van de bridgeclub tegen Camilla toen ze me had uitgenodigd voor een lunch in de Yacht Club, twee dagen na Charlies dood. 'Wat bezielt je? Cremeren? En je wilt hem in zee gooien als aas? Wat zou je moeder daar wel van zeggen?'

'Waarschijnlijk "Is het al lunchtijd?"' zei Camilla binnensmonds.

Haar zus Lydia sprak dagen geen woord meer tegen haar, en haar moeder, die nog steeds in Bishop Gadsden woonde, al had ze misschien niet overal weet meer van, rukte zich net lang genoeg los uit haar apathie om Camilla toe te snauwen: 'Magnolia, iets anders kan niet. Je vader zal het vreselijk vinden. Wie wilde je ook weer in de oceaan gooien, zei je?'

Haar twee zoons en hun vreemde Californische gezinnen kwamen zwijgend op deze weinig voorstellende oostkust staan en keken hoe hun moeder, in een korte broek en een T-shirt, de oceaan in waadde met de dominee van de Anglicaanse Holy Crosskerk, een vriend van de familie, en de vederlichte resten van hun vader aan het witgekuifde water toevertrouwde.

'We hebben toch een familiegraf op Magnolia?' zei de oudste. 'Ik dacht altijd dat er ruimte genoeg was voor iedereen. Daar hebben we altijd op gerekend.'

Zijn gebruinde dochter en magere vrouw sloegen hun ogen ten

hemel. Ik dacht niet dat ze veel belangstelling hadden voor Magnolia Cemetery.

'Ik weet dat pa rechtmatig gezien eigenlijk niet op Magnolia hoorde, maar jij in elk geval wel, en wij ook. Iemand heeft er toch geen problemen over lopen maken?' zei de jongste zoon, die iets met het bestralen van voedingsmiddelen deed in een stad in Silicon Valley die alleen technici kenden. Ik wist dat hij uit Charleston was weggegaan om technologie te gaan studeren, en dat hij sindsdien niet langer dan twee weken achtereen thuis was geweest.

Camilla hief haar hoofd op en glimlachte naar haar koekoeksjong.

'Je kunt de jongen weghalen uit Charleston, maar je kunt Charleston niet uit de jongen halen,' zei ze. Haar gezicht was nat. Ik wist niet of het door de tranen of door het zeewater kwam.

'Dit is wat hij wilde,' vervolgde ze op vriendelijke toon. 'Je vader heeft altijd gezegd dat hij Magnolia Cemetary net het decor vond voor een tweederangs film over vampiers. Hij wilde de oceaan. Ik denk eigenlijk dat ik dat ook wil.'

'Misschien zal ik je laten cremeren als jij dat wilt,' zei de zoon grimmig, 'maar ik verdom het om je uit te strooien in de oceaan.'

'Gooi me dan maar in een asbak,' snauwde Camilla, die het beu werd. 'Mij zal het echt niets meer kunnen schelen.'

We waren allemaal verbaasd, en ik had eigenlijk willen juichen. Ik had Camilla zelden haar stem horen verheffen. Het was goed om te weten dat ze kwaad kon worden, en nog beter dat ze heel grappig kon zijn. Ik had haar wel kunnen omhelzen.

De dag van Charlies afscheidsceremonie was zo helder en zacht als een late zomerdag, hoewel het de zondag na Thanksgiving was. Hugo had een ironische erfenis van zacht, heerlijk weer achtergelaten. De lucht was lichtblauw, en de zee spoelde met kalme, roomkleurige golven het strand op. We hadden bijna allemaal de nacht doorgebracht in het strandhuis, en Lewis en Fairlie en ik waren die ochtend gaan zwemmen. Het water was nog steeds zo warm als bloed, als vruchtwater. Om twaalf uur, toen we nog op de veranda zaten, omgeven door flessen champagne waarmee we op Charlies mooie bronzen urn hadden geproost, kwamen de eerste auto's uit Charleston al door het zand zwenken en stilhouden in de ruimte onder de achtertrap. Fairlie stond op de uitkijk.

'Nee, toch!' riep ze uit de keuken, waar ze uit het raam had staan turen. 'Daar is een grote oude Lincoln met een chauffeur en wel honderd oude dames, en ze hebben allemaal hoedjes op! Wat moet ik ermee?'

'Mijn god, de tuinclub van mijn moeder,' hijgde Camilla. 'Ik heb ze niet uitgenodigd. Ik heb laten doorschemeren dat het in familiekring was plus wat collega's van Charlie van het ziekenhuis, maar ik had kunnen weten dat ze zouden komen. Daar heb je de auto van Margaret Pingree, en Jasper zit achter het stuur. Ik dacht dat hij dood was. Misschien is hij dat ook, maar weet hij het nog niet. Jongens, jullie moeten naar beneden gaan en proberen ze op de een of andere manier op het plankier te krijgen. Ik weet dat twee van hen slechte heupen hebben, en Margaret heeft een looprekje. We kunnen ze echt niet naar boven krijgen en vervolgens weer naar beneden. Fairlie, help jij me met Lila en Anny om wat stoelen naar beneden te dragen. We kunnen ze op het duin zetten en dan kunnen ze vanaf daar alles zien. Voorzichtig, Henry en Lewis. Ze hebben vast allemaal natuurlijk van die vervloekte hakjes aan.'

Ik kon mijn lachen niet inhouden, en even later schoten alle vrouwen in de lach. We lachten nog steeds toen we stoelen naar beneden en over het plankier sleepten, in korte broek en T-shirts en blootsvoets, omdat we allemaal het water in zouden gaan met Camilla en Charlie. Camilla kwam achteraan met Charlies urn in haar armen. Ze moest zo lachen dat ik vreesde dat we uiteindelijk de duinen en de distels zouden zegenen met Charlie, in plaats van de eeuwige zee.

Charlies uitvaartdienst was een verbijsterende mengeling van Anglicaanse kerkceremonie en Gullah en rock-'n-roll en het had belachelijk moeten zijn, maar het was heel ontroerend, in elk geval voor ons. Ik kon de dames van de tuinclub en de zoons van Charlie en Camilla niet zien. Zij stonden op de duinen, en wij stonden aan de rand van het water, dat om onze enkels kabbelde. Maar ik kon af en toe een kreet van verontwaardiging horen tussen al het gesnotter, en ik bedacht dat wat het ook mocht betekenen, dit moment bij de zee het niet zou halen bij St. Michael. Gelukkig voor iedereen, vooral voor Camilla, zou er woensdag een herdenkingsdienst zijn in de kerk van St. Michael, gevolgd door een keurige ontvangst in het huis van Lila en Simms op de Battery, dat haastig en grondig was schoongemaakt en gerepareerd door Tyrell en de mannen van Simms plantage. Zelfs de dierbare oosterse tapijten van Lila's grootmoeder waren gerestaureerd en terug op hun plaats op de opnieuw geverniste houten vloeren in de dubbele salon. Hier was geen spoor van Hugo meer te bekennen, behalve het felle zonlicht op de plekken waar voorheen palmen en dwergeiken hadden gestaan. De naam Howard wist blijkbaar veel te bewerkstelligen.

Maar dit was de dag van Charlie en Camilla, en ook die van ons, en we namen op onze eigen manier Charlie mee naar beneden naar de zee waar hij zo van had gehouden.

De gebruinde, kalende dominee van Holy Cross, waar Charlie naartoe ging als hij al eens naar de kerk ging, stond tot zijn knieën in het water op ons te wachten, met het gebedenboek in zijn gevouwen handen, zijn bruine benen bloot onder zijn zwembroek. In plaats van het witte boordje droeg hij een verschoten T-shirt. Rond zijn nek hing een eenvoudig, metalen kruis. Ik nam aan dat hij zich daardoor moest onderscheiden voor het geval dat een politieman hem zou betrappen als hij as in de oceaan gooide en een verklaring zou eisen. De geestelijke zou natuurlijk niet liegen, maar kon zich beroepen op bepaalde kerkelijke onaantastbaarheden. We maakten ons echter geen zorgen. Zo ver naar het westen hadden we nooit een politieman gezien. De aandacht ging uit naar het kruispunt en verder naar het oosten naar het Isle of Palms.

Creighton Mills was een jeugdvriend van Camilla en Lewis en Henry, en hij glimlachte toen we de golven in liepen en in een ongelijke rij bleven staan. Camilla stond in het midden, en Creighton knikte naar haar ter begroeting.

'Ik kan me gewoon niet voorstellen dat Creigh Mills mijn ziel kan redden,' fluisterde Lewis in mijn oor.

Creighton wierp Camilla een blik toe en las toen zacht voor uit het Gebedenboek: '"En Jezus zei: Ik ben de opstanding en het leven; wie in Mij gelooft zal leven, al is hij gestorven. En wie in Mij leeft en gelooft zal niet sterven.

Ik weet dat mijn Verlosser leeft en dat Hij op de Dag des Oordeels op aarde zal verschijnen, en al is dit lichaam vernietigd, toch zal ik God aanschouwen, met eigen ogen, ik en geen ander."'

Het bleef even stil, en toen hoorde ik een oude vrouw luid zeggen, op de vlakke toon van iemand die bijna doof is: 'Het is tenminste de oude versie van 1928 en niet dat vreselijke hippiegedoe dat tegenwoordig zo in zwang is.'

Naast me hoorde ik Lewis snuiven.

'Hou je in,' siste ik.

Creighton Mills gaf een nauwelijks merkbaar knikje en Henry zette de kleine bandrecorder aan die hij bij zich had. Ik had die nog niet eens opgemerkt. Boven het zachte geruis van de golven uit verhief de stem van Bobby Darin zich: '*Somewhere, beyond the sea...*'

Ik wist dat het een lievelingsliedje was geweest van Charlie, en ik voelde de tranen in mijn ogen prikken. Lewis kneep in mijn hand. Toen ging het nummer over in 'Long Tall Sally', 'Little Darlin', 'Whole Lot of Shakin' Goin on', het favoriete nummer van Charlie van de Shirelles: 'Foolish Little Girl' en ten slotte 'Sitting on the Dock of the Bay', waarop we allemaal hadden gedanst op het zand en de ruwe planken boven het water en de versleten grasmatten in het strandhuis.

Het was precies zoals het zou moeten zijn. Zelfs terwijl de tranen over mijn wangen liepen, voelde ik een lachbui opkomen. Ik keek naar Camilla, die, zo hoorde ik later, de liedjes had gekozen met Lewis en Henry, en ik knikte. Ze knikte glimlachend terug, met vochtige ogen.

Creighton Mills keek weer naar Camilla en ze knikte even, en achter ons hoorden we poten schuifelen en kettingen rinkelen. We draaiden ons om en zagen Simms naar de waterkant lopen met Boy en Girl aan de ketting, die opgetogen naar de branding liepen. Ze wilden niets liever dan de golven in duiken en ze keken verbaasd op naar Camilla toen ze niet losgelaten werden.

'Even wachten, lieverds,' zei ze zacht. 'Even blijven en dag zeggen tegen het baasje.'

Toen begon ik te huilen, en Lila ook. Fairlie keek strak naar het water, maar ik zag haar hals verkrampen. Ik durfde niet naar Henry en Lewis te kijken. Gladys was niet naar het strand gekomen. Ze kwam de laatste tijd niet van de veranda af, en daar bleef ze samen met Sugar, wier gesmoorde geblaf boven het geluid van de golven en de meeuwen uit klonk. Maar ze waren bij ons. Onze hele familie was hier.

Toen kwamen vier vrouwen de trap van het plankier af, zwarte vrouwen in lange rokken en felgekleurde blouses, getooid met sieraden en veren, vrouwen die liepen als koninginnen en die zongen tijdens het lopen. Terwijl ze zongen, rammelden ze met kleine tamboerijnen en een van hen droeg een vreemde kleine trommel die klonk als gerommel van onweer in de verte. Ik herkende Linda Cousins, Lewis' huishoudster. Ze liep vooraan. Toen ze langsliep, lachte ze naar ons. Lewis wierp haar een vette knipoog toe.

In Charleston en de Low Country zijn groepen, hoofdzakelijk zwarte vrouwen, die de oude liederen en kreten van de Gullah-slaven, die ze lang geleden uit Afrika hadden meegebracht, instandhouden en uitvoeren. Ze zijn prachtig. Mensen komen van verre om ze te horen. Ik herinnerde me dat Charlie er erg door geboeid was en vaak iemand meesleepte naar de oude Moving Star Hall op John's Island waar je, zo zei hij, de mooiste Gullah-liederen kon beluisteren. Hij had gelijk. Als je ze hoort, is het of je door een donkere wind wordt teruggevoerd naar een tijd dat er vuren brandden in de bossen en trommels spraken. Ik wist niet dat Linda Cousins tot een van die groepen hoorde, maar ik wist zonder dat het me verteld was, dat Lewis dit voor Charlie had geregeld, en ik kneep hard in zijn hand. Hij kneep terug.

Aan de rand van het water zongen de vrouwen: '*Oh hallelujah, hallelujah, glory hallelujah, you know the storm passing over, hallelu. The tallest tree in paradise Christians call the tree of life, you know the storm is passing over, hallelu.*'

En ze zongen, deinend en in hun handen klappend: '*Reborn again, reborn again, oh, reborn again. Can't get to heaven less you reborn again. Oh, Satan is mad, and I'm so glad, oh, reborn again. Lost the soul he thought he had, oh, reborn again.*'

Na wat kreten en nog meer liederen, sommige uitgelaten, sommige plechtig en indringend, gingen ze over in 'Deep River'. Toen de laatste klanken wegstierven, viel er een diepe stilte. Het leek of zelfs de zee even pauzeerde, en de wind die het keren van het tij aanduidde.

Creighton stak zijn hand uit naar Camilla en ze waadde het

water in, met haar ogen op zijn gezicht gericht en Charlies urn in haar ene arm, tot ze bij hem was. Het langzame, deinende groene water brak rond hun benen, die van haar parelwit, die van hem gebruind. Hij pakte haar vrije hand beet, sloot zijn ogen en zei iets, zo zacht dat alleen Camilla hem kon horen. Haar lippen bewogen mee. Ik weet nog steeds niet wat Charlies laatste gebed was.

Creighton verhief zijn stem en zei: 'Wij vertrouwen de ziel van onze broeder Charles Curry toe aan de Almachtige God, en we vertrouwen zijn lichaam toe aan de diepte, in de vaste hoop op de wederopstanding in het eeuwige leven, door Jezus Christus, bij Wiens komst in al Zijn glorie bij het Laatste Oordeel de zee haar doden zal teruggeven, en de vergankelijke lichamen die in Hem slapen zullen ontwaken en gelijk worden aan Zijn glorierijke lichaam, zoals eenieder in Hem zal opgaan.'

Hij knikte naar Camilla. Ze tilde de urn langzaam op tot haar kin en drukte hem tegen haar wang, en toen wierp ze Charlies as in de oceaan. Juist op het moment dat de as op het water lag, vlak voordat alles werd verspreid en meegevoerd, vielen bewegende schaduwen over ons, en toen we opkeken zagen we een vlucht pelikanen, als volmaakte prehistorische vliegende reptielen, zo vlak boven het water vliegen dat we onze handen hadden kunnen opsteken om ze aan te raken. Ze waren niet bang voor ons; de pelikanen van Sullivan's Island waren hier al veel langer dan wij. Charlie was dol geweest op pelikanen. Camilla draaide zich naar ons om en glimlachte terwijl de tranen over haar gezicht stroomden.

'God zij met u,' zei Creighton Mills.

'En met uw geest,' mompelden wij. Bijna iedereen van ons huilde nu openlijk.

Toen liet Simms Boy en Girl los, en ze draafden de nog steeds warme, met witte toppen bedekte golven in en verhieven hun hondenstemmen.

Die avond ging ik naar de uitkijkpost op het dak. Ik weet niet goed waarom; het was niet een plek waar we vaak kwamen. Vanaf dat hoge punt kon je het hele eiland zien, en in de verte het Isle of Palms, en achter ons Charleston, en de havens en olietanks, en de binnenwaterweg. Het was een opmerkelijk uitzicht, maar ik denk dat we er niet vaak aan herinnerd wilden worden dat het strandhuis deel uitmaakte van een druk, uitgebreid geheel. En aan dat besef viel niet te ontsnappen als je hier stond.

Maar er was bijna altijd een spectaculaire zonsondergang, vooral laat in de herfst, en die na Hugo waren adembenemend geweest. De mannen gingen vaak zeilen bij zonsondergang en dan kwamen ze uit de wegzinkende zon naar de steiger op de binnenwaterweg, en ik denk, nu ik eraan terugdenk, dat ik naar boven was gegaan om te zien of zij, met Charlie, door het water terug kwamen glijden. De zon was één grote, stervende vuurzee, donkerrood en paars, doorschoten met goud, en er was geen levende ziel te bekennen. Geen zeilen te zien, geen Scrubs, geen Charlie. De wind nam toe en eindelijk voelde je de late novemberkilte erin. Ik draaide me om en wilde naar beneden gaan, maar toen verscheen Camilla's hoofd boven aan de wenteltrap, en ik wachtte.

Ze kwam op de kleine, met een ijzeren balustrade omheinde ruimte, sloeg een arm om mijn middel en legde haar hoofd op mijn schouder. Ze moest zich iets buigen om dat te doen. Ze droeg een dikke wollen trui van Charlie en voor mij had ze er ook een meegebracht. Die was gerafeld en gepluisd en rook naar zout en houtvuur en Charlie. Ik trok hem dankbaar aan.

'Ben je naar boven gegaan om hem uit te zwaaien?' vroeg ze met een glimlachje. Ik knikte. Ik had geen woord over mijn lippen kunnen krijgen. Ze drukte even met haar arm om mijn middel.

Pas toen werd me voor het eerst heel duidelijk: Charlie komt niet meer terug. Hij is dood en ik zal hem nooit meer zien.

Een grote leegte opende zich in mij, en ik voelde me erin weg-glijden. Mijn knieën begaven het en ik ging abrupt op de plan-kenvloer zitten. Ik begon te huilen, zo hard dat ik een poos geen adem meer kon krijgen en dacht dat ik zou stikken. Door de grote zoute golven van verdriet heen dacht ik: dit moet ophouden. Ik huil nooit. Niet zoals nu. Wat moet Camilla wel niet denken?

'Ik wil hem terug,' bracht ik uit. 'Ik wil hem terug.'

'Ik ook,' zei Camilla.

Ze ging naast me zitten, trok mijn hoofd tegen haar schouder en wiegde me zacht heen en weer. Na een poos kwam ik weer op adem en hielden de tranen langzaam op met vloeien. Camilla bleef me vasthouden.

'Ik heb je nooit echt zien huilen,' zei ze, en haar stem klonk se-reen. 'Charlie zou vereerd zijn, denk ik, maar hij zou het vreselijk vinden dat hij je zoveel verdriet had bezorgd. Het is goed dat je nu om hem treurt, maar ik hoop dat je, als je later aan hem denkt, ook aan alle vrolijkheid en plezier zult denken. Ik hoop dat wij dat allemaal zullen doen. Dat is een betere nalatenschap dan tranen.'

Ze gaf een kus op mijn wang en rechtte zich.

'Ga mee naar beneden, dan krijg je een beker thee met een flin-ke scheut rum erin. Ik zal er zelf ook een nemen. Wij allemaal.'

Ik omhelsde haar. Haar botten voelden zo licht als balsahout.

'Ik hoor jou te troosten,' zei ik. 'Wat bezielde me?'

'Je dacht aan Charlie, en dat *ís* een hele troost,' zei ze.

De zonsondergang begon flets te worden en de lucht voelde kil aan, en ik stond op om haar naar beneden te volgen, waar licht en warmte en veiligheid wachtten. Net op dat moment staken Lewis en Henry hun hoofd boven de trap uit en stapten de uit-kijkpost op. Ik kneep in Lewis' hand.

'Ik ga naar beneden,' zei ik. 'Blijven jullie maar een poosje bij Camilla.'

Ik bleef op de derde tree staan en keek omhoog. Ze stonden bij elkaar, Lewis en Henry en Camilla, zoals ze zo vaak sinds hun kinderjaren hadden gestaan, en de mannen hadden hun armen om haar heen geslagen. Ze keek naar hen op, eerst naar de een en toen naar de ander, en ze praatte zacht. Ze troostte hen, zoals ze altijd had gedaan. We hadden allemaal verlangd naar haar troost en die steeds als vanzelfsprekend aangenomen. Ik vroeg me af of ze ooit hulp van ons zou accepteren. We moesten manieren bedenken om die onopvallend te bieden.

Ze bleef tot donderdag in het strandhuis, de dag na Charlies herdenkingsdienst en de ontvangst bij Lila en Simms. Niemand kon haar van dat besluit afbrengen, en niemand van ons mocht 's nachts bij haar blijven.

'Dan kan ik even op adem komen,' zei ze. 'Het zal heel lang duren voor ik weer gewoon.... mezelf kan zijn. Als ik terugga naar de stad is er veel te veel te doen. Jullie mogen allemaal overdag komen als jullie dat willen, maar 's nachts wil ik alleen zijn. Ik ben bezig met schrijven, en op dat tijdstip lukt me dat het beste.'

Als we aandrongen om te vertellen wat ze aan het schrijven was, zei ze alleen: 'Herinneringen. Stukjes over mensen. Van alles. De levensverhalen van de Scrubs. Duistere verhalen over passie en zonde en verlossing. Laat me met rust, anders maak ik de ergste schurken van jullie.'

Dus lieten we haar met rust. Ik denk niet dat iemand van ons, gevangen in het web van ons dagelijkse leven 'buiten', die week niet vaak aan haar dacht en haar in gedachten misschien in het licht van zon en haardvuur en in de donkere avond zag schrijven, schrijven en nog eens schrijven, steeds met het geluid van de zee in haar oren. Zelf zag ik haar eigenlijk helemaal niets doen, alleen maar zitten in de rieten stoel naast de haard, met haar handen gevouwen in haar schoot, wachtend op... iets.

Op de dag van Charlies herdenkingsdienst in de St. Michael, werd de stad geteisterd door slagregens. Inwoners die gewend waren naar de kerk te lopen, reden of lieten zich rijden, en het verkeer rond het kruispunt Van Meeting Street en Broad Street, waar het altijd druk was, stond bijna stil. Je hoorde zelden een claxon in de chique wijken van Charleston (tenzij het een auto met een nummerbord uit een andere staat was) en al helemaal niet in de buurt van de St. Michael. Maar Charlies grote dag begon met een psalm van geërgerd getoeter.

'Wat verwacht je anders van een buitenstaander?' grinnikte Lewis toen we ons van de plek op King Street waar we de auto geparkeerd hadden en waar parkeren verboden was, door de regen haastten. Lewis had brutaal zijn doktersplaatje achter de voorruit gelegd. We werden beschut door een enorme groengele golfparaplu die door een vergeten gast in de Range Rover was achtergelaten. Iets anders had ik niet kunnen vinden toen we van huis vertrokken. Eigenlijk leek het helemaal bij al de toeterende claxons te horen.

Veel inwoners van Charleston, vooral die uit de chique buurt, laten al sinds 1752 al hun belangrijke rituelen plaatsvinden in de St. Michael. Het is een sierlijk en waardig gebouw, dat doet denken aan en misschien geïnspireerd is door de kerken in Londen van Sir Christopher Wren en James Gibbes. De glanzende panelen en eenvoudige glas-in-loodramen laten een warm en op de een of andere manier bovennatuurlijk lijkend licht binnen. Ik heb er vele diensten bijgewoond, hoewel we gewoonlijk naar Grace Episcopal gaan, als we al gaan, op korte loopafstand van ons huis. Huwelijksvoltrekkingen, dopen, begrafenissen, en soms de muziekconcerten tijdens de twee weken van Spoleto... Vaak heb ik met Lewis in de bank van rood cederhout gezeten die al tweehonderd jaar van zijn familie is.

'Wie zit er nog op, nu jullie hier bijna niet meer komen?' had ik hem een keer gevraagd.

'Toeristen uit Newark en Scranton,' zei hij. 'Ik heb regels opgesteld. Het kost ze een fortuin.'

Maar alle keren dat ik in de St. Michael ben geweest, heb ik zelden iemand gezien die in de verste verte op een toerist leek. Niet tijdens een dienst. Als er al onbekende gezichten zijn tussen de kerkgangers, dan zijn die van familie of gasten. Daar bestaan natuurlijk geen regels voor. Zo is het nu eenmaal. De weinige bezoekers die binnen wagen te komen tijdens een dienst of een concert, worden beschouwd als mensen die de schoonheid en de akoestiek van de oude kerk weten te waarderen. Korte broeken en haltertopjes en teenslippers die het kenmerk zijn van de toerist, zelfs op het kerkhof naast de kerk, worden zelden in het heiligdom zelf waargenomen. Ik denk dat St. Michael, die op een groot glas-in-loodraam staat afgebeeld terwijl hij de draak verslaat, anders naar beneden zou komen om ze ervan langs te geven.

Ik heb altijd van het gebouw gehouden. De slanke, witte torenspits met een gouden bal bovenop is te zien vanaf de plekken waar ik het vaakste kom: mijn kantoor, het huis in Bull Street, het strandhuis. Het gebouw is altijd aanwezig geweest in mijn leven. Ik hou van de geschiedenis ervan. Tijdens de Amerikaanse Revolutie en de Burgeroorlog was het zwartgeverfd om niet zichtbaar te zijn voor de schepen die de stad vanuit de haven bombardeerden. De kerk heeft aardbevingen, branden, en in mijn tijd de orkaan Hugo doorstaan. Tijdens een feest voor de weldoeners van Queens Hospital ontmoette ik een oude Duitse aristocraat, en toen ik hem vroeg of hij al eens eerder op bezoek was geweest in de stad, zei hij: 'Dat niet direct. Maar ik heb de toren van de St. Michael door een periscoop gezien.' Ik kreeg het er even koud van, al wist ik niet of ik hem moest geloven. Het idee dat diep in het water van de haven zo'n zwarte, zwijgende kolos had gelegen met zijn oog op een steel onaandoenlijk gericht op ons.

De klokken van de St. Michael hebben mij jaren vreugde geschonken, om twaalf uur 's middags en bij zonsondergang. Hun bronzen zang kan in de hele stad worden gehoord. Ze zijn door de Engelsen gestolen, tijdens de Burgeroorlog in Columbia begraven, en twee keer naar Whitecastle vervoerd om omgegoten te worden. Op deze herfstdag vol regen en wind luidden ze lieflijk voor Charlie Curry. Ik wist dat het een grote troost moest zijn voor Camilla en Charlies familie en vrienden, en voor mij zeer zeker, dat hun stemmen zich net zo welgemeend verhieven voor een buitenstaander uit Indiana als voor de overledenen van de hier geboren en getogen families. Ik herinnerde me dat Fairlie ooit tijdens een klein meningsverschil over de zeden en gewoonten van Charleston had opgemerkt: 'Waar je ook naartoe gaat of wie je ook bent en waar je ook verzeild raakt, uiteindelijk krijgt Charleston je toch te pakken.'

Maar uiteindelijk had het Charlie niet te pakken gekregen. De St. Michael bevatte nu misschien de gezamenlijke herinneringen aan hem van de inwoners van de stad, maar de groene Atlantische Oceaan voorbij het eiland had zijn lichaam en zijn wezen gekregen. En dat was zo gek nog niet, vond ik.

De kerk was vol zwijgende mensen die beleefd glimlachend naar mij knikten en hartelijker naar Lewis, en die Camilla even omhelsden en vluchtig op de wang kusten. Ze roken naar natte wol en lavendel en om de een of andere reden naar wierook, hoewel ik niet dacht dat die nog werd gebrand in de kerk. Misschien was het een geur van eerbiedwaardigheid. Na de dienst, die net zo mooi en gratievol en gecoördineerd was als de oude kerk, begaf de schare zich naar de portiek. Camilla en haar zoons en hun vrouwen en kinderen stonden daar om de blijken van medeleven in ontvangst te nemen. Camilla leek helemaal bij hen te horen in haar zwarte mantelpakje en parelketting, weer helemaal opgegaan in de bloedbaan van de stad, als van nature meegaand in het ritme en de cadans die ik nooit zou horen. Ik kreeg er een beetje een naar gevoel bij. Stel dat ze hier gewoon zou blijven?

Maar toen de auto van haar zus Lydia voorreed om hen naar de Battery te brengen, draaide ze zich naar ons om en maakte met haar duim en wijsvinger een kringetje in de lucht.

'Dat hebben we gehad,' zei ze bijna binnensmonds. We glimlachten allemaal. We waren haar niet kwijt.

Het huis van Lila en Simms heeft drie verdiepingen, met de Griekse accenten die zo populair waren in het begin van de negentiende eeuw, toen het was gebouwd. Op alle verdiepingen zijn met witte balustrades omgeven zuilengalerijen en vanaf de straat geeft een met rozen omgeven poort toegang tot de zuilengalerij op de benedenverdieping, waar de officiële voordeur zich bevindt. Het is een van de mooiste huizen op de East Battery, hoewel niet zo voornaam als sommige huizen die later gebouwd werden en versierd zijn met architecturale details van twee eeuwen. Dat lijken net geglazuurde taarten. De huizen op de East en South Battery zijn prachtig. Ze hebben uitzicht over de zeewering of door de grote eiken van White Point Gardens op de rivier de Ashley of regelrecht op de zee. Als mensen aan Charleston denken, dan denken ze meestal aan de Battery, en die is waarschijnlijk de meest gefotografeerde straat ter wereld.

Het is ook de straat waar het wemelt van de toeristen. Zelfs op deze dag, in de stortregen, liepen toeristen in regenjacks en met paraplu's op over de kapotte oude trottoirs, terwijl ze van de reisgidsen in hun hand opkeken naar de huizen. De mensen die naar het huis van Lila en Simms wilden, moesten straten verder parkeren of manoeuvreren rond de groepen mensen die bleven staan om te kijken als ze door de deur van de zuilengalerij gingen, hopend op een glimp van een prachtige tuin of rasechte inwoners van Charleston *in situ.* Om de een of andere reden hecht men veel waarde aan dit soort aanblikken. Ik herinner me dat ik een keer, vlak voordat ik langs de stenen muur Bull Street inliep met een stapel wasgoed voor de stomerij in mijn armen, een groepje mensen aan de andere kant van de muur hoorde praten.

'Raar dat je nooit iets van de bewoners ziet,' zei een schrille vrouwenstem met het accent van Long Island. Op dat moment kwam ik de straat in en knikte naar hen terwijl ik de kleren in mijn auto legde.

'O, daar heb je er een,' zei een andere stem.

'*Nativus horribilis,*' mompelde ik in mezelf. Ik reed weg en zag in mijn spiegeltje dat ze me stonden na te kijken.

Een van de unieke kenmerken van het huis van de Howards, waar vaak over is geschreven, is de dubbele salon op de tweede verdieping. De twee grote ontvangstruimten worden met elkaar verbonden door vouwdeuren, en als die worden geopend, krijg je een hele balzaal, waar de ruimte oorspronkelijk ook voor bedoeld was, vermoed ik. Simms en Lila hebben buiten het debuut van hun dochter Clary slechts zelden een bal gegeven, dus behalve voor rondleidingen werd de tweede verdieping zelden gebruikt. De Howards woonden in de bibliotheek op de eerste verdieping en de kleine woonkamer naast de keuken, waar zich een open haard bevond en een klein televisietoestel. Met warm weer woonden ze op de zuilengalerijen op de benedenverdieping en de eerste etage, die aan het oog van de straat werden onttrokken door stenen muren die waren begroeid met rozen en jasmijn.

Ik was vaak in de kamers op de begane grond en de eerste verdieping geweest en op de zuilengalerijen en in de tuin, maar ik had zelden de grote salons, overgoten met kaarslicht en vol bloemen en mensen gezien. In het schemerige licht van de stortregen buiten de hoge ramen leek het of het er precies zo moest hebben uitgezien tijdens de gouden tijden van bals en recepties en diners van negen gangen. In het midden van een van de vertrekken was een grote Hepplewhite-tafel gezet, beladen met het dunne, doorzichtige, oude Haviland-theeservies en het zware Revere-koffieservies van Lila's grootmoeder. Op het ene uiteinde stond een enorme geroosterde ham te glinsteren en op het andere uiteinde stond een hoge, zilveren opdienschaal van meerdere lagen waarop toostjes met ham en flinterdunne reepjes biefstuk en krabsalade lagen. Het enorme, zilveren *pièce de milieu*, dat al van een van de eerste eigenaars dateerde, was beladen met gesuikerd fruit en magnoliabladeren en roze en groene kerststerren. Kerstmis, dacht ik. Natuurlijk. Het was bijna Kerstmis. Alle typische gerechten voor Charleston waren er, zoals de onvermijdelijke garnalen en grutten en de krabkoeken en de schalen geroosterde duifjes. Charlie zou al dat eten verrukkelijk hebben gevonden, dacht ik. Maar ik wist niet wat hij van de aanwezigen zou hebben gevonden. Er waren allemaal mensen die, zo had ik gehoord, hem nooit een passende partij voor Camilla hadden gevonden, maar veel te beleefd waren geweest om dat ooit te zeggen. Ik wist echter zeker dat Charlie precies had geweten wie dat waren.

'Ik durf te wedden dat hij nu woest is,' zei ik tegen Lewis.

'En ik wed van niet,' grinnikte Lewis. 'Hij hangt vast bij het lijstwerk aan het plafond te wachten tot een van die oudjes zich verslikt in een duivenbotje.'

'Waar hebben jullie het over?' vroeg Camilla. Ze kwam naar ons toe en gaf ons allebei een arm. Ze glimlachte.

'Over Charlie,' zei ik. 'Gaat het een beetje, lieverd?'

'Redelijk,' zei ze, en dat dacht ik ook. Tijdens de herdenkingsdienst hadden veel tranen gevloeid, maar voorzover ik wist niet die van Camilla. Ze had als een baken gestraald in de grote, vergulde zaal, en de mensen waren naar haar toe gekomen als insecten op een lamp.

We namen kopjes van de punch volgens het recept van Simms' grootvader van een zilveren dienblad dat door een eerbiedwaardige kelner werd gedragen, en liepen naar de zuilengalerij. Vanaf deze bovenste galerij kon je, zoals Lewis zei, wel tot Madagaskar kijken. De wind geselde de toppen van de natte palmen en de nevel van de regen striemde in ons gezicht, maar we gingen niet naar binnen. We bleven gearmd staan terwijl we punch dronken en naar de uitgestrektheid van de zee en de hemel om ons heen keken.

'"Sea-drinking city",' zei Lewis. 'Dat heeft Josephine Pinckney jaren geleden geschreven. Ik kan nooit in zo'n oud huis komen zonder eraan te denken. Ik had het ergens in ons huis hangen, maar ik weet niet meer waar.'

Het huis van Lewis lag verderop in de straat, bij de bocht naar de South Battery. Je kon het niet zien vanaf de plek waar wij stonden. Daar was ik blij om. En dat was hij ook, denk ik. Maar toch, als je elke dag naar deze warme zee kon kijken, de geur ervan inademen, de stem ervan horen...

'Mis je het dat je de oceaan niet elke dag kunt zien?'

'Ik zie elk weekend een veel betere,' antwoordde hij.

'Het is dezelfde oceaan.'

'Nee, dat is niet waar.'

'Ga mee naar huis,' zei ik. 'Ik heb zin om in bed televisie te kijken.'

We namen de lift naar de benedenverdieping, waar Lila laatkomers aan het begroeten was en afscheid nam van anderen. Ze draaide zich naar ons om, en opeens zag ik haar werkelijk, zag ik Lila Howard buiten de context van het eiland en het strandhuis, zag ik haar zo duidelijk alsof ik haar voor het eerst zag. Ik hapte bijna naar adem. Wanneer was ze zo mager geworden? Waar waren die holle wangen vandaan gekomen, en die kringen onder haar ogen? Ze leek een vrouw die door iets vreselijks werd gekweld. Ik wist instinctief dat het niet alleen door het verdriet om Charlie kwam. Mijn god, ze zou toch niet ziek zijn?

Ik sloeg een arm om haar heen.

'Gaat het?' vroeg ik. 'Het is een prachtig afscheid en Camilla is er heel blij mee. Dat zou Charlie ook zijn geweest. Maar je ziet er zo moe uit. Je hebt te veel hooi op je vork genomen.'

'Nee, ik wilde dit doen,' zei ze met een glimlach, en de trieste uitdrukking in haar ogen verdween. Ze was weer Lila, in haar element, zoals ik haar altijd voor me had gezien.

'Waar is Simms?' vroeg Lewis. 'Ik wil even gedag zeggen. Ik ben hem nog een lunch schuldig.'

Ze wendde haar blik af.

'Hij moet hier ergens zijn,' zei ze. 'Ik zal hem er flink van langs geven dat hij zijn gasten zo verwaarloost.'

'Ik ga hem zoeken,' zei ik. 'Ik moet toch naar het toilet. Anders haal ik het nooit naar huis met al die regen en het verkeer.'

'Anny...' Lila verhief haar stem, en die klonk vlak en dun. Ik zwaaide naar haar over mijn schouder en dook de menigte in. Wat een rotstreek van Simms om haar bij de deur te laten posten.

Voor het toilet beneden stond een menigte in donker gehulde vrouwen te wachten.

Ik kan echt niet wachten, dacht ik, en toen herinnerde ik me dat er aan het uiteinde van de zuilengalerij een klein, verwaarloosd toilet was, naast het schuurtje waar de tuinman zijn gereedschap bewaarde. Ik liep er vlug naartoe. De lange sisal loper over de stenen vloer was doorweekt, en mijn schoenen maakten een soppend geluid. Ik kwam bij de deur en legde mijn hand op de knop om hem te openen.

'Doe maar,' klonk de stem van Simms binnen, wellustig en langzaam. 'Niemand kan ons zien. Niemand komt hier ooit. Trek het maar uit, schat. Ik wil je helemaal zien. Ik wil je overal aanraken...'

'Wacht, Simms,' klonk de stem van een vrouw. Het was een jonge, iele stem. De stem had niet het zangerige accent van de chique wijk van Charleston. Die vrouw was niet iemand die ik kende. Ik denk dat niemand van ons haar zou kennen.

Ik bleef stokstijf staan, met bonzend hart. Toen draaide ik me om en liep vlug terug door de zuilengalerij naar binnen, terwijl ik een glimlach probeerde te forceren, die, zo voelde ik, meer op een grimas leek.

'Niet gelukt,' riep ik opgewekt. 'Zeg hem maar gedag namens ons. En tot gauw...'

Ik zei niet 'tot volgend weekend in het strandhuis'. Ik kon het niet over mijn lippen krijgen. Lila keek me zwijgend aan.

'Ik zal hem de groeten doen namens jullie,' zei ze. Haar ogen stonden donker en vlak. Ze wist het dus. Hoe lang al? Hoe lang had Simms met deze of andere jonge vrouwen lopen rommelen in toiletten? Opeens haatte ik hem. En na de haat kwam het verdriet.

'Pas goed op jezelf. We houden van je,' zei ik terwijl ik Lila omhelsde, en toen gingen we weg, de regen in.

'Voel je je wel goed?' informeerde Lewis op weg naar huis. Ik hing ineengedoken tegen het portier met mijn armen om me heen geslagen. Ondanks de blazende verwarming had ik het nog steeds koud.

'Ik denk dat ik kou heb gevat,' zei ik. 'Ik neem een beker warme thee en dan ga ik naar bed. Wil jij ook thee?'

Die wilde hij niet. 'Maar ik breng wel wat chili con carne, dan eten we gewoon met een bord op schoot,' zei hij. 'Geen wonder dat je het koud hebt, we zijn de halve dag al nat.'

Ik gaf geen antwoord. Boven pelde ik mijn kleren af, trok een sweater en broek aan, ging in bed liggen met het dekbed opgetrokken tot mijn kin en deed de lamp op mijn nachtkastje uit. Toen Lewis eindelijk naar boven kwam, lag ik te slapen, diep weggezonken in de zware, warme slaap die lijkt te horen bij verdriet of een schokkende ervaring.

Midden in de nacht werd ik wakker, op dat stille tijdstip dat niets beweegt, dat de tijd stilstaat en het nog lang niet licht zal worden. Ik voelde me letterlijk ziek van verdriet en angst en pijn. Charlies dood kan het web van de Scrubs niet kapotmaken, dacht ik. Maar dat gemene verraad van Simms misschien wel. Uiteindelijk stond ik op en ging in de fauteuil bij het raam zitten, en huilde. Toen eindelijk licht onder de rand van de luiken verscheen, waren mijn tranen opgedroogd.

Ik vertelde Lewis niet wat ik de vorige dag had gehoord. Ik heb het hem nooit verteld. Vlak voor het licht werd, hoorde ik Camilla's stem zo duidelijk alsof ze het hardop zei: 'De kern zal blijven.'

En uiteindelijk, door alle jaren heen na die dag, gebeurde er niets met hen, in elk geval niets opvallends. Toen Simms steeds vaker wegbleef van het strandhuis, wisten we dat het bedrijf snel groeide in het binnen- en nadien zelfs het buitenland. Toen Lila nog stiller en nog magerder werd en vaak bij Camilla zat, die in haar hand kneep of haar aan het lachen maakte, nou ja, ze waren tenslotte in dezelfde straat opgegroeid, ze hadden op dezelfde school gezeten en ze hadden elkaars huwelijk bijgewoond. Het was dus niet vreemd dat ze zo gesteld waren op elkaar. Alleen was ik ervan overtuigd dat ik als enige wist dat Camilla het wist van Simms, en dat ze Lila al heel lang steunde en dat zou blijven doen.

Zoals ze al had gezegd, de kern zou blijven.

6

Vlak voor Kerstmis 1999, toen het ene millennium onverbiddelijk overging in het volgende, zaten we in de vroege duisternis voor de haard in het strandhuis. Niemand had zin om op te staan en de resten van ons jaarlijkse kerstfeest op Sullivan's Island op te gaan ruimen. We zouden allemaal de dag zelf in familiekring doorbrengen, en we zouden genieten van de warmte en de chaos die net zo tot de traditie hoorden als de kerstlichtjes langs de trapleuning en de kalkoen of eend als hoofdgerecht, die de meeste inwoners van Charleston trouwens zelf schoten. Het kwam niet vaak voor dat iemand die in de winkel kocht.

De families kwamen bijeen, met oudtantes en strenge grootmoeders en schreeuwende kinderen en knappe jongemannen en vrouwen die voor de vakantie naar huis waren gekomen uit Princeton en Harvard en Sweetbriar, en af en toe uit verre instituten als Bennington en Antioch. Welke woonregelingen en vrijetijdsbesteding en lichaamsdelen met of zonder piercings de jongeren tijdens het studiejaar ook bezighielden, dat werd allemaal verruild voor het fluweel en satijn en de blauwe blazers en strikdasjes van thuis.

Kerstmis was het hoogtepunt van het debutantenseizoen, en sommige meisjes en hun familie trokken van het ene feest of bal naar het andere, vaak twee of drie keer per dag. Het feit dat sommige jonge vrouwen terug zouden gaan naar hun studie van internationale wetgeving of elementaire-deeltjesfysica of gerechtelijke geneeskunde, deed niets af aan de magie van dit hiaat.

Alleen deze keer vond ik de binnenstad lijken op hoe die in een vroegere, elegantere eeuw moest zijn geweest. De kransen van magnoliabladeren en dennentakken zouden op de voordeuren blijven hangen tot Driekoningen, en vanaf de schemering zouden in de hoge ramen witte kaarsen branden. In dit seizoen overheerste het gevoel dat je de oudste versieringen moest ophangen, de oudste recepten moest bereiden, de oudste kerstliedjes zingen, en bij de vrienden moest langsgaan zoals sinds de negentiende eeuw, die je dan omhelsde en vrolijk kerstfeest wenste en een cadeautje gaf of een zak sesamkoekjes.

'Blijf nog even en neem een advocaatje,' riepen de gastheren en gastvrouwen, en daar gaven de bezoekers dan gehoor aan. Het advocaatje van Charleston is heilig en heel sterk, vaak bereid met dezelfde rum uit Barbados die betovergrootvader gebruikte. Ik stelde me vaak voor dat het er op de ochtend van de eerste kerstdag in veel huizen ten zuiden van Broad Street wellicht ietwat beneveld aan toeging.

Niemand had het er weliswaar over, maar volgens mij dreigde het nieuwe millennium de levens en persoonlijke ecosystemen hier ingrijpender te veranderen dan elders in Amerika. Het leven had hier zo heerlijk stilgestaan. Velen van ons wisten heel goed wie we waren tot 31 december middernacht. Wie zouden we op 1 januari 2000 zijn? Elders was men bang voor de millennium-bug; hier voor de noodzaak om een weg te vinden in een totaal nieuwe duizend jaar. We wisten niet hoe we dat moesten doen. Een dergelijke verandering had zich nooit voorgedaan in Charleston. Het sloeg misschien nergens op, maar de grote, sluipende schaduw van de komende verandering waarde door de oude straten.

'Om de een of andere reden wil ik steeds omkijken,' zei Lila op de avond van het kerstdiner van de Scrubs. 'Mijn verstand zegt dat niets echt zal veranderen, maar voor mijn gevoel is dit de enige plek die zal blijven zoals die altijd is geweest. Waar wij zullen blijven, zoals wij altijd zijn geweest.'

'Maar dat zijn we niet meer,' zei ik lachend. 'En mijn achterwerk bewijst dat.'

'Je weet best wat ik bedoel,' zei Lila. En dat was zo.

Ik stond op, rekte me uit en liep de veranda op om mijn door eten en drinken duf geworden hoofd op te frissen. Er stond geen wind en het was heel koud voor Charleston deze Kerstmis. Morgenochtend zou er rijp liggen op het slijkgras en in het binnenland zou het hard vriezen. De azalea's en camelia's in de stad waren al bedekt met doeken en gewatteerde dekens. Mijn eigen enorme Debutante-camelia in Bull Street droeg nu door de motten aangevreten fluwelen gordijnen uit Lewis' huis op de Battery. Ze hadden jaren opgevouwen gelegen op de zolder; misschien zouden ze, net als de dieren in de legende, op kerstavond om middernacht beginnen te praten en weemoedig herinneringen ophalen over grootse balfeesten en diners waar ze ooit bij aanwezig waren geweest.

'Doe normaal,' zei ik hardop tegen mezelf, en ik keek op naar de donkere, met sterren bezaaide hemel. De sterren leken zo dichtbij in hun glinsterende kilte dat je je armen dacht te kunnen opheffen om ze aan te raken. De melkweg was één stralende wolk. Ik ademde diep in. Boven de geuren van het huis uit – brandend hout in de open haard en hars van de kerstboom en de kransen en slingers die we hadden opgehangen, en het kerstdiner zelf – sloeg een golf van zuiver, koud zout me tegemoet vanaf de zee.

Ik hoop dat ik hier mag sterven, dacht ik, en toen herinnerde ik me dat Charlie hier was gestorven en ik moest even huilen, want die plek aan tafel was nooit meer gedekt, en de oude honden bleven snuffelend naar hem speuren. Maar volgens mij was het nog steeds de beste plek om een leven te beëindigen dat er zo door beïnvloed was.

Er werd hard op de glazen deur geklopt en toen ik me omdraaide, zag ik Lewis, die me wenkte.

'Kom weer binnen,' zei zijn mond stilzwijgend.

'Kom jij naar buiten,' vormde ik met mijn mond.

'Ben je gek geworden?' zeiden zijn lippen. En ik glimlachte en ging weer naar binnen. Heel even vond ik het huis bedompt en benauwend, maar alleen heel even. De warmte omgaf me en ik ging op de omranding van de haard zitten. Pas toen besefte ik dat ik rilde. Boven de geuren uit van geroosterde oesters en met port geglaceerde gans – Fairlie vond het tijd worden voor iets anders dan de kalkoen of eend die we meestal aten, en dat was een heel verkeerd idee van haar geweest – tintelden de scherpe bubbeltjes van champagne in mijn neus.

'Tijd om te proosten,' zei Henry terwijl hij me een glas overhandigde en het zijne hief. Dit jaar was het zijn beurt. We hieven allemaal ons glas.

'Op de Scrubs die waren, zijn, en altijd zullen blijven,' zei hij. 'En op de volgende duizend jaar. En dat wij het voorrecht hebben aanwezig te zijn bij het begin van die reis. En op Lila en Simms. Gelukkig kerstfeest. En op een goed millennium.'

We klonken en riepen allemaal: 'Proost!' zoals we altijd hadden gedaan, en we namen een flinke teug. Het frisse schuim van de champagne verdreef de nasmaak van gans en port. We omhelsden om beurten Lila en Simms. Henry, lang en lichtbruin in het licht van de flakkerende vlammen, en opeens zo als de Henry met wie ik zo had gelachen tijdens ons verblijf in Mexico dat het me de adem benam, schonk nogmaals in en ook dat dronken we op. Heel even leek het of er niets te zeggen viel. Het was niet bepaald een makkelijke dag geweest.

Lila en Simms waren veertig jaar geleden in de St. Michael getrouwd. Lila had ons in de herfst verteld dat zij en Simms hun huwelijksgeloften opnieuw zouden afleggen, en in plaats van in de St. Michael wilden ze het hier doen.

'Wat een prachtig idee,' zei Camilla. 'Dat zouden wij allemaal moeten doen.'

We zwegen. Voor Camilla was er geen 'wij' meer.

'Dit is de plek waar we het gelukkigst zijn geweest,' had Lila gezegd zonder naar Simms te kijken. Hij zei niets. Hij knikte. Lewis en ik wisselden een blik. Er lag een vreemde klank in Lila's muzikale stem, een die ik nooit eerder had gehoord. Haar stem klonk scherp maar toch een beetje bevend. Even later was die klank verdwenen en ze vervolgde lief: 'We waren altijd van plan om het te doen als we vijftig jaar getrouwd waren, maar ik wilde het graag doen in dezelfde eeuw als die waarin we getrouwd zijn. Wie weet of we over tien jaar de trap van de kerk nog op kunnen lopen? En opeens, in plaats van al dat gedoe in de St. Michael, met alle kinderen en kleinkinderen en half Charleston en de receptie en sloten slechte champagne, wilde ik het hier doen. Onder ons. De familie is er helemaal niet blij mee, maar we hebben beloofd dat ze voor ons vijftigjarig huwelijksfeest een grote heilige mis zullen krijgen met desnoods de aartsbisschop van Canterbury erbij. Misschien zijn we tegen die tijd zo seniel dat het ons niets kan schelen.'

Dus hingen we wat extra kransen van hulsttakken op en versierden we de haard met groene en witte kerststerren, waaraan we bijna allemaal een hekel hadden, maar die hadden nu eenmaal het altaar gesierd op de trouwdag van Lila en Simms, en we staken kaarsen aan en deden de lampen uit, en bij slechts het licht van de kaarsen en de kerstboom, verklaarden Lila en Simms Howard elkaar opnieuw trouw.

Ze hadden gekozen voor de namiddag in plaats van zeven uur, het tijdstip waarop de oorspronkelijke ceremonie had plaatsgevonden, omdat Simms later op het kerstfeest van zijn bedrijf aanwezig moest zijn en hij vond dat hij die traditie niet mocht verbreken. Zijn grootvader en vader hadden elk jaar met Kerstmis het glas geheven en een korte toespraak gehouden, en dat gold ook voor Simms.

'Het brengt vast pech als ik het deze keer niet doe,' zei hij. 'Ik wil geen vloek brengen over het bedrijf voor het volgende millennium. Ik blijf maar een uurtje. Waarschijnlijk ben ik terug voor het dessert.'

We knikten allemaal. Een paar van ons glimlachten. Het idee dat Simms, met zijn buik vol gans en champagne, in zijn vrijetijdsbroek en coltrui zou presideren over de gedistingeerde bijeenkomst van een toeleveringsbedrijf in medische producten, werkte op de lachspieren. Alsof ze onze gedachten had geraden, zei Lila: 'Hij heeft zijn smoking in de auto liggen. Hij zei dat hij zich wel in de toiletruimte van het bedrijf zou verkleden.'

Simms grinnikte en wij ook, bijna allemaal. Lila niet. Ik evenmin. Zou er in een afgelegen hoekje een weinig gebruikte toiletruimte zijn? Zou een jonge vrouw met blond haar en een gladde huid en een accent uit de noordelijke staten daar op hem wachten?

Ik haatte die gedachte en onwillekeurig keek ik naar Lila. Ze keek strak voor zich uit. Ik wierp een blik op Camilla. Ze keek heel aandachtig naar Lila, alsof ze haar door de kracht van haar blik moed wilde inspreken. Ik wist niet of Simms nog steeds met andere vrouwen rotzooide. Maar ik wist dat Lila, en de rest van ons, er voorgoed door veranderd waren, zelfs al was bijna niemand van ons zich dat bewust. En ook al bleef de kern intact, er was wel een barstje in gekomen.

'O Simms, wie of wat kan dit waard zijn?' fluisterde ik in mezelf, vlak voordat Creighton Mills, inmiddels dikker en gezaghebbender maar nog steeds in zijn strandkleren, zijn sherryglas neerzette en voor de haard ging staan. Het licht weerkaatste in zijn bril en het kruis op zijn borst, en hij droeg zijn boordje, maar desondanks was hij nog steeds gewoon een van ons.

'De dienst is begonnen,' zei hij met een glimlach. 'Lila, Simms, willen jullie voor me komen staan, Simms rechts en Lila links van mij?'

Ze namen hun positie in. Omdat ik achter hen stond kon ik hun gezichten niet zien, maar ik zag de gezichten van degenen die hen wel konden zien. Camilla keek toe met een neutrale uitdrukking op haar gezicht. Henry glimlachte verheugd, typisch Henry. Fairlie, naast hem, haar gezicht weer jong in de gloed van het vuur, pakte zijn hand. Camilla's blik ging even naar hen en toen weer naar Lila en Simms.

'Dierbare aanwezigen, wij zijn hier bijeengekomen om in het aangezicht van God en in tegenwoordigheid van dit gezelschap deze man en vrouw in de echt te verbinden...'

De mooie stem van Creighton Mills en het flakkerende licht van het haardvuur waren betoverend. Onze dagen en nachten hier ontrolden zich voor me als een film. De Scrubs die me lachend in de branding gooiden op mijn eerste dag hier. Fairlie en Henry die tot hun enkels in het kolkende groene en witte water de 'shag' voor me deden om te laten zien hoe het moest. Henry en Lewis die met hun visgerei eropuit trokken terwijl Fairlie, liggend in de hangmat, riep: 'Niet van die stinkende vis binnenbrengen.' Camilla, alleen en ver weg op het strand met Boy en Girl. Lewis en ik, naakt in de fosforescerende branding, genietend tot in elke vezel van ons lichaam. Charlie, die verheugd riep toen een vlucht pelikanen vlak voor hem over het water scheerde: 'Verdomme! Daar heb je de huurcommissie!'

O, Charlie.

Wij allemaal, op mijn eerste avond, met onze handen op de foto van de Scrubs die was genomen toen ze voor het eerst als eigenaars in het huis waren, zwerend dat we voor altijd ons leven zouden delen.

Lila en Simms toen ze hand in hand in de schemering de trap vanaf het strand op liepen, hun hoofden bijeen, in een ernstig gesprek.

'... laat diegene nu spreken of er voor altijd het zwijgen toe doen.'

Er viel een stilte. Zelfs het vuur leek zijn adem in te houden, en toen zei Creighton: 'Neemt u deze vrouw tot uw wettige echtgenote en belooft u haar lief te hebben, te eren, voor haar te zorgen en haar trouw te blijven in voor- en tegenspoed, uw leven lang?'

'Ja,' zei Simms. Ik kon hem amper verstaan.

Toen Lila aan de beurt was, klonk haar stem zo helder en hard als een diamant.

'Ja.'

'Wie geeft deze vrouw ten huwelijk aan deze man?' zei Creigh.

Camilla stond op uit haar schommelstoel naast de haard, broos en gebogen.

'Ik,' zei ze.

Het was een heel emotioneel moment. Tranen glinsterden in de ogen van meerdere personen. In gedachten zag ik Camilla zoals ze was geweest op de dag dat ik haar voor het eerst ontmoette, op het strand onder de parasol die we nog steeds gebruikten, stralend en mooi, terwijl ze tegen Lewis zei: 'Zo, Lewis, eindelijk heb je dan de goede keus gemaakt.'

De rest van de ceremonie verstond ik niet goed, en ik kon die ook niet duidelijk zien. Tranen verblindden mijn ogen, en het verleden van dit huis gonsde in mijn oren. Ik hoorde Simms zeggen: '... lief te hebben... trouw te blijven... mijn leven lang.'

En dat zou ik maar doen, vuile schoft, dacht ik wraaklustig.

Toen Lila de eed aflegde, was haar stem amper te verstaan.

Simms liet een ring om haar vinger glijden. Het was een enorme saffier, bijna de kleur van Lila's ogen, en hij leek net een grote bel zeewater aan haar ringvinger. Ze keek ernaar en toen naar Simms, met een verbijsterde blik, alsof ze de kleine diamant van Tiffany had verwacht die hij haar had gegeven toen ze trouwden. Ik vroeg me af hoeveel die had gekost. Niet genoeg. Bij lange na niet.

'... opdat zij die door God zijn verenigd, door niemand worden gescheiden,' zei Creighton Mills. Camilla zat weer in haar stoel naast de haard. Haar blik brandde in de zijkant van Simms' gezicht. Hij draaide zich niet om. Hoe kon hij die blik niet gevoeld hebben?

'... dan verklaar ik u tot man en vrouw,' zei Creigh. En in plaats van de gebruikelijke zegen, wachtte hij even en zei toen: 'O God, verlicht onze duisternis; en behoed ons in Uw grote genade voor alle kwaad en gevaren van deze nacht; uit liefde voor Uw Zoon, onze Verlosser, Jezus Christus. Amen.'

'Amen,' fluisterden we allemaal. We keken elkaar aan. Creighton Mills zag onze blikken en zei grinnikend: 'Dat is het oude gebed om hulp tegen gevaren. Een onderdeel van het traditionele avondgebed. Lila had erom gevraagd. Het is trouwens niet zo gek om een huwelijksceremonie zo te beëindigen, vooral nu het nieuwe millennium op de drempel staat. Ik denk dat ik die er voortaan maar in hou. Veel beter dan al die wijze lessen vóór het huwelijk.'

Simms boog zijn hoofd naar dat van Lila en kuste haar. Ze hadden allebei hun ogen gesloten. Toen ze zich glimlachend naar ons omdraaiden, zag ik dat ze allebei betraande gezichten hadden.

Het bleef even stil, en toen zei Lewis: 'Daar kunnen jullie weer een poosje mee door. Laat de spelen beginnen!'

Toen aten we ons feestmaal. We mompelden complimentjes over de dressing met oesters en pecannoten, dronken alle uitstekende Chileense wijn die Lewis had meegebracht, en maakten grapjes over Fairlies geleiachtige gans, die droop van het vet en de port en onder de gedroogde pruimen zat.

'Nou, jullie hadden het kunnen weten,' zei ze loom. Fairlie was nog net zo'n slechte kok als op de dag dat ik haar voor het eerst had ontmoet. 'Volgend jaar zorg ik wel voor de drank, dat kan nooit verkeerd gaan. Jullie drinken toch alles.'

Voor het eerst sinds ik me kon herinneren heerste er een gespannen sfeer tijdens ons kerstfeest in het strandhuis. Iedereen, niet alleen ik, leek het te voelen, hoewel ik er niet zeker van ben of iedereen het kon benoemen. Simms vertrok vlak na de maaltijd en zijn afwezigheid leek een kloof te hebben geslagen die niemand blijkbaar graag wilde overbruggen. Lila liet haar nieuwe ring zien, glimlachend bij alle complimenten, maar af en toe ging haar blik naar de deur. Henry en Fairlie stonden meteen op en begonnen borden in de gebladderde, oude geëmailleerde gootsteen te stapelen, hoewel Fairlie door de jaren heen steeds lange wandelingen ging maken in de kou of zelfs tijdens stortbuien, alleen maar om dat moment te kunnen vermijden. Henry en ik begonnen verfrommeld papier en linten op te rapen. Camilla sloeg ons even gade en zei toen: 'Laat dat nou. Kom allemaal zitten. Morgenochtend ben ik hier toch weer, dan doe ik het wel. Nu wil ik alleen gezellig zitten met mijn dierbaren.'

'Kom je hier op de dag voor kerst?' informeerde ik bezorgd. We waren eraan gewend dat ze hier graag in haar eentje uren en zelfs dagen doorbracht, maar nu, met Kerstmis...

'De kinderen en kleinkinderen komen pas in de namiddag,' zei ze. 'Ik geloof dat de kleine Camilla vanavond voor de zoveelste keer in de *Notenkrakersuite* danst. Gelukkig. Mijn nicht Mary Lee houdt rond het middaguur een van haar afschuwelijke brunches en ik hoef pas om vier uur op het vliegveld te zijn. Morgenavond maak ik gebakken oesters voor de naaste familie en iedereen gaat naar Lydia voor het kerstdiner. Dat begint gelukkig om vijf uur. Dan hebben we allemaal tijd genoeg om ons te bezatten. Ik vind het heerlijk om hier in de ochtend alleen te zijn...'

Camilla dronk zelden, maar ik wist dat in haar aangetrouwde familie enkele stevige drinkers waren. Dat was het geval bij de meeste inwoners van Charleston. Lewis had me verteld dat hij als kind dacht dat oom Joe Henry Cannon naar boven dragen om zijn roes uit te slapen, net zo bij het kerstritueel hoorde als de kerstboom en de kerstliedjes.

We lachten.

Maar toch... maar toch. Op deze avond hadden we altijd ons eigen kerstritueel gehouden. Niemand van ons was hier ooit op de kerstdagen zelf geweest.

Lewis en ik droegen de vuilniszakken naar de grote container onder het huis. Alle anderen hadden zich rond de haard en Camilla vergaard. De geur van koffie volgde ons buiten de keukendeur en in de kou. Ik keek om. Het leek net een illustratie van Norman Rockwell: het knapperende vuur, het licht van de kaarsjes in de kerstboom op de gezichten van goede vrienden. Maar het voelde ook niet anders aan, het was slechts een illustratie.

We stonden in het koude zand achter het huis, dicht tegen elkaar aan. Ik rook de vochtige geur van zijn trui en voelde zijn warme adem op mijn haar. We zeiden een poos niets en we maakten geen aanstalten om weer naar binnen te gaan. Boven ons schitterden de sterren en op het strand fluisterde de branding.

'Wat is er mis met vanavond?' zei ik in zijn schouder. 'Ik heb het gevoel dat alles anders zal zijn als we dadelijk naar boven gaan. Wij zitten daar niet. Niets zal ooit meer hetzelfde lijken.'

'De tijden veranderen,' zei hij. 'Niets is meer hetzelfde, Anny. Al heel lang niet. De verandering begon toen Charlie stierf. Niemand wilde het erkennen.'

Ik had het kouder dan ik het zou moeten hebben, zo in zijn armen. Ik herinnerde me vaag dat ik over entropie had geleerd op de universiteit. Wat wist ik daar nog van? Dat het in de aard van een organisme lag om zijn structuur te verliezen en in chaos onder te gaan? Gebeurde dat met ons, zo langzaam dat we het niet eens beseften? Dat de entiteit die bestond uit ons en het huis en het strand zich moleculair naar buiten bewoog, als een stervende ster?

Maar er is nog een kern, dacht ik. Zoals Camilla had gezegd. Misschien iets losser, misschien een beetje slap. Tenslotte waren we Charlie kwijt, en de eenheid Lila en Simms, en andere dingen. Maar die hoorden bij het leven. Ze deden pijn, maar ze waren niet dodelijk. Ik wilde best toegeven dat het hele organisme dat wij vormden, kon veranderen. Maar dat het kon imploderen, daar wilde ik niet aan.

'Wij zijn er immers nog,' zei ik fel. Mijn lippen schaafden langs zijn trui. 'Wij zijn er nog, en we gaan samen het nieuwe millennium in. Na zoveel jaren, voor de meesten van jullie. Wat kan er na zo lang, na alles wat we hebben meegemaakt, nog veranderen in ons leven waardoor... waardoor wij en het huis niet langer het middelpunt zijn? Ik heb het over ons als Scrubs. Ik heb het niet over ons leven daarbuiten.'

'Ik heb me vaak afgevraagd wat ons eigenlijk bijeenhield,' zei Lewis terwijl hij me tegen zich aan drukte. 'Het is natuurlijk niet echt normaal. De meeste schoolvriendschappen houden niet zo lang stand. Wist je dat sommige mensen in Charleston ons de verloren stam noemen, en het strandhuis het eldorado? Eigenlijk hadden we elkaar nu alleen nog maar op feestjes en trouwpartijen en begrafenissen moeten tegenkomen, en naar elkaar moeten zwaaien tijdens de zondaglunch op de Yacht Club. Maar je hebt gelijk. We zijn er nog steeds. Ik denk dat iedereen zich een beetje raar voelt de laatste tijd, niet alleen wij. Alsof dingen beginnen te veranderen, alsof er een einde komt aan iets. Het zal wel de millenniumkoorts zijn.'

'Maar wíj zijn niet veel veranderd,' zei ik koppig. Ik voelde kinderlijke tranen van weerbarstigheid achter mijn ogen prikken.

'Kijk maar eens terug, dan besef je het,' zei hij. Hij gaf een kus op mijn voorhoofd en we renden de trap op, terug in de warme, schemerige kamer.

Het gevoel van vervreemding hield aan tijdens de koffie. Af en toe keek iemand heimelijk op zijn horloge en wierp een bezorgde blik op Camilla. Maar ze zat zo sereen als een boeddha, gewikkeld in de oude lappendeken die we als picknickkleed gebruikten, te schommelen en in het vuur te kijken. Er lag een glimlachje om haar mond.

Ze keek naar mij.

'Ben je de stad uit geweest?' informeerde ze. 'Ik heb je nu al een ochtend of vier niet gezien en je auto stond er ook niet. Ik was bang dat je ergens op een vreselijke plek als Scranton was blijven steken en niet op tijd kon zijn voor ons kerstdiner.'

Ik keek even naar Lewis en knipperde met mijn ogen, alsof ik juist was ontwaakt uit een lange, diepe slaap. Hier was het dan, de eerste grote verandering na Charlies dood, en al bijna net zo lang geleden. Waarom had ik die nooit als zodanig beschouwd? Ik keek weer naar Lewis. Hij knikte met een glimlach.

Tien jaar geleden, vlak na nieuwjaarsdag 1990, had Camilla bij mij en Lewis in Bull Street gegeten. We hadden allemaal de gewoonte gekregen om Camilla in een opwelling uit te nodigen voor etentjes of uitjes; we deden het niet uit plichtsgevoel, en dat wist Camilla. Ze nam de uitnodiging wel of niet aan, naargelang haar stemming. De afgelopen weken had ze meer afwezig geleken dan normaal, zelfs ondanks de dood van Charlie. Het was een kalme afwezigheid, niet meer dan even met haar gedachten ergens anders zijn. Maar je kon het merken omdat Camilla altijd zo direct bij ons betrokken was. We maakten ons niet echt zorgen, maar het viel ons wel op en we spraken erover met elkaar.

'Vinden jullie dat we moeten vragen of er iets aan de hand is?' zei ik op een zondagmiddag in het strandhuis, vlak na dat kerstfeest. Alleen Lewis en Henry en Fairlie waren er. We waren een soort vissoep aan het maken van de kleine vissen die Henry en Lewis die koude middag hadden gevangen, en van de krabben die Fairlie en ik in de netten aan de steiger hadden gevangen, en wat garnalen die we bij Simmons onderweg naar het eiland hadden gekocht.

'Misschien wel,' zei Fairlie, terwijl ze een hele fles chardonnay in de soep leeg liet lopen. Ze had een hekel aan de geur en de smaak van vissoep.

'Als er iets met een van ons was, zou ze het meteen aan ons ontfutseld hebben.'

'Laat haar maar met rust,' zei Lewis. 'Zo is ze altijd al geweest, af en toe is ze er gewoon niet helemaal bij. Dat kan ik me herinneren van toen we nog klein waren.'

'Ja,' was Henry het met hem eens. 'Meestal hield dat in dat Camilla weer eens plotseling onze hele wereld veranderde.'

'Zo was ze vlak voordat ze zich met Charlie verloofde,' zei Lewis. 'Net alsof ze op een andere planeet zat.'

Henry zei niets, maar strooide nog een heleboel cayennepeper in de soep.

'Jemig, Henry!' riep Fairlie. 'Nu worden onze slokdarmen voorgoed verknald.'

Dat was weliswaar niet het geval, maar het nam wel de vettige smaak weg.

Die avond toen ze bij ons in Bull Street kwam eten, ontwaakte Camilla uit haar dromen toen ik een kom krabsoep op tafel zette, en ze zei: 'Ik heb zojuist het huis in Tradd Street verkocht. Een heel aardige vrouw, Isabel Bradford Thomas – ze gebruikt al haar namen – heeft het als huwelijksgeschenk gekocht voor haar dochter, Darby York Thomas. Ze komen uit Greenwich, Connecticut, en ze lijken me niet mensen die flamingo's in de tuin zullen zetten. Ik vond ze allebei aardig. We sluiten het huis op maandag, en dinsdag verhuis ik. Ik vertel het jullie omdat je anders Lydia tot hier hoort schreeuwen als ik het haar vertel.'

'Jezus, Camilla, weet je zeker dat je dat wilt doen? Ik heb altijd gedacht dat het huis in Tradd Street zo'n beetje je levensverzekering was,' zei Lewis. Hij legde zijn lepel neer en keek haar verbijsterd aan. Nu ze uit haar droom was ontwaakt, zag ze er stralend uit.

Ze is gelukkig, dacht ik. Daar ben ik blij om.

Maar ik zei niets.

'Ik kan inderdaad heel goed leven van de opbrengst,' zei ze met een lachje. 'En ik heb wat geld van mijn grootmoeder, en mijn vader heeft ons meisjes nog iets meer nagelaten. Moeder kreeg het saldo en ze heeft nog een aardige winst gemaakt toen ze dat stuk land aan de rivier de Folly verkocht, vlak tegenover Wadmalaw. Natuurlijk had mijn vader aan de Vereniging voor Natuurbehoud beloofd dat hij er een natuurreservaat van zou maken, maar als mijn moeder dat al wist, dan trok ze zich er niets van aan. Dat is nu die Folly Plantation met al die nieuwbouw. Een goedkope uitgave van Kiawah. Ik heb gehoord dat de zaken niet goed gaan. Dat hoop ik.

Hoe dan ook, ik denk dat het geld en wat er van haar geld over is na Bishop Gadsden evenredig verdeeld zal worden tussen Lydia en mij. Hoewel het echt iets voor haar zou zijn om het na te laten aan de tuinclub of de St. Michael of iets dergelijks. Hoe dan ook, met de verkoop van het huis en het een en ander zit het helemaal goed. Meer dan dat.'

'Je wilde er niet wonen zonder Charlie?' zei ik.

'Ik wilde er eigenlijk helemaal niet wonen, punt uit. Ik ben het onderhoud en dat gedoe over de geschiedenis van het huis en al die mensen die door het hek in de galerij lopen te gluren, meer dan beu. Al heel lang. Maar om de een of andere reden hield Charlie er wel van. Dat hadden jullie niet gedacht, hè?'

'Ik heb altijd gedacht dat jij zoveel van het huis hield,' zei ik.

'En waar wil jij dan wel gaan wonen?' zei Lewis op strenge toon. Ik wist dat hij streng klonk als hij zich zorgen maakte.

'Ik heb een huis aan het eind van Gillon Street gekocht. Helemaal gerenoveerd. De bovenste verdieping is een heel chic penthouse met uitzicht op de haven en terrassen er helemaal omheen. Er is meer dan 1200 vierkante meter woonoppervlak alleen al op die verdieping, en de keuken en badkamers zijn fantastisch. Er zijn drie slaapkamers, dus de kinderen kunnen komen als ze al zouden willen, en ik heb een werkkamer, een garage voor twee auto's en een lift vanaf de parkeergarage. De honden kunnen rennen in het park aan het water en vanaf mijn terras kan ik de uitkijkpost van het strandhuis bijna zien, en het mooiste van alles is dat ik het zelf kan onderhouden, met misschien een hulp in de huishouding eens per week. Het is heel makkelijk in het onderhoud. Eigenlijk een open zolder, met prachtige stenen muren en balken.'

We zwegen allebei. Camilla Curry op een open zolder, die zelf schoonmaakte?

Ik begon te lachen. Camilla lachte mee, en na een poosje Lewis ook.

'Je doet ook niets half, hè schat?' zei hij. 'Je wist dat de mensen van Monumentenzorg je meteen een contract onder je neus zouden houden. Ik dacht dat ze al die appartementen en flats aan East Bay als de pest zouden vermijden.'

'Ach, het gebouw is echt oud,' zei Camilla. 'En daarbij zit ik in het bestuur en ik schrijf over de geschiedenis van ons goede werk, en dat heeft niemand anders ooit willen doen. Ze zouden een beroepsschrijver een miljoen moeten betalen om dat onder handen te nemen.'

'En wat ga je met de rest doen?' informeerde ik. 'Je zei dat jij de bovenste verdieping ging bewonen. Hoe zit het met de overige twee verdiepingen?'

'Daar zijn al appartementen en kantoren van gemaakt,' zei ze. 'Met parkeerplaatsen en al. Luister goed, Anny, ik ga je een aanbod doen dat je niet kunt weigeren.'

En het bleek dat ik dat inderdaad niet kon.

Binnen twee maanden had ik mijn medewerkers en archieven en al het meubilair dat niet door Hugo was vernietigd, ondergebracht op de twee verdiepingen beneden Camilla's appartement, en Outreach werd iets waarmee de chic van de stad rekening diende te houden. De huur die Camilla vroeg was een schijntje vergeleken bij wat ze had kunnen krijgen, maar ze zei dat ze het belangrijk vond dat de ruimte werd gehuurd door mensen die ze kende en die een oogje op haar woning zouden houden als zij er niet was. Ze wilde er geen cent méér voor.

'Ik zal jullie ongenadig lastigvallen,' zei ze toen Lewis en ik haar probeerden over te halen om in elk geval iets meer huur aan te nemen. Ik had wat geld teruggekregen van de verzekering voor het verwoeste kantoor op West Ashley, en mijn bestuur zou waarschijnlijk nog iets meer bijeen weten te scharrelen. 'En dat zal oneindig veel meer waard zijn dan jullie me aan huur zouden betalen.'

Ze drong zich uiteraard niet op, maar het kwam er uiteindelijk wel op neer dat we veel tijd samen doorbrachten. Soms vroeg ze me om een hapje mee te eten tijdens lunchtijd in haar zonovergoten penthouse, en andere keren bracht ze haar eigen sandwich mee en ik die van mij naar het park dat uitzag over de haven, terwijl de honden rondsnuffelden. Ik belde haar vaak op om te vragen of ik iets voor haar kon meebrengen als ik boodschappen ging doen, en meestal wilde ze dat graag. Zelfs ondanks de lift maakte de toenemende osteoporose het haar moeilijk om zware boodschappentassen te dragen. Ik stond erop dat ik zware dingen van de auto naar haar penthouse zou dragen. Dan belde ze me via haar GSM en dan wachtte ik of soms Marcy of een van de anderen haar op in de garage en sjouwden we de zware dingen voor haar. Niemand vond het erg om dat te doen, want iedereen in mijn kantoor hield van Camilla, die ons allemaal tijdens vrije dagen uitnodigde en af en toe traktaties op ons kantoor liet bezorgen. Maar Camilla vond het vreselijk dat ze gehaald en gebracht moest worden en dat we haar boodschappen moesten sjouwen.

'Ik ben hier komen wonen omdat alles gelijkvloers is en er een lift is,' mopperde ze. 'Ik heb geen harem van jonge vrouwen nodig. Dan voel ik me niet op mijn gemak.'

'En als je zou vallen en een heup breken?' zei ik.

'Dan zit ik hier goed met een hulp voor dag en nacht,' antwoordde ze. 'Er is ruimte genoeg. Daar heb ik wel voor gezorgd. En uiteindelijk gaan we natuurlijk allemaal in een heerlijk huis aan het water wonen, en dan mogen jullie dingen voor me sjouwen. Dat heb ik allemaal al ingecalculeerd.'

Sinds de dood van Charlie hadden we het niet meer gehad over ons plan om ooit allemaal samen te wonen en voor elkaar te zorgen als we gepensioneerd waren, en ik vond het heerlijk om haar over die dingen te horen praten. Alles was dus nog steeds hetzelfde. We waren niet veranderd door het verlies. Alles was dus nog steeds klaar voor de start.

Sinds die tijd is het heel goed gegaan met mijn werk en mijn kantoor had het dienstenpakket uitgebreid. Ik geloof werkelijk dat dit gedeeltelijk kwam omdat Camilla's uitgebreide netwerk van welgestelde contacten Outreach met haar associeerde en daardoor hun portemonnee trokken. Ze was niet officieel bij ons betrokken en ik heb haar nooit gevraagd om dat wel te worden. Ze zat niet in mijn bestuur en ik ging liever dood dan dat ik iemand voor ons een gunst aan haar zou laten vragen. Maar daar was ze, op de verdieping boven ons in dit mooie huis, als een welwillende engel, en ik heb meerdere van onze donateurs horen vragen: 'Hoe gaat het boven bij Camilla?'

Soms nam ze een bezoeker of een compagnon van een van haar eindeloze projecten mee – ze was letterlijk altijd bezig – om even binnen te kijken als ze onderweg naar buiten waren, en vaak draaide dat erop uit dat ze een lastig kind vasthield of een rinkelende telefoon oppakte.

'Je ziet wel wat ze allemaal te doen hebben,' zei ze dan tegen haar gast. 'Denk met Kerstmis aan Outreach.'

En velen deden dat.

Ik hield van mijn kantoor op de eerste verdieping, met het gebogen Gotische raam dat uitzag op een kleine binnenplaats met dwergpalmen en bloeiende struiken. Daar stond een smeedijzeren tafel met parasol en stoelen, waar cliënten konden wachten en waar wij vlug iets aten of dronken, en een *joggling board*, een soort plank waarop je kunt zitten en die dan doorbuigt zodat je erop kunt schommelen en wippen. Onze kleine cliënten waren er dol op. Lewis en Henry hadden een kleine, verhoogde vijver van stenen voor me gemaakt, en Lila en Simms hadden me vier prachtige koi gegeven die dik en verwend waren geworden door al het voer dat ze van de kinderen kregen. Toen een grote blauwe reiger regelmatig als een hongerig monster in de eik erboven kwam zitten en belangstellend naar de koi keek, had Lewis een mooi, met horrengaas afgedekt prieel boven de vijver gemaakt, en al gauw vertrok de reiger klapwiekend naar elders.

We hadden echter geen gebrek aan in het wild levende dieren. Onze tuin werd bevolkt door mooie groene hagedissen, een familie dikke eekhoorns en een keer, tijdens onze eerste lente hier, was een paar wilde eenden neergestreken, die ons enkele dagen zaten te bestuderen en in het struikgewas scharrelden alsof ze een nest wilden maken. Uiteindelijk lieten ze ons in de steek voor een grotere tuin met zwembad, maar ik was verrukt geweest van de twee wilde bezoekers. Ze leken een gunstig voorteken te zijn, behorend bij de magie van het huis.

Ik zag er echter niet zoveel van als ik had gewild. De afgelopen twee jaar had ik iets anders gedaan, wat ik heerlijk vond, iets wat me het idee gaf dat het uiteindelijk misschien levens zou kunnen veranderen en verbeteren. In de jaren nadat Outreach de nieuwe ruimte had betrokken, had ik Lewis en Henry meerdere malen vergezeld naar geteisterde gebieden die ten onder dreigden te gaan door gebrek aan medische voorzieningen, en ik had nog veel meer artsen ontmoet die er vrijwillig hun hulp boden, net als Lewis en Henry. Mijn missie was altijd om er een basis te leggen voor een gemeenschapscentrum, en ik werd er behoorlijk geroutineerd in.

'Het zou een godsgeschenk zijn als iemand zoals jij beschikbaar was voor alle medische teams die naar deze gebieden gaan,' zei een gezette, blozende specialist in tropische ziekten op een broeierige avond in de jungle van Guatemala. Hij sloeg vergeefs naar de muggen en dronk wodka alsof het water was. Ik was ook overal gestoken, maar Lewis en ik hadden tenminste een eigen karig gemeubileerd schoon kamertje met een muskietennet om het bed in de kleine herberg op de oever van de rivier, en er was zelfs een roestige ventilator en een haperende douche. Ik was dankbaar. Hoe primitief ook, het had niets weg van de afschuwelijk opzichtige kamer in het bordeel in de bergen van Mexico.

Henry en Lewis keken naar hem, en toen naar mij.

'Waarom dan niet Anny zelf?' opperde Henry, en Lewis begon te grijnzen en knikte.

'Als adviseur, bedoel je,' zei de dokter met het blozende gezicht.

'Zoiets,' zei Henry. 'Groepen kunnen haar inhuren als lid van hun teams. Ik denk dat nationale organisaties zouden staan te springen. Ze kan gaan naar waar ze het meest nodig is, niet alleen met Lewis en mij. Ze is nu een professional en ze neemt niet veel plaats in en ze eet ook niet veel. En ze kan overal slapen.'

Ik wierp Lewis een nijdige blik toe en hij grijnsde openlijk.

'Ik kan niet zo vaak weg bij Outreach,' protesteerde ik, terwijl het idee al vorm begon te krijgen in mijn gedachten. 'En dan ben ik veel vaker van huis dan ik zou willen. Ik ben op een leeftijd dat ik het juist wat kalmer aan zou moeten doen, en niet een nieuwe carrière beginnen en door oerwouden en woestijnen en weet ik veel wat nog meer gaan sjouwen. Maar het idee is goed.'

Lewis leunde achterover in zijn gammele stoel en nam een slok van het lokale bier. Hij trok een vies gezicht.

'Wat vind je van dit?' zei hij toen. 'Je vliegt elke maand naar een of twee steden waar ze medische programma's voor vrijwilligers zoals dat van ons hebben, en misschien een paar keer per jaar naar Washington, en daar geef je cursussen over het opzetten van dergelijke programma's. Je leert aan de artsen hoe je het doet en hoe je plaatselijk talent moet opscharrelen. Je vertelt wat en wie er nodig is en hoe je die kunt vinden op de plaatsen waar de teams naartoe gaan. Misschien kun je ook lezingen geven voor verpleegkundigen. Die zullen waarschijnlijk degenen zijn die de programma's opzetten. Stel brochures samen en een diapresentatie of een film of iets waarmee je kunt laten zien wat je hebt gedaan. Zorg dat je aanbevelingen krijgt van mensen.'

'Ik... hoe kan ik zo lang van kantoor wegblijven?' vroeg ik. 'En wie zou me willen inhuren? Ik moet in elk geval genoeg verdienen om de onkosten te dekken. Mijn tijd wil ik wel geven, maar de vliegtickets en hotels...'

'Ten eerste,' zei Lewis, 'kan Outreach nu op eigen benen staan. Dat weet je. Marcy kan de boel regelen en jij kunt een kantoortje aanhouden om mee te helpen als je tijd hebt. Ten tweede, wie zou jou willen inhuren? Iedereen die deze groepen sponsort, en wel meteen!'

'Maar hoe weten ze dan van mijn bestaan?'

'Je maakt zeker een grapje? Deze mensen hier vertellen het aan hun sponsors. En die vertellen het door. Enzovoort. Binnen een maand ben je aan de slag.'

'Zo is dat,' zei de specialist in tropische ziekten terwijl hij in zijn nek sloeg naar iets wat er groot en gemeen uitzag en geen mug was, maar dat besefte hij niet meer. 'Ik licht mijn donateurs in voor we hier weggaan.'

Ik dacht dat zijn belofte de volgende ochtend wel met zijn kater zou zijn weggespoeld, maar dat was niet het geval. Nog voor we de jungle verlieten, had ik al een uitnodiging binnen voor Pittsburgh en een voor Houston.

En dat heb ik sindsdien gedaan. Ik heb een werkplek in het kantoor in Charleston en ik betaal een bescheiden huur aan Outreach, en ik help af en toe mee als het werk ze te veel wordt. Maar hoofdzakelijk breng ik bijna elke week een paar dagen door in steden door het hele land, en de rest van de tijd zit ik aan de telefoon met cliënten, of in bijeenkomsten als ze naar mij komen. Ik mis het dagelijkse werk bij Outreach, maar zoals Henry al had voorspeld, is Marcy een uitstekende directrice, en met onze uitgebreide staf en de goedgeefsheid van Camilla's bridgevrienden, loopt alles op kantoor op rolletjes zonder mij.

Soms vond ik dat vreselijk. Dan dacht ik terug aan vroeger, toen we moesten bedelen om geld, toen ik natte, wriemelende baby's moest vasthouden en leeghoofdige tienermoeders moest najagen en mijn versleten oude auto nog een zomer probeerde te laten rijden. Dan dacht ik aan de dag waarop ik Lewis leerde kennen, in de stromende regen op de parkeerplaats voor zijn praktijk, met een spartelend in de steek gelaten kind in mijn armen, en dan voelde ik mijn keel dichtknijpen van weemoed om die jonge vrouw met haar wilde haren en die extravagante, roodharige man.

Maar alles bij elkaar genomen vond ik mijn werk heerlijk, en ik wist dat het belangrijk werk was, en de meeste avonden ging ik nog steeds naar huis naar die dansende woeste man die weliswaar minder rood haar op zijn hoofd had, maar nog steeds een lachende, sproetige dondersteen was. Aan Lewis, nu in de zestig, was weinig veranderd behalve zijn haar.

We brachten veel meer tijd door op Sweetgrass in de laatste jaren van dat decennium. Lewis had een toegewijde partner gevonden voor zijn praktijk en schonk meer tijd aan de liefdadigheidskliniek. Maar behalve als er een noodgeval was, beperkte hij zijn werkuren tot de eerste drie dagen van de week, en op woensdagavond of donderdagochtend kwam hij naar Sweetgrass. Als ik terugkeerde naar Charleston, ging ik meestal meteen door naar Sweetgrass. De trage, dromerige betovering van de rivier en het moeras, het zachte gefluister van de oude eiken en de dennen waarmee Lewis veel van zijn grond had beplant voor regelmatige inkomsten, en de met gras begroeide hoogten en strengen drijvend grijs mos kalmeerden mijn door de vlucht getergde zenuwen en gaven me mijn jeugdige echtgenoot terug.

Want Lewis gedijde op Sweetgrass als het spreekwoordelijke

onkruid, en ik kon aan zijn gezicht vol sproeten en brede, lieve glimlach zien dat we op een dag het huis in Bull Street zouden verkopen of verhuren en onze tijd verdelen tussen Sweetgrass en het strandhuis. We hielden het huis in Bull Street alleen nog aan om een nacht in de stad door te brengen of om even bij te komen na een lange, hectische dag. Sweetgrass begon steeds meer een echt thuis te worden voor Lewis en mij.

Het strandhuis was nog steeds ons gezamenlijke huis, het huis van de eenheid die de Scrubs vormden. Waar we ook naar uitzwierven, welke veranderingen we ook hadden meegemaakt, we keerden allemaal als duiven terug naar Sullivan's Island wanneer we maar konden. Het was nog dierbaarder voor me nu de jaren voorbij leken te vliegen, dan in die gouden jaren toen de tijd zelf als een bodemloze bron uit het zand leek op te borrelen.

Ook Henry was nu half met pensioen, en hij wijdde veel meer tijd aan zijn reizen met de 'flying doctors'. Fairlie, nog steeds rusteloos van lichaam en geest, had haar danslessen grotendeels opgegeven en ze verveelde zich en werd prikkelbaar tijdens Henry's afwezigheid. Uiteindelijk verraste ze ons allemaal door te gaan paardrijden en vervolgens rijlessen te geven aan kinderen en jonge tieners in het grote ruitersportcentrum op John's Island. Ze bloeide weer op tijdens die lange, zonnige dagen te paard, en ze deed zelfs mee aan wat wedstrijden met het jachtspringpaard waaraan ze de voorkeur gaf. Beide keren won ze in haar klasse.

We waren allemaal verbaasd. Fairlie had nooit eerder belangstelling getoond voor paardrijden. We wisten niet eens dat ze kon rijden, en anders herinnerden we het ons niet meer.

'Maar ik heb altijd paardgereden thuis, tot ik in Charleston ging studeren,' zei ze. 'Ik was heel goed. Overal in huis zag je linten en bekers. Ik vind het heerlijk om weer te rijden, en Henry is zo vaak weg. Ik denk erover om een eigen paard te kopen. Die hebben we altijd gehad thuis, maar dat waren hoofdzakelijk renpaarden.'

'Wat vindt Henry ervan?' informeerde Camilla geamuseerd.

'Hij vindt het prima. Dan val ik hem niet lastig.'

'Een paard, dat zal leuk staan in Bedon's Alley,' zei Simms met een grijns. 'Dan kun je hem in de kennel houden, bij Gladys.'

Want de oude Gladys, mager, ietwat mank, met kale plekken in haar vacht, leefde nog en verkeerde in een redelijke gezondheid, en ze was nog steeds een toegewijde kameraad voor Henry.

'De Japanners noemen het eenzijdige concentratie,' zei Camilla eens toen ze Gladys gadesloeg. 'Ze hebben het over kunstenaars die helemaal opgaan in hun werk, maar volgens mij kan dat net zo goed op honden slaan. Ik ben een boek aan het lezen over zestiende-eeuwse Japanse kunst.'

'Ik dacht dat je een boek aan het schrijven was,' zei Lila met een glimlach tegen haar jeugdvriendin.

'Dat ook,' zei Camilla.

Onze oude honden op Sweetgrass waren al jaren dood en lagen nu op het hondenkerkhof onder een eik achter het huis, in de kruidentuin van Linda Cousins. Er lagen er heel veel, vanaf de eerste hond, zei Lewis. Hij ging ze vaak opzoeken in de koele avonden. Robert Cousins, die veel van die honden had meegemaakt, maaide het gras op de graven en zorgde dat de kleine stenen overeind bleven staan. Ik had het idee dat hij werkelijk om ze treurde. Hij en Lewis spraken vaak over ze, alsof het oude vrienden waren die ze hadden verloren. En dat was natuurlijk ook zo.

Lila's eigenwijze kleine Sugar was ook gestorven. Volgens mij had ze haar grote, vrolijke hart totaal uitgeput en was ze gewoon ingeslapen. Lila was dagen in tranen, en ik moest ook huilen. Ik had zoveel gehouden van dat belachelijke hondje dat nooit haar grenzen had gekend. Simms had Lila dat jaar met Kerstmis een nieuw dwergkeesje gegeven, een pup. Het was een schattig ding, klein en innemend en zo vrouwelijk dat je er wel om moest lachen. Lila beweerde dat ze met haar lange wimpers naar je knipperde. Ze heette Honey. Lila was dol op haar. Ik kon me niet echt aan haar hechten na mijn innige band met dat felle beestje dat Sugar was geweest. Maar ze ging overal mee met Lila, naar alle afspraken en het kantoor en als ze ging winkelen, en naar het strandhuis.

'Je besteedt meer tijd aan die hond dan aan Simms,' zei Fairlie een keer tegen Lila, toen we aan tafel zaten. Fairlie moest niet veel hebben van Honey. Het hondje had een keer flink in haar hand gebeten toen ze het wilde aaien.

'Nou, ik zou mijn hand ook niet naar de neus van je paard uitsteken, als je tenminste een paard had,' had Lila toen gezegd, half verdedigend en half gemeend.

'Een goed afgericht paard zou nooit bijten,' had Fairlie gesnauwd. 'Misschien is het woord africhten hier op zijn plaats. Bijt ze Simms ook? Volgens mij wel.'

'Ik denk dat ze niet eens weet wie Simms is,' zei Lila liefjes.

We schoven ongemakkelijk heen en weer op onze stoelen. Simms ging steeds vaker op reis toen hij de pensioengerechtigde leeftijd naderde, en zijn werk werd niet minder, zoals dat van de andere mannen. Logisch gezien kenden we de reden natuurlijk. Het bedrijf had zich over drie continenten uitgebreid. Simms wilde uiteraard dat alles in orde was voor hij de leiding overdroeg. We namen allemaal aan dat de man van zijn dochter Clary, degelijk en lid van de Rotary Club, die Simms drie kleinkinderen had bezorgd die allemaal op elkaar leken, zijn opvolger zou worden. Soms vroeg ik me af waarom Simms niet veel eerder had vastgelegd dat zijn schoonzoon zijn opvolger zou worden. Het was niet erg duidelijk wat Clary ervan vond. Zij was, zei Fairlie, de ongekroonde voetbalmoeder van het westelijk halfrond, die helemaal opging in haar kinderen.

Lila en Simms waren inmiddels heel rijk, veel rijker dan de rest van ons was of ooit zou worden. Maar aan de buitenkant was er weinig veranderd aan hun leven. Ze woonden nog steeds in het prachtige oude huis op de East Battery. Ze kwamen nog steeds naar het strandhuis, al kwam Simms lang niet zo vaak als de rest van ons. Ze hadden het huis op Wadmalaw verkocht en Lila werkte meestal. Simms ging vaak in zijn eentje zeilen. Af en toe brachten ze een paar dagen door bij hun dochter en haar gezin op Kiawah, maar de kinderen en kleinkinderen van Lila en Simms kwamen nooit naar Sullivan's Island.

Eigenlijk gold dat ook voor die van ons. De twee dochters van Lewis waren allebei getrouwd en hadden kinderen. Ze waren weggevlucht van Californië en hun moeder, en woonden respectievelijk in Long Island en in Connecticut, en in de zomers gingen ze naar Europa of de Caribische eilanden of Point O'Woods. Ze belden plichtsgetrouw en af en toe zagen we hen als Lewis of ik voor ons werk in New York moest zijn. Dan gingen we met de kleinkinderen lunchen in de Russian Tea Room, of we gingen ergens in een heel modern, chic restaurant eten dat de tweeling had uitgekozen. Eén keer, toen ze bij de Griekse eilanden gingen zeilen, hadden ze de kleinkinderen naar Edisto gebracht, en de kinderen zaten te mokken en te zuchten en vertikten het om naar buiten te gaan in de hitte van de Low Country. Ze bleven liever voor de televisie hangen. Toen we hen meenamen naar Sweetgrass waren ze niet onder de indruk van de visarenden en adelaars en reigers en ooievaars, en ze wilden zelfs niet met hun grootvader mee naar de prachtige alligatorkwekerij. Ik ging ervan uit dat de rode lynx reeds lang naar een zwart water in de hemel was vertrokken, maar op stille avonden, als de rivier kalm was en traag tegen de palen van de steiger klotste, en er geen maan stond, hoorden we allebei – of meenden te horen – een vaag geritsel in het slijkgras onder het uiteinde van de steiger, en natte stappen van zware poten. De kinderen kwamen niet naar buiten om te luisteren. In de zomer dat ze bij ons logeerden was de meteorenregen van Perseus dichterbij en spectaculairder dan we ons konden herinneren, en ze vormde een prachtig vuurwerk aan de hemel, maar de getergde kinderen zaten gekluisterd aan de buis naar een hardrockkanaal te kijken, en treurden om de winkelcentra van Long Island en Connecticut. We waren allebei uitgeput en dolblij toen we hen uit de oude Range Rover op het vliegveld van Charleston konden uitladen.

'Echt nazaten van hun grootmoeder,' zei Lewis. De kleinkinderen kwamen nooit meer op bezoek.

Henry en Fairlie brachten wel veel tijd door met hun dochter Nancy en haar lange, magere, roodblonde kinderen. Ze waren net zo slungelig en goedmoedig als Henry en zo temperamentvol als Fairlie, en we genoten allemaal als ze naar het strandhuis kwamen. Maar ook zij hadden inmiddels hun eigen enclave bij Wild Dunes, en Fairlie en Henry zagen hen meestal daar of in Bedon's Alley.

'Ik wou dat zij zo'n plek als hier hadden om te ravotten,' zei Henry tegen ons toen hij en Fairlie in het laatste weekend van het jaar en van de eeuw naar Edisto waren gekomen. 'Ze groeien op zonder enig benul van het leven op de plantages van hun voorouders. Ze denken nu al dat een plantage een plek is met gidsen in uniform en dat je moet betalen om binnen te kunnen.'

'Ik heb altijd gedacht dat jullie hier of ergens anders een huis zouden kopen nadat jullie huis door Hugo was verwoest,' zei Lewis. 'Ik kan me herinneren dat jullie het er toen over hebben gehad. Het is nog steeds niet te laat. De Crunches gaan Red Wing te koop zetten. Ik denk dat Lila de makelaar is. Dan worden we buren.'

Er viel een vreemde stilte. Henry stak zijn handen in zijn zakken en schopte tegen een afgezaagde boomstam. Fairlie keek naar de rivier.

'Het was gewoon nooit het juiste tijdstip,' zei Henry ten slotte. 'Moet je horen, er is iets...'

'Ik moet terug naar de stad,' zei Fairlie abrupt. 'Ze krijgen een nieuwe merrie uit Aiken in het ruitersportcentrum. Ik wil haar gaan bekijken.'

Ze draaide zich om en liep in de richting van hun auto. Henry keek ons hulpeloos aan, haalde zijn schouders op en volgde haar. 'Ik zie jullie op oudejaarsavond,' riep hij over zijn schouder. Lewis en ik staarden hen verbijsterd na. Ik had verwacht dat ze zouden blijven lunchen.

De volgende dag, toen ik tussen de middag bij Camilla ging eten, vertelde ik haar over het voorval.

'Hij wilde ons iets vertellen,' zei ik. 'Maar ze kapte het gewoon af.'

Ze keek uit over het water.

'Ze is een natuurkracht,' zei ze. 'Hij kan net zomin tegen haar op als tegen een orkaan van de hevigste soort.'

'Denk jij dan dat Fairlie iets in haar hoofd heeft wat wij niet mogen weten?'

'Al een hele poos. Ze doet al een poos heel afstandelijk. Meestal kletst ze je de oren van het hoofd.'

En dat was zo, nu ik erover nadacht. Ze was afstandelijk en nog rustelozer dan anders.

'Nou ja, in elk geval is Henry niet anders dan anders,' zei ik bezorgd. 'Gisteren in elk geval nog.'

'De lieverd,' zei Camilla met een glimlach. 'Henry laat zich niet snel van slag brengen. Maar zij kan het. Ik heb me eigenlijk altijd al afgevraagd waarom hij met haar getrouwd is, behalve natuurlijk omdat hij gek op haar was. Henry heeft meer dan wie ook die ik ken, een veilige thuishaven nodig. En die heeft hij heel erg gemist bij Fairlie. Dat zou hij natuurlijk nooit toegeven, maar ik ken hem al mijn hele leven. Ik weet precies wanneer hij een thuishaven nodig heeft.'

Ik had Henry nooit beschouwd als iemand die een anker of een veilige haven nodig had. Hij ging zonder angst en zelfs gretig naar plaatsen waar weinig anderen hem zouden willen volgen. Maar ergens had ze natuurlijk gelijk. Ze kende hem vanaf de kleuterschool, de Little School van Miss Hanahan achter haar huis in Church Street.

'Ik heb opeens het idee dat iedereen die ik ken, iemand is die ik helemaal niet ken,' zei ik ongelukkig. 'Ik wou dat ik wist wat er met ons aan de hand is.'

'Niet iedereen,' zei ze terwijl ze me nog een kop van de geurige oolong inschonk die ik zo lekker vond. 'Alleen maar een paar. Misschien komen we er op oudejaarsavond wel achter. Dat is de beste tijd om te vertellen wat je op je hart hebt. Maak je niet druk, Anny. Er is veel meer dan dit voor nodig om ons echt te veranderen.'

Ze stond op en trok de gordijnen dicht voor de openslaande deuren naar het terras, waar het winterlicht verblindend werd weerkaatst in het water. Ik stond op en ging terug naar mijn kantoor beneden voor de laatste keer in de enige eeuw die ik kende.

7

De volgende ochtend, oudejaarsdag 1999, stond ik vroeg op en ging naar het fitnesscentrum van Queens Hospital om de geijkte oefeningen te doen op de loopband en met de gewichten. Ik probeerde dat steeds te doen als we in de stad verbleven, en rond de middag zouden we naar het strandhuis gaan. Maar ik vond het nooit leuk en ik deed het alleen maar omdat Lewis er op aandrong, en ik voelde me er inderdaad beter door.

Henry deed het nauwgezet als hij in de stad was, en hij genoot ervan. Om te beginnen bleef zijn lijf strak en soepel, en ten tweede was het de favoriete plek van de welgestelde burgers om bijeen te komen, in elk geval de mannen. Ze kenden elkaar allemaal, en ze trokken zich geen zier aan van uitgezakte buiken of zwabberende armen. Ik was jaloers op hun kameraadschap en op het feit dat ze hun lichamen zo achteloos accepteerden.

Zelf had ik geen netwerk van trimmende vrouwen, hoofdzakelijk omdat ik er vroeger naartoe ging dan de meeste vrouwen, en daar was ik blij om. Ik moest er niet aan denken om in het bijzijn van iedereen te hijgen en te zweten, vooral niet als die slanke vrouwen, onderweg naar een lunch of bijeenkomsten, even het fitnesscentrum aandeden met hun goede kleren in tassen van Saks. Dus ging ik vroeg, en ik zocht de verste loopband op en de gewichten die het verst van de spiegel verwijderd waren. Meestal had ik een hoekje voor mezelf, maar vandaag stapte iemand al stevig op de loopband naast die van mij. Voor ik weg kon duiken, riep een hoge stem: 'Mevrouw Aiken! Anny! De beste wensen voor het nieuwe jaar!'

O, nee, dacht ik. Bunny Burford. Alsof ik daar op zit te wachten om de eeuw uit te zwaaien.

Bunny was op zich al een legende in de medische kringen van Charleston. Toen ik haar pas had ontmoet, zei ik dat ze vast heel populair moest zijn, maar Lewis trok een lelijk gezicht en zei: 'Een ijsberg is een betere benaming.'

'Maar ze loopt altijd te lachen en mensen te omhelzen,' zei ik. 'Dat lijkt me niet erg kil.'

'Dat komt omdat de echte Bunny Burford zo diep verscholen zit dat maar weinig mensen haar echt kunnen zien. Diep vanbinnen is ze koud als staal en twee keer zo hard. Als je niet weet hoe je met haar moet omgaan, dan kan ze heel gevaarlijk worden. Vertel haar nooit iets persoonlijks, Anny. Ze zal het niet vergeten en het ooit tegen je gebruiken.'

'Hoe heeft ze dan ooit hoofd Administratie op Queens kunnen worden? Dan moet er toch meer zijn dan alleen afgunst en ambitie?'

'Dat is ook zo. Ze is heel slim en ze trekt meer aan de touwtjes dan Charlie ooit heeft gedaan. Ze was zijn secretaresse toen hij pas in het ziekenhuis kwam werken en ze heeft zich steeds meer onmisbaar gemaakt tot ze de administratie net zo goed kon runnen als hij. Het probleem was alleen dat veel van onze grote weldoeners haar niet mochten, en het personeel al helemaal niet. Ze was genadeloos tegen het verplegend personeel. Henry had altijd het idee dat ze arts had willen worden en zo heeft gevochten voor haar positie dat ze de tweede belangrijkste persoon werd in Queens. Ze is nu bijna onaantastbaar. Het zou iemand anders jaren kosten om net zoveel over het ziekenhuis en de mensen daar te weten als Bunny. Ze vindt dat ze ook heel goed op de hoogte is van wat er in de maatschappij speelt. Ze ziet zichzelf als een soort sociale gastvrouw. Ze komt op elk feest en benefietbijeenkomst en lezing alsof ze erbij hoort, en ze lacht en is een en al complimenten en ze is een en al oor voor degene tegen wie ze het heeft. Op dat punt is ze heel goed in geld inzamelen. Dat is een van de redenen waarom niemand haar een strobreed in de weg wil leggen.'

'En de andere redenen?'

'Nou, zoals ik al zei, ze weet heel veel over mensen. Ik weet niet of ze ooit gebruik heeft gemaakt van die informatie, hoewel ik heb gehoord van wel, maar iedereen weet dat ze het zou kunnen. Dat is nog eens macht hebben!'

'Ze klinkt vreselijk,' zei ik. 'Ik begrijp niet hoe een... een buitenstaander gewoon in Queens kan komen en zich zo onmisbaar weet te maken.'

'Om te beginnen is ze niet echt een buitenstaander,' zei hij. 'Ze is opgegroeid in Church Street en is met de meeste van ons op de Little School van Miss Hanahan geweest, en omdat ze zo goed kon leren kreeg ze een beurs voor Ashley Hall, waar een heleboel andere meisjes ook naartoe gingen. Ik denk niet dat ze daar ooit echt bij heeft gehoord. Ze ging naar de Little School omdat haar moeder er onderwijsassistent was, en ze woonden in Church Street dankzij iemand voor wie haar moeder in ruil schoonmaakte. Ik weet niet waar en of ze heeft gestudeerd. Ik heb gehoord dat ze iets in economie heeft gedaan. En toen, vlak voordat Charlie manager van de Administratie werd, ging ze naar zijn kantoor en vroeg of ze zijn secretaresse kon worden, en ze was zo zelfverzekerd en duidelijk intelligent dat hij haar ter plekke in dienst nam. Je kent Charlie... hij lette nooit op details. Hij was al blij dat hij iemand had die zo competent was. En competent was ze! En ook knap. Dat was meegenomen.'

'Knap?' vroeg ik ongelovig, denkend aan Bunny's lange, hoekige gestalte en bijna vermiljoenkleurige haar dat hoog was opgestoken in een met haarlak bespoten knot die eruitzag alsof zelfs een granaat er geen deuk in kon maken. Haar ogen waren lichtblauw en smal en ze had een brede mond die geverfd was in dezelfde kleur als haar haar, en haar gelaatstrekken leken allemaal in het midden van haar gezicht te zitten, net als op de tekening van een kind. Ze leek heel ontoegankelijk. Ze had echter wel een mooie huid, strak en roze en wit, en vrijwel rimpelloos. Ik vroeg me af of de rest van Bunny, onder de mantelpakjes die ze droeg, net zo glad en zacht en dauwachtig was. Het was een bizarre gedachte.

'Ze was knap, als een soort amazone,' zei Lewis. 'Ze was lang, met een smalle taille en die ongelooflijke borsten en heupen, en haar haren waren bijna net zo rood als die van Fairlie, en ze droeg het in een lang pagekapsel. En ze stiftte haar lippen altijd zo rood dat het leek of ze net een wasbeer of iets dergelijks had verslonden. Ze maakte veel indruk. Charlie heeft een poos een relatie met haar gehad toen hij er pas was.'

'Waarom is die uitgegaan?' vroeg ik.

'Camilla,' zei hij. 'Daar kan niemand tegenop.'

Dus op deze laatste ochtend van de laatste eeuw van het millennium kromp ik in elkaar alsof ik door een wesp was gestoken en zei: 'Hallo, Bunny. Wat ben jij vroeg vanmorgen.'

Ze droeg een neonroze fluwelen trui en lange broek, en haar verbijsterende boezem stak als een plank en net zo onbeweeglijk naar voren terwijl ze flink de pas erin had op de loopband. Het was moeilijk om daar niet naar te staren. Ze droeg bijpassende roze pompons op haar witte sportschoenen.

'Ik heb plannen voor straks,' zei ze koket. 'Ik moest wel vroeg beginnen. En jullie? Gaan de Scrubs niet naar een of ander exotisch oord als Hawaï of de Rivièra om het millennium te vieren?'

Ik bedacht dat haar idee van exotisch niet bepaald overeenkwam met dat van mij, en ik vond het vervelend om haar het woord 'Scrubs' zo familiair te horen gebruiken. Behalve wij noemde niemand anders dan Bunny ons zo.

'Heel exotisch,' zei ik. 'Sullivan's Island, om precies te zijn.'

'O ja, het strandhuis van Camilla. Dat moet heel bijzonder zijn. Ik heb er door de jaren heen een heleboel over gehoord van Charlie, maar ik heb het nooit gezien. Wij gingen altijd naar het Isle of Palms.'

Ik wist niet wie 'wij' waren en ik vroeg er niet naar.

'Ach, zo bijzonder is het niet, vrees ik, alleen voor ons. Het staat bijna op instorten. Het is nu net zo goed van ons als van Camilla.'

Ik had meteen spijt dat ik haar dit had verteld. Het ging niemand iets aan behalve ons. Maar iets aan de manier waarop ze 'Camilla' had gezegd, zette mijn stekels overeind; misschien door de sluwe manier waarop ze deed of ze een goede bekende van haar was. Ik wist dat Camilla waarschijnlijk niet eens meer wist wie Bunny Burford was.

Ze lachte breed, zodat haar wangen als appeltjes bolden, en zei: 'Wat handig voor Camilla. Ach, ze heeft altijd al geweten hoe ze haar zin moet krijgen, op de kleuterschool al. Ik herinner me dat ze gewoon stond te kijken naar een bal waarmee ik speelde, en bleef glimlachen tot ik die aan haar gaf. Ik heb die glimlach nooit zien falen. Het verbaast me dat ze sinds Charlies overlijden niet iemand anders er met haar glimlach toe heeft gebracht om voor haar te zorgen.'

Ik voelde hoe een kille woede zich in mijn borst verspreidde, maar ik gunde haar niet het genoegen om dat te zien.

'Camilla heeft het niet nodig dat er voor haar gezorgd wordt,' zei ik. 'Meestal zorgt zij voor ons.'

'Dat zal wel,' grinnikte Bunny. 'En, hebben de Scrubs al gehamsterd?'

'Gehamsterd?'

'Vanwege de millennium-bug,' zei ze alsof ze het tegen een achterlijk kind had. 'Je weet wel, water en eten en petroleum voor verwarming en om op te koken. Toiletpapier, tandpasta. Als de bruggen niet meer werken, kunnen jullie daar wel weken vastzitten.'

'Klinkt heerlijk,' zei ik. 'Dat heb ik altijd al gewild. En jij? Heb jij veiligheidsmaatregelen genomen?'

'O, ja,' zei ze zelfingenomen. 'Mijn vriend en ik hebben een mooi hotel in Asheville besproken en mijn auto is al volgeladen met alles wat je maar nodig kunt hebben voor een lange periode. Mijn vriend neemt zelfs zijn geweer mee.'

'Geweer?' Ik kreeg opeens een idioot visioen van Bunny die in haar roze pak door de bossen struinde, het geweer in aanslag voor het geval dat een of ander beest de pech had zich te laten zien.

'We verwachten niet dat we het nodig hebben,' zei ze. 'Het is een heel goed hotel en het is tegenwoordig veel veiliger in de bossen. Maar we vinden het gewoon een prettiger idee. Je weet nooit wie er inbreekt in je kamer als de elektriciteit uitvalt.'

Natuurlijk, dacht ik. De jacht op kelners van de roomservice is geopend!

Hardop zei ik: 'Nou, het beste, Bunny. Ik hoop dat je niets van al die spullen hoeft te gebruiken. En een gelukkig nieuw wat dan ook.'

'Jij ook,' zei ze terwijl ik van de loopband stapte en naar de douche ging. Ik wilde weer aangekleed zijn voor ze in de kleedkamer kwam. Een naakte, roze, druipende Bunny Burford was te veel van het goede.

'Zorg dat je genoeg inslaat, hoor!' riep ze me na. 'Je kunt beter te veel hebben dan dat je er naderhand spijt van krijgt dat je niets meer hebt.'

'Oké,' riep ik over mijn schouder. 'Ik ga dadelijk zandzakken halen.'

Voor ik in de kleedkamer was, hoorde ik haar ongerust zeggen: 'Zandzakken?' Ik schoot de douche in en draaide gauw de kraan open voor ik mijn lachen niet meer kon inhouden.

In de auto, onderweg naar het eiland, vertelde ik Lewis over mijn ontmoeting met Bunny.

'Ze is nog erger dan ik al dacht,' zei ik. 'Ze insinueerde zelfs dat Camilla de hele tijd aan het intrigeren en manipuleren is om te krijgen wat ze wil. Ik denk dat Camilla een keer op de kleuterschool haar bal had afgepakt of zoiets. In elk geval is ze dat nooit vergeten.'

'Dat zal best,' lachte Lewis. 'Camilla is alles wat Bunny niet is en nooit zal worden. Wist je trouwens dat ze eigenlijk Bernice heet in plaats van Bunny? In elk geval heeft ze iets tegen Camilla sinds Charlie haar ontmoette. Ze vindt dat Camilla hem van haar heeft afgepikt. Ik heb haar er nooit iets over horen zeggen, maar sommige verpleegsters wel, en dat wordt doorverteld. Niemand gelooft er een woord van.'

'Ik hoop dat Camilla het nooit te horen krijgt.'

'Waarom niet? Ze zou zich rot lachen. Je weet dat Cam zich nooit ergens iets van aantrekt. Wie is die vriend met wie ze naar de bergen gaat?'

'Dat weet ik niet, maar hij neemt wel een geweer mee.'

Hij trok een grimas. 'Dat zou ik ook doen als Bunny mijn vriendin was. Wat voor voorraden nemen ze mee, denk je?'

'Ach, je weet wel. Flessen water. Toiletpapier. Okselkussentjes.'

'O, wat doe je nu lelijk,' zei hij grinnikend.

Het begon te betrekken toen we bij het strandhuis kwamen, hoewel het zacht was en een geur van bloemen in de lucht hing. Ik wist niet of die van het eiland kwam of van ver weg met het tij mee was gekomen. Behalve de oude Mercedes van Camilla was onze auto de enige op de zanderige parkeerplaats. Naast de trap was nu een aluminium helling aangebracht voor Boy en Girl, die de trap niet meer konden beklimmen, en voor Gladys.

'Ik gebruik hem af en toe ook,' zei Camilla. 'Het moet een fraai gezicht zijn als je die ouwe taarten naar boven ziet kruipen.'

We hadden allemaal gelachen. Camilla mocht dan nu heel krom lopen, maar ze was zo onaards mooi nu ze in de zestig was, dat de uitdrukking 'ouwe taart' niet op haar van toepassing kon zijn. Ik was er zeker van dat zij dat heel goed wist.

We stapten uit de Range Rover en laadden de spullen uit. Vanavond zou het een groots feest worden. We hadden de krabsoep van Linda Cousins meegebracht en eend en kwartel, met dank aan Robert. Ik had belachelijk dure paté met truffels gekocht. Henry en Fairlie zouden witte asperges meebrengen, die nu bijna niet te krijgen waren, en die zouden we eten met kaviaarmayonaise. Lila had een groot stuk varkensvlees gevuld en Simms zou een exclusieve champagne meebrengen waarvoor de rest van ons een hypotheek op ons huis had moeten nemen om die te kunnen bekostigen. Camilla maakte het dessert. Ze wilde niet zeggen wat het zou zijn. Ook al hadden we al ontelbare malen eten naar boven gesjouwd op deze trap, toch was het moeilijk om niet uit te zien naar het diner van vanavond. Alles aan deze dag en avond ademde verwachting uit.

Een nieuwe eeuw, een nieuw millennium... het leek allemaal zo belangrijk. Opeens, halverwege de trap, kreeg ik kippenvel, alsof iemand over mijn graf liep. Ik bleef staan en keek achterom naar Lewis.

'Wat is er?' vroeg hij.

'Dat millenniumgedoe hangt als een dreiging boven ons,' zei ik. 'Ik wil niet in een nieuw millennium leven. Ik ben nog niet klaar met het oude.'

'Loop door voor ik dit laat vallen, schat,' zei Lewis. 'Als we negentig zijn zal de *Post and Courier* ons bestempelen als de enige generatie die wisseling van het jaar én de eeuw én het millennium hebben meegemaakt. We zullen voortdurend geïnterviewd worden.'

'Mocht je willen.'

Vanaf het begin was het Camilla's avond. Ze begroette ons bij de deur, letterlijk glimmend van opwinding, en haar uitgelatenheid was bijna tastbaar. Ik had haar vaker gelukkig gezien, en lachend en opgewonden, maar nooit zoals nu. Ze straalde zo, dat je de dansende lichtdeeltjes bijna om haar heen kon zien, en haar enthousiasme kon voelen. We glimlachten allebei, en begonnen toen te lachen. We konden niet anders.

'Je ziet eruit alsof iemand je in het stopcontact heeft gestoken,' zei Lewis terwijl hij een kus op haar wang gaf. 'Vertel eens?'

'O, ik weet niet,' zei ze terwijl ze ons hartelijk omhelsde. 'Opeens moest ik denken aan al die jaren dat we hier allemaal samen zijn geweest en hoe heerlijk ik dat heb gevonden en hoeveel ik van jullie allebei hou en van iedereen, en hoe blij ik ben dat het nooit is veranderd.'

Een golf van liefde voor haar en ons en het huis kwam over me heen en ik beantwoordde haar omhelzing en draaide haar rond. Ik was minstens tien centimeter kleiner, maar ze was zo licht als een veertje, als een gevleugelde zaailing die op de wind uit een kastanjeboom dwarrelt.

'Ik ook,' zei ik. De tranen prikten achter mijn oogleden. 'Ik kan me niet voorstellen hoe al die jaren zouden zijn geweest zonder jullie, zonder ons. We zijn een familie. Nee, beter dan familie, omdat we voor elkaar gekozen hebben.'

'Je weet wat Robert Frost zei over familie en thuis,' zei Camilla glimlachend. 'Hij zei: "dat is waar, als je erheen gaat, ze je in hun midden op zullen nemen." We hebben elkaar in ons midden opgenomen door alles heen.'

'Tot de dood ons scheidt,' zei Lewis grinnikend, haar plagend omdat ze zo uitgelaten was.

'Tot dan,' zei ze met tranen in haar ogen, en ik wist dat ze het meende. Om de een of andere reden kreeg ik daardoor een onbehaaglijk gevoel.

We waren overeengekomen dat we ons deze avond formeel zouden kleden, ondanks het gemopper van Lewis en Henry, en ik ging naar onze slaapkamer en hing onze avondkleding in de naar schimmel en mottenballen ruikende kast. Is er iets anders dat net zo kan ruiken als een kast in een strandhuis? Door het raam zag ik de schaduwen van wolken op het strand en het water, en ik kon het slijkgras zien buigen onder de toenemende bries. Zand waaide tegen de ruit. Opeens snakte ik ernaar om het strand op te gaan om de wind te proeven en het opwaaiende zand in mijn gezicht te voelen prikken en schuren.

'Heeft iemand zin om te wandelen?' vroeg ik.

'Totaal niet,' zei Camilla. 'Ik ben de hele middag bezig geweest met mijn haar.'

'Ik ook niet,' zei Lewis. 'Maar met een dutje wil ik wel meedoen. Als we opschieten, kunnen we een paar uurtjes slaap pakken.'

Hoewel hij zijn praktijk grotendeels had overgedragen aan de jonge Philip Ware, ging hij er soms heen als er een spoedgeval was, en dat was de vorige avond gebeurd. Hij was tot drie uur in de nacht in de operatiekamer van Queens in de weer geweest. De meeste artsen die ik kende leden aan een chronisch gebrek aan slaap en deden dutjes wanneer en waar ze maar konden.

'Ga jij maar slapen,' zei ik. 'Ik blijf niet lang weg. Ik wil alleen de laatste strandwandeling van de eeuw maken. Lang voor donker ben ik wel terug.'

'Neem de honden mee, wil je?' riep Camilla uit de keuken, waar iets heerlijks stond te geuren.

En dus gingen de twee tegenstribbelende honden en ik de wind in en liepen de trap af naar het strand.

Het was kouder op het strand dan ik had verwacht. Er stond een oostenwind, schrijnend en ruikend naar bedompt, zout, winters water. Ik dook dieper weg in de capuchon van mijn sweater en stopte mijn handen in mijn zakken. We staken de ribbels over waar het tij liep als het vloed was, en stapten het harde zand op, vlak langs het slik dat de vloed had achtergelaten. Het begon eb te worden. Vuilwit schuim trok zich terug naar het water. Hier en daar lag een kapotte schelp of een rubberachtige tentakel van zeewier half begraven. In de winter lag het strand soms vol blaaswier en schelpen en prachtige, verwrongen stukken drijfhout, maar vandaag was het strand bijna leeg.

Boy en Girl gingen tegelijkertijd op het zand zitten en keken me verwijtend aan. Ze weigerden op te staan toen ik ze floot, dus met tegenzin wierp ik een laatste blik op de grijsgroene golven en draaide me om naar de duinen en het huis. Nu ze hun doel hadden bereikt, keken ze me triomfantelijk aan en sjokten voor me uit naar de trap.

Ik keek op naar het huis, bedenkend dat dit de laatste keer in deze eeuw zou zijn dat ik het zo zou zien, als een lichtschip boven het strand en de zee uit, in de schemering, terwijl het licht achter de ramen een warme gloed gaf. Zoals altijd deed die aanblik me goed.

Mijn blik gleed langs het huis naar het grote duin links ervan, en mijn hart maakte een sprong en leek toen stil te staan. Daar, op de duinenrij, net zoals ik lang geleden de week vóór Hugo had gezien, stond een in het grijs gehulde gestalte op me neer te kijken. Ik bleef stokstijf staan. De honden jankten verwijtend naar me.

Toen bewoog het schemerlicht en de gestalte werd Camilla, in haar oude grijze regenjas. Ze zwaaide naar me en riep iets.

'Lewis en ik gaan nog wat ijs halen,' riep ze met haar handen langs haar mond. 'We zijn zo terug!'

Ik zwaaide terug en bleef nog even staan terwijl het bonzen van mijn hart bedaarde. Ik dacht niet dat ik het had kunnen verdragen als ik weer een slecht voorteken had gezien.

Toen ze terugkwamen met het ijs, was het donker geworden. Ik had vlug gedoucht en was me boven aan het aankleden. Om de een of andere reden voelde ik me zo ademloos en bevend als een jong meisje dat naar haar eerste bal gaat. Het was natuurlijk niet de eerste keer dat we elkaar in avondkleding zagen, maar wel voor het eerst op dit eiland, in dit huis. Ik wist niet waarom het zo belangrijk was, maar dat was het wel.

'Ben je boven?' riep Camilla uit de keuken. 'Ik kan wat hulp gebruiken.'

'Ja,' zei ik. 'Ik kom.'

Ik liep langzaam over de oude trap naar beneden terwijl ik mijn vingers over de splinters van de leuning liet glijden, en stapte over de altijd vochtige plek op de loper onder het lek dat we nooit hadden laten repareren. Ik haalde diep adem en liep toen helemaal naar beneden naar de woonkamer.

'Allemachtig,' bracht Lewis uit.

'Anny, je ziet er schitterend uit,' zei Camilla.

Ik voelde dat ik, hoe belachelijk het ook was, begon te blozen.

Ik droeg een lange zwarte jurk met dunne schouderbandjes en een diep uitgesneden hals voor en achter. Ik had nog nooit zoveel decolleté laten zien. Een paar jaar geleden had ik de jurk in een opwelling gekocht bij Saks, toen bijna alles zo was afgeprijsd dat het bijna betaalbaar was. Ik was toen van mening dat een zwarte avondjurk nooit uit de mode zou raken en bij diverse gelegenheden van pas kon komen. Maar in het intieme licht van mijn eigen slaapkamer leken mijn bescheiden borsten als overrijpe meloenen uit het lijfje te puilen en de zwarte zijde omklemde mijn flinke achterwerk als wellustige handen, en ik had de jurk nooit gedragen. Maar vanavond waren we toch onder ons...

In de afgelopen paar jaar was een brede, zilveren streep verschenen in mijn haar alsof die daar geschilderd was. Ik zei weliswaar vaak dat ik net een stinkdier leek, maar stiekem vond ik het wel leuk omdat die streep het enige opvallende was aan mijn nog steeds ongetemde haardos. Deze avond droeg ik zilveren oorringen die ik in Arizona had gekocht toen ik daar een keer met Lewis en Henry in de afgelegen Four Corners-streek had gewerkt. Ze waren rijkelijk bewerkt en hingen tot halverwege mijn blote schouders. Die oorringen vormden de enige accessoires, samen met een paar vreselijk pijnlijke zwartsatijnen sandalen met hoge hakken waarvan ik me niet kon herinneren waarom ik ze ooit had gekocht. Ik had bijna geen sieraden en ik had er eigenlijk ook nooit naar getaald.

'Is het een doodzonde om je vrouw op de trap te overweldigen?' vroeg Lewis.

'Nee, alleen niet erg comfortabel,' zei Camilla lachend. 'Ga naar boven om je te verkleden, oude wellusteling. Je hebt je kans op een dutje verkeken.'

'Maak jij de wijn open en schenk een glas voor ons in, Anny,' zei ze terwijl ze hem naar boven volgde. En wil je nog een houtblok op het vuur leggen? Nee, wacht, laat Lewis dat maar doen als hij weer beneden is. O ja, Fairlie heeft gebeld. Henry is nog in het ziekenhuis bezig met een spoedgeval en hij komt zodra hij kan. Zij komt alvast alleen. Ze is woest op hem.'

Ik rommelde in de la die we de 'dingenla' noemden, op zoek naar een kurkentrekker, en ik bedacht dat het wel een beetje laat was om na al die jaren kwaad te worden als je echtgenoot de arts een spoedgeval had. Toen Camilla en Lewis weer beneden kwamen, was de wijn ingeschonken en ik had de paté en toostjes klaargezet en een schaal sesamwafeltjes die nooit ontbreken op een feest in Charleston.

Ik hield mijn adem in toen Camilla verscheen. Ik had haar gewone zilvergrijze chiffon of matgroen satijn verwacht, maar ze droeg een lange japon van donkerrood fluweel, laag uitgesneden en onder haar borsten bijeengehouden door een diamanten broche die, naar ik wist, van haar grootmoeder was geweest. De mouwen waren lang en vielen in een punt over haar slanke handen. Om haar hals droeg ze een ketting van diamanten en robijnen die wel tot de beroemde kroonjuwelen leken te horen die achter glas in een toren aan de overkant van de oceaan te bezichtigen waren. Haar koperkleurige en zilveren haar was geborsteld tot het zo statisch was dat het om haar gezicht uitstond, en net als van Camilla zelf leken er vonken af te spatten. Ze had wel een vrouw op een wandkleed in een groot kasteel kunnen zijn. Ze leek totaal archaïsch, uit een andere tijd. Dat had ik al vaak gevonden, maar vanavond was Camilla net een middeleeuws beeld van een graftombe dat tot leven was gekomen.

'Excuseer me, dan ga ik naar boven om mijn jurk te verbranden,' zei ik. 'Wat zonde om zo'n prachtige jurk aan ons te verspillen.'

'Ik zou hem alleen in jullie gezelschap durven dragen,' zei ze. 'Ik heb deze jurk al sinds mijn debutantenbal, en de ketting is van mijn overgrootmoeder Charlebois. Ze zou die hebben meegesmokkeld toen de hugenoten werden achtervolgd, maar volgens mij heeft ze hem ergens gepikt. Welke achtervolgde hugenoot kan zoiets hebben bezeten?'

Buiten klonken knerpende autobanden, en Lewis, die er netjes uitzag in zijn smoking, ging uit het keukenraam kijken.

'Lila en Simms,' zei hij. 'Uitgedost, zoals mijn *mammy* vroeger altijd zei, als muilezels in hun span.'

'Je hebt nooit een *mammy* gehad,' zei Camilla spottend. 'Jij was het enige kind in Charleston dat een blank kindermeisje had.'

'Dat blijft tussen deze vier muren,' zei Lewis, en hij ging naar beneden om Simms te helpen met het krat champagne.

Zoals veel mannen uit de chique binnenstad droeg Simms zijn avondkleding alsof hij ervoor geboren was, en dat was hij natuurlijk ook. Al werd zijn buik nog zo dik en kreeg hij onderkinnen, en hoe vaak we hem ook zagen in door het zout gevlekte zeilkleding of zijn afschuwelijke oude geruite zwembroek, Simms in avondkleding was indrukwekkend en het paste zo bij hem dat je meteen dacht als je hem zag: 'Ja, natuurlijk.' Zelfs een Simms die door het zand zwoegde terwijl hij het krat aan het ene uiteinde vasthield, was onmiskenbaar iemand die uit de wijk ten zuiden van Broad Street afkomstig was.

Hoe krijgen ze het voor elkaar? had ik me meer dan eens afgevraagd.

Lila, die op zilverkleurige sandalen door het zand stapte, zag er in het licht van de oude gele insectenlamp buiten uit zoals ze moest zijn geweest tijdens haar debutantenbal. Dat was het St. Cecilia-bal, herinnerde ik me, dat alleen voor je was weggelegd als je vader tot de society behoorde. Ze droeg een eenvoudige witte japon met een bescheiden decolleté, met kapmouwtjes en een prinsessentaille, en het beroemde parelsnoer van haar moeder dat uit drie rijen bestond. Ze had haar haar opgestoken, en Lila Howard had een lelijk eendje tussen de zwanen kunnen lijken tot ze zich omdraaide. Aan de achterkant was haar jurk tot de taille of misschien zelfs iets lager uitgesneden, en de rok had een split tot de knieën. Ze was zo mager dat haar ruggenwervels uitstaken, maar een onsje vet extra zou helemaal niet bij haar hebben gepast, dacht ik. Lila zag er, net als Simms, precies uit als wie ze was. Op de een of andere manier trokken ze blikken als licht in het donker.

Fairlie was met hen meegereden. Ik had Fairlies zeegroene zijden japon al eerder gezien, een glanzende rechte jurk die aan de voorkant tot de knieën reikte en één schouder bloot liet. Maar wat ze ook droeg, je kon je blikken niet van haar afhouden. Haar prachtige rood en zilveren haar reikte tot haar schouders, en op haar wangen lagen twee rode vlekken. Die had ik al eerder gezien. Het was geen rouge, maar kwaadheid. Fairlie zag er... ontvlambaar uit. Toen ik naar haar toe ging om haar een kus te geven toen ze in de keuken kwam, bedacht ik dat het niet altijd makkelijk moest zijn als je met Fairlie getrouwd was. Opwindend, amusant, verleidelijk, ja. Maar zelden makkelijk. Ik had nooit het idee gehad dat Henry het erg vond, want hij liet nooit iets in die richting blijken. Maar ik dacht ook dat ik niet graag de volle laag zou willen krijgen van die felle blauwe ogen, wat hem beslist zou overkomen als hij hier eindelijk kwam.

Het had een gespannen avond kunnen worden, maar Camilla's stralende geluk verdreef alle spanning. Ze zat bij de haard terwijl haar voldoening als honing uit haar leek te vloeien, en geen van ons had de avond voor haar willen bederven, net zomin als we een kind hadden kunnen slaan. We glimlachten net zo vrolijk als zij om haar herinneringen aan onze vakanties op het eiland; als ze lachte, dan lachten we verrukt mee, zoals je zou doen als je een klein kind hartelijk hoorde lachen. Het duurde niet lang of we waren helemaal in de ban van Camilla. Als ze ons zou hebben gevraagd om van de uitkijkpost op het dak te springen, dan hadden we dat onmiddellijk gedaan.

Opeens schoot me iets te binnen.

Bunny Burford had gelijk, dacht ik. Ze krijgt inderdaad precies wat ze wil. En dat geven we haar maar wat graag. Ze krijgt het alleen al voor elkaar door haar lach en haar hartelijkheid. Wie kon daar nee tegen zeggen? Als dat gemanipuleer is, dan is het ook fascinerend, een geschenk aan ons allemaal. Misschien heeft dat ons zo lang bij elkaar gehouden. Ik dacht altijd dat het door het huis kwam, maar misschien kwam het gewoon door Camilla. Het leek net een betovering, of hekserij.

En ik glimlachte vol genegenheid en geamuseerd naar mijn dierbare vriendin. Ze glimlachte terug, een glimlach die je verwarmde en omsloot. Jij bent de meest speciale persoon in mijn leven, zei die glimlach.

'Ik wacht geen minuut langer op Henry,' zei Fairlie, terwijl ze opstond om naar haar asperges te kijken. 'Hij eet de restjes maar. We zitten allemaal te rammelen van de honger.'

Van ons allemaal leek Fairlie de enige te zijn die zich nooit liet meeslepen door Camilla's betovering. Ze zat rechtop in haar stoel bij de haard, met haar benen over elkaar geslagen, terwijl ze haar ene voet liet bungelen. Het deed me denken aan de zwiepende staart van een grote kat. Haar mond was een rechte lijn en ze hield haar toegeknepen ogen strak op Camilla gericht. Ik begreep niet wat haar bezielde. Als ze kwaad was, moest ze dat maar uitleven op Henry.

Ze ging naar de keuken en we keken allemaal naar Camilla. Zij keek Fairlie met een soort liefdevolle verbazing na.

'Misschien heeft ze wel gelijk,' zei ze. 'Henry kan nog wie weet hoe lang worden opgehouden.'

We stonden met tegenzin op omdat we de magie van het afgelopen uur niet los wilden laten. Toen klonken snelle voetstappen op de trap aan de achterkant, de deur vloog open en Henry stormde hijgend en met een brede grijns de keuken in alsof hij kilometers had gerend.

'Zeg niet dat ik het diner heb gemist,' zei hij.

We barstten allemaal in lachen uit. Hij had een gekreukte blauw doktersuniform aan en de klompen die veel chirurgen droegen als ze opereerden, met daaroverheen zijn perfect aangemeten smokingjasje en een zwarte stropdas, die los om zijn nek bungelde. Op zijn gezicht lag zijn gewone gelukzalige glimlach en zijn zilvergrijze haar hing in zijn ogen. Opeens was ik vervuld van liefde voor hem.

Camilla haastte zich naar hem toe en omhelsde hem. Toen legde ze haar hoofd in de nek en keek naar hem op.

'Idioot, wat hou ik toch van je,' zei ze. 'Je bent zo'n schat.'

En de sfeer werd weer luchtig en vrolijk.

We gingen laat aan tafel. Camilla had de grote, zilveren kandelaar van haar moeder tevoorschijn gehaald, en de ivoorkleurige kaarsen brandden gelijkmatig in het midden van de tafel. De tafel zelf was gedekt met het witte damast van Lila's moeder. De bijpassende servetten, vond ik, waren zo groot als theedoeken.

'Mijn moeder waste en streek de servetten altijd zelf,' zei Lila. 'Eliza mocht dan veel beter kunnen wassen en strijken, maar niemand mocht van moeder aan de servetten komen. Wee degene die er iets op morste of ze zelfs maar gebruikte om hun lippen te betten. Ik heb zin om er stuk voor stuk rode wijn op te gieten.'

'Ik weet precies wat je bedoelt,' zei Camilla. 'Toen ik een jaar of acht was, gebruikte ik de servetten van mijn moeder om er verband van te maken voor het ziekenhuis dat ik was begonnen. De honden waren mijn patiënten. Je begrijpt zeker wel wat hondenspeeksel kan doen met oud damast.'

'Ik heb een keer mijn initialen gekerfd in ons linoleum,' zei ik. 'Mijn moeder merkte het pas toen ze vier jaar later weer een keer nuchter was.'

Iedereen begon te lachen. Mijn afkomst was nu onderdeel van onze geschiedenis, van ons allemaal. Niemand voelde zich er ongemakkelijk door.

Het eten was verrukkelijk. We bleven tot een uur of elf aan tafel en we dronken aanzienlijk van de heerlijke, fruitige merlot die Simms ook had meegebracht. In de woonkamer knetterden de houtblokken in de haard en vielen sissend uiteen. Buiten was het nog harder gaan waaien.

Ten slotte stond Camilla op en ging naar de keuken.

'Niet gluren,' zei ze. We hadden bijna weer een fles wijn op toen ze terugkwam met op een zilveren dienblad een omelet sibérienne. Hij was hoog en versierd met ingewikkelde slingers van eiwitschuim dat precies de juiste bruine tint had. Ze had er de vroege camelia's rond gelegd die met Kerstmis bloeiden in Charleston. We hielden allemaal onze adem in van bewondering. Het zag er prachtig uit.

'Ik heb geen omelet sibérienne meer gegeten sinds... volgens mij sinds je verjaardagsfeest, Camilla,' zei Lila. 'We moeten een jaar of tien zijn geweest. Ik kan me nog zo goed herinneren dat Elsie de schaal naar de veranda bracht waar we aan tafeltjes zaten, en dat ze zei dat we het vlug moesten opeten omdat het anders zou smelten.'

'En dat gebeurde ook,' zei Camilla. 'Weet je nog wat Lewis en Henry en Simms ermee hebben gedaan?'

'Een sneeuwbalgevecht houden,' zei Lewis. 'Het enige sneeuwbalgevecht dat ik ooit in Charleston heb meegemaakt. Mijn god, wat was je moeder kwaad. Sindsdien heb ik nooit meer een omelet sibérienne gegeten.'

Ik voelde een steek van verlies, niet van afgunst, omdat ik geen deel had uitgemaakt van hun gezamenlijke jeugd. Ik had nog nooit een omelet sibérienne geproefd.

Het was echt een avond om herinneringen op te halen.

'Weten jullie nog dat we naar een of andere formele bijeenkomst gingen en dat jullie jongens geen zwarte stropdassen hadden? Ik weet niet meer waarom,' zei Lila. 'We waren allemaal bij mij thuis en mijn moeder belde meneer Garling zelf, en hij opende de winkel en stond op de hoek van de straat toen we langsreden, en hij gaf drie stropdassen. Jullie hebben ze in de auto omgedaan.'

'De kroonprinsjes,' mompelde Fairlie. Het klonk niet vriendelijk. Wat bezielde Fairlie? dacht ik weer.

'Het lijkt wel de dag van gisteren,' zei Camilla terwijl ze achteroverleunde. 'Grappig wat tijd kan doen. Toen ik nog jong was, dacht ik dat de tijd in een rechte lijn van de ene plek naar de andere ging, maar nu lijkt het net of de tijd allerlei bochten heeft gemaakt en zelfs af en toe op zijn passen is teruggekeerd. Je kunt op elk gegeven moment overal zijn. Hoe noemen ze dat ook weer?'

'De band van Möbius,' zei Henry. 'Wat een leuk idee. Je kunt steeds teruggaan naar elk moment van je leven.'

Camilla keek op haar horloge.

'Als ik de tijd stil kon laten staan, zou ik het nu doen,' zei ze terwijl ze glimlachend rond de tafel keek. 'Dan zou ik ons en deze avond voor altijd zo houden. Maar dat kan ik niet, dus moeten we het op één na beste doen. Dat is een verrassing. We hebben nog een halfuur tot middernacht. Jullie moeten allemaal met me mee naar buiten gaan.'

'Dat meen je niet,' zei Fairlie. 'Het is rond het vriespunt. Ik heb geen jas meegebracht.'

'Doe een deken om,' zei Camilla. 'Dit mag je niet missen.'

We wikkelden ons in wat we maar konden vinden.

'Geef me vijf minuten,' zei Camilla. 'En ik wil Henry even lenen.'

'Wanneer niet?' zei Fairlie bijna onhoorbaar.

Ik dacht dat ik de enige was die het kon horen. Ze had gelijk. Camilla had Henry vaak om hulp gevraagd sinds Charlie was overleden, en hij had altijd zonder morren voor haar klaargestaan.

Nou, en? De andere mannen hadden haar soms ook geholpen. Wij allemaal, eigenlijk. Daar waren we de Scrubs voor.

Ik keek haar en Henry na toen ze door de achterdeur verdwenen en de trap af gingen. Ze had haar oude regenjas aan en leek aan Henry's arm te zweven als een mooie wolk. Van achter zag je die vreselijke bult niet. Toen ze uit het zicht verdwenen, zei ze iets tegen hem en hij boog zich lachend naar haar toe.

'Nu!' riep ze even later, en we liepen de kou in van de stervende eeuw.

Iemand had de oude toortsen in een kring in het zand gezet en ze aangestoken, en de gloed was prachtig en bijna buitenaards. In de kring stonden grote dozen en blikken, half in het zand begraven. Vlak buiten de kring stond een aluminium wastobbe vol flessen champagne in ijsblokjes. En daarnaast een blad met van die afschuwelijke plastic champagneglazen die je rond de kerst bij de supermarkt kunt kopen.

We keken zwijgend naar Camilla en Henry.

'Vuurwerk,' zei Camilla terwijl ze haar lachen amper kon inhouden. 'Charlie was er gek op. Henry heeft het mooiste gekocht dat hij kon vinden en we steken het om twaalf uur af. De hele lucht zal erdoor verlicht worden. Dan zullen Charlie en iedereen weten dat de Scrubs er nog steeds zijn.'

En we schonken de afschuwelijke glazen vol met heerlijke champagne en hielden ze zwijgend op naar elkaar, en toen de klokken van alle kerken van Charleston en Mount Pleasant en Sullivan's Island begonnen te luiden en het vuurwerk van het park in Charleston aan de overkant van de baai losbarstte, stak Henry de lonten aan.

'Achteruit,' zei hij, en we sprongen terug toen er een grote plof klonk en de lucht vol lawaai en licht en kleur uiteenspatte. Felle bogen schoten omhoog en werden een regen vol kleur die langzaam naar de grond daalde. Enorme knallen produceerden groene, blauwe en rode bloemen die nooit in een tuin te zien waren geweest. Exploderende sterren leken halverwege in de lucht te gillen en stierven weg op het zand in sissende gele en zilveren vonken. Het was verbijsterend, een soort noorderlicht dat we voor Charlie hadden gecreëerd bij de geboorte van een nieuw tijdperk.

Een hele poos zei niemand iets. Toen fluisterde Lila: 'Wat zijn het, Henry?'

'Zevenklappers, gillende keukenmeiden, Romeinse kaarsen. Alleen niet wat we hebben afgestoken toen we nog klein waren. Dit is het echte werk. Ik heb ze bij een kraam op West Ashley gekocht. Waarschijnlijk hadden we toestemming moeten vragen.'

'Als we die al niet hebben gekregen toen we Charlie het ruime sop lieten kiezen,' zei Fairlie lachend, 'dan hebben we die al helemaal niet nodig om een paar voetzoekers af te steken.'

Nadat de laatste vonk was uitgedoofd, kusten we elkaar allemaal. Dat hadden we nooit gedaan op andere oudejaarsavonden, dan kusten we alleen onze partner, maar nu leek het volkomen vanzelfsprekend. Lewis kuste me uitgebreid, met zijn handen in mijn haar. Simms' snor prikte. Henry's kus was zacht en lief en net zo ongekunsteld als Henry zelf.

'Gelukkig nieuwjaar, lieverd,' fluisterde hij.

'Gelukkig nieuwjaar, Charlie,' zei Camilla op een lichte, heldere toon.

Ik was niet de enige die vochtige ogen had toen we de trap weer opliepen naar het warme huis.

'Ik heb cognac meegebracht,' zei Camilla. 'Laten we nog even bij de open haard gaan zitten voor we naar bed gaan. Ik wil niet dat de avond nu al is afgelopen.'

We zaten zonder veel te zeggen voor het dovende vuur oude Courvoisier te drinken. Mijn brein, verdoofd door de cognac en de gloed van het vuurwerk, fladderde heen en weer door de jaren die we in dit huis hadden doorgebracht, eraan nippend als een kolibrie. Lewis zat op de doorgezakte bank naast me en hield mijn hand vast terwijl zijn vinger over mijn pols streek. Het bleef heel lang stil.

Toen zei Camilla: 'Nog één ding. Ik heb heel lang nagedacht over hoe we deze nacht moeten beëindigen, en ik heb een prachtidee. Ik hoop dat jullie het allemaal met me eens zijn. Laten we onze eed opnieuw afleggen. Laten we die plechtige gelofte van de Scrubs herhalen dat we altijd voor elkaar zullen zorgen en zweren op de foto, net als toen.'

Haar ogen en huid glansden, en haar mondhoeken waren opgetrokken in de zachte glimlach die altijd verscheen als ze een van ons een plezier had gedaan, een glimlach van genoegen en voldoening dat ze ons had kunnen helpen. Als ze me op dat moment had gevraagd om een moord voor haar te plegen, dan had ik het gedaan.

We stemden allemaal enthousiast toe. Net als de rest van Camilla's avond was dit gewoon perfect.

Simms was opgestaan om de foto van de muur te halen, toen Fairlie zei: 'O, laten we dat een andere keer doen. We moeten nu echt terug, en ik wil dit niet overhaast doen.'

We keken allemaal naar haar. Haar wangen gloeiden.

'Blijven jullie niet slapen?' vroeg Camilla. Dat deden ze anders altijd op oudejaarsavond. Wij allemaal.

Niemand zei verder iets. Bevreemding kringelde op.

'Ach, ik wilde de volgende duizend jaar in mijn eigen bed beginnen.'

'Je eigen bed is ook boven,' zei Camilla zacht. Ze keek naar Henry, die niemand aan wilde kijken. Ten slotte hief hij zijn blik op naar Camilla, en toen naar ons.

'We moeten jullie iets vertellen,' zei hij. 'Het heeft geen zin om het uit te stellen.'

'Henry!' riep Fairlie. 'Je had het beloofd!'

'Het is niet juist, Fairlie. We hebben het te lang op zijn beloop gelaten,' zei hij, en zijn stem klonk scherp en vlak. Ik had hem nog nooit zo tegen haar horen praten. De adem stokte me in de keel. Wat het ook was, ik wilde opeens liever sterven dan het te horen.

'Jullie weten dat ik eraan denk om met pensioen te gaan,' zei hij. 'We hebben besloten dat ik dat begin van de zomer zal doen en... en daarna gaan we naar Kentucky.'

Hij zweeg even, alsof hij op ons antwoord wachtte, maar niemand zei iets. Camilla stiet een geluidje uit van pijn, maar ze zei niets. Fairlie keek strak in het vuur, met samengeknepen lippen.

'Fairlie heeft haar leven grotendeels geschonken aan mij en aan Charleston,' zei Henry op bijna smekende toon. 'Het is niet meer dan eerlijk om de rest in haar geboorteplaats door te brengen. Haar broer verkoopt de familieboerderij aan ons en Fairlie kan paarden houden. Al haar oude vrienden zijn daar, en ze heeft altijd al renpaarden willen fokken.'

'En wat ga jij doen?' vroeg Lewis met gesmoorde stem. Ik wist dat hij of bijna in tranen was, of woedend. Zelf voelde ik me helemaal uit het lood geslagen.

'De stallen uitmesten,' zei Henry, maar aan zijn stem kon je horen dat de grap niet gemeend was. 'Nee, ik zal veel meer tijd besteden aan de vliegende dokters en misschien ga ik nog wat consulten doen in Louisville. Dat is niet ver. En we komen elke zomer hierheen. We willen Nancy en de kinderen vaak zien en natuurlijk kunnen we niet zonder jullie. We zullen tijd genoeg hebben. Daar ga je uiteindelijk voor met pensioen.'

Nog steeds zei niemand iets. In de stilte kon ik muren horen instorten en cement uiteenspatten.

Daarna mompelden we allemaal beleefd onze beste wensen en we waren het erover eens dat we hen natuurlijk bijna net zo vaak zouden zien als nu. Ik wist dat niemand het geloofde. Fairlies blik was gericht op iets wat heel ver van dit huis verwijderd was. Ik vroeg me af of ze er eigenlijk ooit wel echt van gehouden had. Ik vroeg me af of ik haar ooit echt had gekend.

Ze stonden op om te vertrekken, en Camilla ging naar hen toe en kuste hen beiden op de wang.

'Het enige belangrijke is dat jullie gelukkig zijn,' zei ze. Haar ogen waren gesloten. Ik wilde ze niet zien. Henry's ogen hadden een lege blik.

Toen ze weg waren, gingen we een voor een de trap op naar onze slaapkamers. Er viel niets meer te zeggen. In het hoge, oude bed in de kamer die altijd van ons was geweest, klampten Lewis en ik ons aan elkaar vast onder de stoffige dekens. Eén keer wilde hij iets zeggen, maar ik schudde mijn hoofd tegen zijn hals. Ik denk dat hij na een poos in slaap is gevallen.

Maar ik kon heel lang de slaap niet vatten. Ik lag stil naar de bundel maanlicht te kijken die, bezaaid met stofdeeltjes, door het raam naar binnen viel over ons bed en uiteindelijk vervaagde. Camilla's kamer was naast die van ons, en hoewel ik mijn oren spitste, hoorde ik geen enkel geluid. Ik besloot naar haar toe te gaan zodra ik iets zou horen wat erop wees dat ze verdriet had. Maar behalve de wind en het zand dat tegen de ruiten striemde, was er niets te horen.

Toch was het alsof ik haar door de wand heen kon zien en voelen, of ik haar fysiek kon aanraken. Ik kon bijna pijnlijk duidelijk Camilla Curry in de kamer naast die van ons zien: Camilla lag heel stil in haar bed, gespannen tot in alle vezels van haar lijf. Ik had het vreemde gevoel dat ze de wacht hield.

Op de eerste dinsdag van het nieuwe jaar zou ik naar New Orleans vliegen voor een conferentie. Ik was nog steeds geschokt en bijna fysiek gekwetst, en ik wilde niet weg.

'Ga nu maar,' zei Lewis. 'Het zal je helpen.'

Dus trof ik mijn voorbereidingen.

Op de ochtend van de dag van mijn vertrek belde Fairlie. Ik schrok toen ik haar stem hoorde, alsof ze vanuit het graf sprak. Maar het was haar normale stem, vol en traag, en deze keer een en al ergernis.

'Ik ben zo kwaad op Henry dat ik wel op hem kan spugen,' zei ze. 'Hij gaat vanavond weer weg met die vervloekte vliegende dokters, en hij had beloofd dat hij met me naar *Tosca* zou gaan in het Galliard. Ik loop weg van huis. Heb je zin om met me naar het eiland te gaan voor een paar dagen? Dan houden we een pyjamafeest met alle idiote dingen die erbij horen.'

Het was alsof ze nooit in één klap een einde had gemaakt aan de Scrubs.

'Ik ga ook de stad uit,' zei ik terwijl ik mijn stem zo neutraal mogelijk probeerde te houden. 'Maar het is een leuk idee. Misschien wil Camilla wel mee.'

'Nee,' zei Fairlie. 'Ze zei dat ze griep had. Ze klonk vreselijk.'

'Nou, vind je het dan erg om er alleen te zijn? Ik vond het altijd heerlijk.'

'Nee, eigenlijk niet,' zei ze. 'Het zal goed voor me zijn. Dan kan ik zo chagrijnig en onuitstaanbaar zijn als ik wil. Misschien ga ik wel naakt over het strand rennen. Misschien ga ik op het vuur plassen. Misschien ga ik wel wormen eten.'

Ik moest even lachen omdat ze weer klonk als de oude Fairlie, en omdat ik haar in staat achtte om dat allemaal te doen.

'Plas maar raak,' zei ik. 'Ik zie je wel als ik terug ben.'

Ik belde naar Camilla. Haar stem klonk hees en ze was nauwelijks verstaanbaar.

'Heb je griep?' vroeg ik. 'Dat zei Fairlie tenminste.'

'Nee, gewoon een keelontsteking. Ik had alleen geen zin om met haar naar het eiland te gaan.'

'Vind je het een vervelend idee dat zij er is? Ik wel.'

'Natuurlijk niet,' zei Camilla. 'Het is net zo goed haar huis als dat van mij. Ik heb alleen gewoon geen zin om erheen te gaan.'

'Nou,' zei ik. 'Word maar gauw beter. Over een paar dagen ben ik terug, dan kom ik bij je langs.'

'Doe dat,' zei ze. 'Ik zal je missen.'

De conferentie in New Orleans duurde lang en leverde vrijwel niets op, en om de boel nog erger te maken, had mijn aansluitende vlucht van Atlanta naar Charleston vier uur vertraging. Het was bijna drie uur in de ochtend toen ik de auto ons erf in Bull Street op reed. Er brandde licht achter de ramen van de benedenverdieping. Ik fronste mijn wenkbrauwen. Ik had gedacht dat Lewis op Edisto zou zijn.

Hij zat aan de keukentafel, met een onaangeroerde kop koffie voor zich. Hij was in zijn operatiekleren en hij zag er vreselijk uit, helemaal wit en met holle wangen. Zijn ogen en neus waren rood, alsof hij had gehuild.

'Mijn god, Lewis, wat is er?' riep ik terwijl ik naar hem toe holde en me op mijn knieën naast hem liet vallen.

Hij pakte mijn beide handen en kneep er zo hard in dat ik ineenkromp. Ik wist dat hij het niet merkte.

'Anny...' zei hij, en toen stierf zijn stem weg. Hij schraapte zijn keel. Ik wachtte, terwijl ik me helemaal leeg voelde vanbinnen.

'Anny. Het strandhuis is afgebrand. De afgelopen avond. Er is niets meer van over.'

Het bloed gonsde in mijn oren. 'Fairlie,' zei ik.

Zijn stem leek van heel ver te komen.

'Fairlie is er niet uit gekomen,' zei Lewis, en hij begon te huilen.

Deel drie

8

Het nieuwe huis – of liever gezegd huizen – stond op een kleine hoogte vol dwergpalmen en eiken, met uitzicht over kale, wintergrijze moerassen op een brede, door de wind gegeselde strook loodgrijs water. Eromheen was zo ver je blik reikte niets anders te zien dan moeras, laag duin, bos, water en lucht. Wildernis. Het was prachtig, zelfs in de winter, en ik wist dat het spectaculair zou zijn als het moeras groen kleurde in de lente en de watervogels en de kleine, scharrelende bewoners van de kreek terugkwamen. Het was begin februari, en het water en het moeras en de bossen in de verte werden gekleurd door een lage, paars met oranje zonsondergang. Er heerste zo'n diepe stilte dat je onwillekeurig ging fluisteren. Hoewel het kreek- en moerasland veel leek op dat van Sweetgrass, voelde het anders aan. Toen Lewis en ik uit de auto stapten en naar de drie huizen keken, verlangde ik plotseling hevig naar het geluid van de zee.

We waren van de Maybank Highway afgeslagen en van Wadmalaw Island overgestoken naar John's Island. Het leek een lange rit. Ik was gewend aan het half landelijke landschap in de richting van Edisto, en de banale opeenhoping van kleine verkavelingen, winkels, fastfoodrestaurants en hier en daar terreinen waar tweedehands auto's werden verkocht.

Hoewel Lewis het me niet had verteld, wist ik dat we een plek gingen bekijken die de anderen als mogelijke vervanging voor het strandhuis in aanmerking vonden komen. Nou ja, dat kon natuurlijk niet, maar een woonplek aan het water als toevluchtsoord voor de Scrubs. We hadden er niet over gesproken, maar ik wist dat ik in elk geval nooit meer zou teruggaan naar Sullivan's Island, nooit meer die aanblik van de warme zee wilde aanschouwen en het geluid van de golven niet meer wilde horen. Maar daarom treurde ik er nog wel om, net zoveel als om Fairlie, en ik dacht niet dat het nieuwe huis me zou bevallen. Dat zei ik niet, maar ik wist dat Lewis mijn zwijgen net zo goed zou begrijpen als mijn woorden. Hij zei ook weinig tijdens de rit. Toen hij ten slotte zei: 'We zijn er,' klonk zijn stem schor van het lange zwijgen.

De grindweg vanaf de afslag was vol met regenwater gevulde kuilen, en hoewel aan weerszijden kleine, lage, stenen gebouwen stonden, was de weg zelf overhangen met mos en takken. Verder leek er niets anders te zijn dan de oude bossen. Om de stammen van enkele bomen waren verschoten oranje linten gebonden, maar die verstoorden de kille afzondering niet. Toen we op een open plek kwamen en de huizen en het moeras en het water erachter zagen, begon me iets te dagen. Het leek of er iets heel anders hoorde te staan aan het uiteinde van die lange, brede steiger die zich over het moeras uitstrekte en waar geen einde aan leek te komen. Ik kon het bijna in gedachten zien, een soort overkapping onder aan de hoogte en de drie fraaie huisjes in een halve cirkel om een ronde oprit van schelpgruis stonden.

Ik keek met gefronste wenkbrauwen naar Lewis, en hij grinnikte en zei: 'Booter. Weet je nog?'

En opeens wist ik het weer: het paviljoen met het zinken dak waar we heel lang geleden oesters hadden gegeten en bier gedronken en gedanst hadden onder een witte maan, de eerste keer dat ik met Lewis uit was geweest. Nu was er geen iel lattenwerk van inzakkende steigers en groezelige, deinende boten meer, maar het chique, vergrijsde plankenpad en steiger met aan het uiteinde een Victoriaans paviljoen met siersmeedwerk, en drie aanlegplaatsen voor boten, die nu leeg waren.

Ik keek achterom naar de huizen, waarover een roze gloed lag van de laatste zonnestralen. Ze waren omgeven door dikke rijen oleanders en maagdenpalmen, en de grote eiken erachter vormden een zilveren decor met hun slierten Spaans mos. Ik wist dat in de lente de varens prachtig groen uit hun stammen zouden groeien. De huizen hadden lange, lage veranda's en schommelbanken, en vlak erachter ving ik nog net een glimp op van een groot, omsloten geheel, hetgeen betekende dat daar een zwembad moest zijn. Er was ook een laag gebouwtje dat een gastenverblijf bleek te zijn. Achter de ramen met verticale stijlen van het middelste huis gloeide warm licht.

'O, Booter,' zei ik met een brok in mijn keel. 'Wat is er met Booter gebeurd?'

Lewis liep om de auto heen en opende mijn portier, maar ik stapte niet uit. Ik wilde de portieren dichttrekken, de auto keren en zo snel mogelijk wegrijden van deze mooie plek die op de resten van Booter's Bait and Oysters was gebouwd. Iets van mijn jeugd was nu begraven met Booter's.

Er blijft steeds minder van ons over, dacht ik. Niets van de mensen die we waren. Dat is allemaal vervlogen of verbrand of begraven.

'Booter is in het ziekenhuis. Hij heeft Alzheimer en emfyseem,' zei Lewis. 'Hij ligt er al heel lang. Henry en Simms en ik zoeken hem wel eens op, maar hij kent ons niet meer. Ik denk niet dat hij nog lang te leven heeft. Een jaar of vijftien geleden heeft hij zijn restaurant en het land eromheen, ongeveer veertig hectare, verkocht aan een stinkend rijke vent uit New Jersey, die er een landhuis voor zijn familie van wilde maken en een privé-plek voor zijn maten om te jagen en te vissen. Hij heeft deze huizen en de steiger kunnen neerzetten voor hij de cel in moest wegens aandelenhandel met voorkennis.'

'Van wie is het nu?'

'Van Simms,' zei Lewis. 'Hij had het als investering gekocht nadat die vent in de bak ging. Ik denk dat hij er ooit een of ander bouwproject van wilde maken, maar tot nu toe heeft hij er niets aan gedaan. Hij heeft de huizen en de steiger goed onderhouden, maar voor de rest is alles nog zoals het was. We dachten dat we misschien... je weet wel...'

'Het is heel mooi,' zei ik. 'Niet bepaald wat je van een fraudeur uit New Jersey zou verwachten. Laten we gaan kijken. Iemand is ons al voor geweest, maar dat wist jij vast al.'

Hij knikte grinnikend, en we liepen met knerpende voetstappen over de oprit naar het middelste huis op Booters moeras.

Het weekend na de herdenkingsdienst voor Fairlie kwamen we allemaal, behalve Henry, bijeen in Camilla's appartement en zaten uit te kijken over het koude, woelige water van de haven terwijl we praatten over wat we nu moesten doen. Af en toe stokte iemand om tranen af te vegen, en Lewis en Simms zaten de honden te aaien en strak naar de open oceaan te kijken, niet naar het eiland. Henry was niet bij ons. Ik wist niet of hij dat ooit weer zou zijn.

Niemand had zin gehad in deze bijeenkomst of dit gesprek, maar Camilla had er op aangedrongen.

'Als we geen plan maken, doen we helemaal niets en dan verwatert het contact tussen de Scrubs en heeft niemand van ons elkaar nog. Ik weet dat niemand wil praten over een ander huis. Maar we moeten hoe dan ook door, en ik denk dat we elkaar nodig hebben en het water, en daar kunnen we niet vroeg genoeg mee beginnen. Het zal nooit meer hetzelfde zijn, maar misschien zal het iets werkelijks voor ons worden. Een andere plek voor veranderde mensen, maar nog steeds van ons. Ik heb die "ons" van ons nodig. Denk er dan alsjeblieft in elk geval over na omwille van mij.'

En ik voelde een steek in mijn hart, want Camilla vroeg letterlijk nooit om iets. En van ons allemaal had zij het meeste verloren. Charlie, haar vriendin en haar huis. Ik beschouwde het nog steeds als Camilla's huis. Ik denk dat wij er allemaal zo over dachten, behalve misschien Camilla zelf.

'Ik vind dat we het moeten doen,' zei ik terwijl ik mijn keel schraapte. 'Ik denk dat we het niet te lang op zijn beloop moeten laten. Stel dat we alleen maar "ons" kunnen zijn in elkaars gezelschap?'

We keken elkaar aan en toen naar Camilla. Ze glimlachte vaag, maar in haar ogen lag een smeekbede die bijna pijnlijk was om te zien. Ik vroeg me af of ik de enige was die het opviel dat Camilla eruitzag alsof ze door iemand was uitgehongerd en geslagen. Ze leek in amper een week jaren ouder te zijn geworden. Haar innerlijke gloed was weg. Ik denk dat we het met alles eens zouden zijn geweest om die gloed weer terug te laten komen.

Binnen vijf minuten was overeengekomen dat we een plek aan het water zouden zoeken waar we in de weekends en zomer naartoe konden, niet te ver van Charleston, maar op een flinke afstand van de weg en bruggen over de Cooper River naar Sullivan's Island. Ik denk dat bijna niemand van ons het op dat punt veel kon schelen waar die plek zou zijn of zelfs hoe het er zou zijn. Ook al wilden we geen nieuw huis, we hadden het nodig. Dat leek voorlopig voldoende.

'Misschien weet ik wel iets,' zei Simms. 'Het kan heel geschikt zijn. Ik ga kijken en dan laat ik het jullie wel weten.'

'O,' zei Lila. 'Als het is wat ik denk dat het is, zullen jullie het prachtig vinden.'

'Dat betwijfel ik,' zei ik tegen Lewis op de terugweg naar Edisto. 'Maar ik zou het vreselijk vinden als we gewoon uit elkaar groeien. En Camilla wil ons zo graag bijeen houden.'

'We gaan in elk geval kijken,' zei Lewis. 'Je weet dat van Sullivan's geen sprake is, Anny, maar dat wil niet zeggen dat iets anders niet goed kan zijn.'

En nu, staande in de koude, snelvallende schemering op Booter's oude plek, keek ik naar de verlichte ramen, rook de zoete geur van brandend drijfhout en ceder en hoorde het klotsen van de rivier tegen de palen van de steiger, zoals ik op Sweetgrass hoorde, en ik dacht dat dit heel misschien goed zou kunnen zijn. Of in elk geval niet slecht.

Camilla wierp de deur open toen Lewis aanklopte, en we liepen een groot vertrek in met een balkenplafond en een grote, stenen open haard met aan weerskanten boekenplanken. Er waren weinig meubels, maar rond het vuur stonden een grote, donkerblauwe bank en twee met gebloemde chintz overtrokken fauteuils die ik herkende uit haar huis in Tradd Street, en het wollen kleed dat Lila na Hugo aan Camilla had gegeven, lag voor de haard op de brede, zachtgroen geschilderde houten planken. De ramen waren klein en diep en met verticale raamstijlen, maar er waren er veel van in de muur met uitzicht op het moeras en de rivier, en de laatste gloed van de zonsondergang weerkaatste in de ruiten. Het licht hier moest prachtig zijn, behalve misschien in de namiddag, als het de kamer volledig in beslag zou nemen. Maar dan kon je de gordijnen dichttrekken. Ze waren zwaar en gevoerd, gemaakt van ruw linnen in een iets donkerder groen dan de vloer.

Goed gedaan, dacht ik terwijl ik om me heen keek. Camilla stond glimlachend met haar handen voor zich in elkaar gevouwen te wachten. Hoe dan ook, het is een mooi huis. Een echt huis. Ik kan me op deze vloeren geen zand voorstellen, of roeiriemen en krabbennetten in de hoek, of oude strandschoenen van vijftien jaar geleden onder de keukentafel. Maar misschien is dit juist nu wel beter voor ons.

Camilla ging de kamer uit om drankjes te halen en ik zei tegen Lewis: 'Het is mooi, hè? Maar het ziet eruit als een huis voor volwassenen. Het strandhuis was altijd voor kinderen, ook al waren die groot geworden.'

'Zou het zo erg zijn om volwassen te worden?' vroeg Lewis.

'Niet als ik me niet hoef te verkleden voor het diner en schoenen moet aantrekken.'

'Je hoeft helemaal niets aan te trekken,' zei hij. 'Er zijn nog twee huizen precies als dit, plus een gastenverblijf. Wij zouden een ervan krijgen. Je kunt de hele dag in je blootje lopen zonder dat iemand het zou weten. Goed idee trouwens.'

Camilla kwam met de drankjes en zei: 'Denk je dat je het hier zou kunnen uithouden, Anny? We kunnen natuurlijk naar andere huizen kijken, misschien iets wat groot genoeg is voor ons allemaal samen, zoals het oude huis. Maar we hebben immers altijd gezegd dat we zoiets als dit zouden doen? Zo wonen. Misschien moeten we het een jaartje uitproberen.'

'Het lijkt... ach, ik weet niet. Gróót,' zei ik. 'Denk je niet dat we hier een beetje verloren zullen ronddwalen?'

'Er moet plaats zijn voor Henry,' zei Camilla.

'Denk je dat hij terugkomt?'

'Hij komt terug.'

Want we waren Henry kwijt, en het gemis was als een dodelijke wond.

Ik had hem amper gezien sinds vóór de brand, hoewel ik wist dat Lewis en Simms hem de dag na die afschuwelijke nacht hadden gezien. Maar daarna leek hij te zijn verdwenen. Hij nam de telefoon in Bedon's Alley en die op zijn kantoor niet op, en bij Nancy konden we hem ook niet bereiken. Ze leek niet te weten waar hij was, en haar stem klonk zo vol verdriet dat ik het niet over mijn hart kon verkrijgen om door te vragen.

'We zien hem wel bij de herdenkingsdienst,' zei Lila, nog wit van de schok. En Camilla nog meer gebogen dan door de osteoporose, was het met haar eens.

'We moeten hem maar een poos met rust laten,' zei ze. 'Hij ging er vaak in zijn eentje vandoor als er iets ergs was.'

Ik kon me niets ergers voorstellen dan wat Henry nu moest doorstaan, en ik was het ermee eens dat we hem niet zouden lastigvallen door hulp of troost aan te bieden. Daar had hij nu gewoon niets aan, en dat zou nog heel lang zo blijven.

Henry zou na de dienst de as van Fairlie – en niemand van ons kon ook maar verdragen om te denken aan hoe letterlijk die term was – naar de boerderij in Kentucky meenemen en hij zou aanwezig zijn als ze in de aarde van haar geboortegrond werd begraven.

'Meer weet ik niet,' zei Lewis dof, twee dagen na de brand. Hij had Henry sindsdien ook niet meer persoonlijk gesproken, maar hij had een briefje van hem onder de ruitenwisser van de Range Rover op het erf in Bull Street gevonden. We bleven daar tot na de herdenkingsdienst, die in het huis van Henry en Fairlie in Bedon's Alley zou worden gehouden. Ik kon me dat huis niet voorstellen zonder Fairlies rusteloze aanwezigheid, en evenmin kon ik me voorstellen dat Henry daar alleen zou blijven wonen. Net als de anderen kon ik niet verder denken dan tot de herdenkingsdienst.

Op een avond, enkele dagen voor de dienst, kwam Henry aan de deur in Bull Street met Gladys aan de lijn. Zowel de man als de hond zag eruit alsof ze vel over been waren. Henry was helemaal grauw... zijn gezicht, zijn haar, zijn mond. Naast hem stond Gladys zachtjes te jammeren en te rillen. Ze wist niet waar ze was, maar ze voelde aan dat er weinig goeds zou komen van dit uitje.

Nee, hij kwam niet binnen, zei Henry formeel, of eigenlijk vreemd schuchter. Hij keek ons niet recht aan.

'Ik moet heel veel regelen, en ik wil heel graag dat jullie iets voor me doen,' zei hij.

'Zeg het maar,' zei Lewis en ik tegelijkertijd.

'Ik wil graag dat jullie Gladys in huis nemen. Ik kan... niet meer voor haar zorgen. Ik heb haar mand en deken en eten en medicijnen in de auto, en als jullie het willen doen, laat ik Tommy en Gregory het golfkarretje morgen naar Sweetgrass brengen. Ik zou het ontzettend op prijs stellen als ze bij jullie mag blijven en jullie haar geregeld mee uit willen nemen in het karretje. Ze zal het heerlijk vinden op Sweetgrass, en ze is gewend om in het karretje bij water te worden rondgereden. Ik dacht dat als jullie allemaal, je weet wel, een nieuw huis vinden...'

'Je weet dat we haar in huis zullen nemen. Ik hou van haar,' zei ik, en ik begon te huilen. Hij omhelsde me, kort en hard. Ik voelde zijn hart onder zijn scherpe borstbeen zwaar en traag bonzen. Hij bukte zich, legde zijn kin op mijn hoofd, en keek toen voor het eerst Lewis en mij aan.

'Ze is oud,' zei hij. 'Misschien ben ik niet op tijd terug. Ik heb altijd gevonden dat ze net zo lang in leven moet blijven tot het te zwaar voor haar wordt. Jullie kennen haar bijna net zo goed als ik, dus jullie zullen wel weten of het een keer zover is. Ik hoop dat jullie het met me eens zijn.'

Ik knikte zonder iets te kunnen uitbrengen, en Lewis stak zijn hand uit en Henry greep die beet met beide handen. Zijn knokkels waren blauwwit.

'Ik zal jullie bellen,' zei hij. 'Het kan een poos duren, maar ik zál bellen. Ik moet... weg tot ik kan... nou ja. Ik hoop dat jullie dat ook zullen begrijpen.'

Hij bukte zich, sloeg zijn armen om Gladys en hield haar heel lang vast. Hij zei iets in haar eens zo glanzende oor en toen was hij weg. Gladys begon toen in ernst te janken, en toen ik weer door mijn tranen kon zien en knielde om haar in mijn armen te nemen, rilde ze hevig.

Die avond namen we haar in bed en ze lag in mijn armen tussen ons in, tot het rillen eindelijk afnam en ophield. Ik kon al haar botten voelen en haar haperende hart. Ze had vast weinig avonden doorgebracht op haar oude dag zonder de geur van Henry en Fairlie in haar neus.

Vlak voor het licht werd voelde ik haar poten trekken, een teken dat ze droomde, en ik fluisterde tegen haar: 'Ik hoop dat het de allermooiste dromen van de wereld zijn en dat ik ze allemaal kan laten uitkomen.'

In heel Charleston vroegen de mensen: 'Wat is er gebeurd? Hoe heeft zoiets kunnen gebeuren? Waarom was ze daar alleen? Waar was hij?'

Vreemd, dacht ik. Het is volgens de chique kringen van Charleston heel beschaafd en natuurlijk om door ziekte of ouderdom dood te gaan, maar een ongeluk, vooral een vreselijk ongeluk zoals dit, is schokkend, bijna een taboe. Misschien krijg je dat in een hechte gemeenschap. De mensen kennen elkaar zo goed dat wat er met een van hen gebeurt, een diepe indruk maakt op de rest. Donne had gelijk. Geen enkel mens is een eiland. Eenieder is onderdeel van het grote geheel. Als de doodsklok luidt ten zuiden van Broad Street, dan luidt die ook voor ons.

'Dat weten we niet,' zei ik steeds weer in de dagen na de brand. Zoveel mensen vroegen ernaar, dat ik de tel kwijtraakte. Ik wist dat de anderen dezelfde vragen te horen kregen. In de vier dagen erna, tot de herdenkingsdienst, ging ik alleen nog maar het huis uit als het echt nodig was. Ik zegde een conferentie in St. Louis af en deed mijn kantoorwerk in Bull Street. Lila liet geen huizen zien en Camilla liet haar boodschappen thuisbezorgen. Onze antwoordapparaten maakten overuren.

Want de waarheid was dat we inderdaad niet precies wisten wat er die nacht aan het strand was gebeurd, en waarschijnlijk zouden we het ook nooit te weten komen. Het leek in elk geval vrij zeker dat het was gebeurd zoals Duck Portis, brandweercommandant op het eiland, en Bobby Sargent, inspecteur van politie, dachten. Fairlie had op de bank beneden voor het uitgaande vuur van de open haard gelegen en de petroleumkachel aangestoken omdat het heel koud was geworden. Later, waarschijnlijk door een windstoot die door de dunne glazen deuren van de veranda naar binnen was gekomen, was de oude petroleumkachel omgevallen. Er hing nog een sterke petroleumlucht in de verkoolde woonkamer, zelfs nadat het water van de brandweerauto die had doorweekt. Het kon niet lang hebben geduurd. Het huis was al jaren heel brandgevaarlijk, dat wisten we. Duck en Bobby dachten dat Fairlie diep in slaap moest zijn geweest en was gestorven door het inademen van de rook voor de vlammen haar bereikten. Maar ik zag aan Lewis' gekwelde blik dat hij daar anders over dacht. Tenslotte had hij Fairlie gezien voor ze werd weggehaald. Bobby had hem als eerste kunnen inlichten.

Duck en Bobby en Lewis en Henry hadden in hun jeugd samen zomers doorgebracht op Sullivan's Island en allerlei streken uitgehaald voor ze volwassen werden. Toen ze Henry niet konden bereiken, belden ze naar Lewis op Edisto. Hij was meteen naar het strandhuis gegaan. Nadat hij een overlijdensverklaring had ondertekend, had hij Henry in West Virginia opgespoord, die daar met een team artsen in het bergachtige kolenmijnengebied was. Naderhand herinnerde ik me dat ik de verpleegsters had opgeleid die hen vergezelden. Lewis wist niet veel meer van dat telefoongesprek. Het is hem ook nooit meer te binnen geschoten. De mens zorgt zo goed mogelijk voor zelfbescherming. Henry wilde dat Fairlie naar de rouwkamers van Stuhr werd gebracht, dus belde Lewis naar de begrafenisonderneming en vergezelde haar op de rit ernaartoe. Daarna ging hij naar het huis in Bull Street om daar op me te wachten.

Voorzover Duck en Bobby konden bepalen, was de brand om een uur of elf uitgebroken. De vakantie was voorbij en de harde, koude wind had de meeste eigenaars van vakantiehuisjes naar hun huis in de stad gejaagd. Het strandhuis lag in een uithoek, om een scherpe bocht en uit het zicht van de meeste vaste bewoners. Een automobilist die laat naar huis reed over de grote bultbrug vanuit Charleston, had de vlammen gezien en 911 gebeld.

'Waarom lag ze in vredesnaam beneden in een oude lappendeken op de bank?' vroegen de mensen. 'Er moeten minstens vijf slaapkamers zijn geweest in die bouwval. Waarom stak ze een petroleumkachel aan terwijl aan de andere kant van de kamer een grote elektrische kachel stond? Zou ze, je weet wel, hebben gedronken?'

Maar voor ons was het allemaal heel begrijpelijk. Fairlie sliep graag voor de haard. Dat deed ze vaak als ze een nacht in het strandhuis bleven. Meestal legde ze dan zoveel hout in de haard dat die de hele nacht bleef branden, maar in die ijzige kou zou dat niet voldoende zijn geweest. Ik kon in gedachten zien hoe ze de oude petroleumkachel uit de keukenkast sleepte, hem aanstak en weer de stoffige lappendeken om zich heen wikkelde. Fairlie had altijd een hekel gehad aan de elektrische kachel. Ze vond hem gevaarlijk.

'Dat zijn ze allemaal,' zei ze eens. 'Waarom lees je anders dat er daardoor huurhuizen en appartementen zijn afgebrand? Dat gebeurt nooit door een petroleumkachel.'

'Waarschijnlijk omdat zelfs onze onvermogende medemens tegenwoordig elektriciteit heeft,' plaagde Lewis haar. 'Zou jij vrijwillig de stank van petroleum willen ruiken als het niet hoefde?'

'Ik vind het lekker,' zei Fairlie koppig. 'Dat doet me denken aan de arbeidershuisjes thuis. Mijn vader goot het ook over schrammen en wonden. We trapten altijd in spijkers van hoefijzers.'

O, Fairlie, dacht ik. Als ik kon denken dat je gewoon bent weggedreven met het warme tij met de geur van thuis om je heen, dan kon ik het misschien verdragen. Misschien.

Maar dat ging niet. De blik in Lewis' ogen en zijn zwijgzaamheid stonden het niet toe.

'Heeft Henry haar gezien?' vroeg ik op de avond dat Henry was teruggevlogen uit West Virginia. Hij was direct naar de rouwkamers gegaan. Lewis en Simms hadden hem daar opgewacht. Ze wilden niet dat Lila en Camilla en ik kwamen. Lewis had Camilla zelfs pas halverwege de ochtend na de brand gebeld.

'Laat haar maar slapen,' had hij gezegd. 'Ze zal heel lang weinig slaap kunnen krijgen.'

'Nee. Hij heeft zelfs niet gevraagd of hij haar kon zien. Ik had hem aan de telefoon al grotendeels verteld hoe het was. Ze is gecremeerd. Dat had ze al lang laten vastleggen, vlak na Charlies ceremonie. Henry en Nancy en de kinderen nemen de urn mee naar Kentucky. Daar vindt de begrafenis plaats, in kleine kring. Ik geloof niet dat ze nog veel familie had.'

'Ze wilde terug naar huis. Hij zou met haar meegaan,' snikte ik. 'Maar o, Lewis, toch niet op deze manier.'

'Nee, schat. Niet op deze manier.'

'Hoe ging het met hem? Wat zei hij?'

Ik kon me niet voorstellen wat er te zeggen viel als je vrouw bij een brand om het leven was gekomen. Ik kon me niet voorstellen hoe het met Henry zou zijn.

'Hij zei niet veel,' zei Lewis. 'Alleen dat dit nooit zou zijn gebeurd als hij die opera in het Gaillard niet was vergeten en niet met de artsen was weggegaan. Ik heb nog nooit iemand zo vol pijn gezien. Hij vindt dat het zijn schuld is.'

'O, Lewis, niemand heeft haar gedwongen om naar het eiland te gaan,' zei ik huilend. 'Ze zou net zo kwaad op hem zijn geweest in Bedon's Alley. Het was haar eigen keus.'

Maar ik kende Henry, en ik wist dat hij de dood van Fairlie als een haren boetekleed zou blijven dragen tot de dag dat ook hij zou sterven.

9

Ik ging niet naar de herdenkingsdienst voor Fairlie. Ik werd de dag ervoor in ons bed in Bull Street hoestend wakker en mijn spieren deden zo'n pijn en ik was zo moe dat ik heel lang niet eens uit bed kon komen.

'Misschien heb je griep, of dat andere dat heerst,' zei Lewis terwijl hij zich in de schemerige kamer aankleedde voor de kliniek. 'Blijf in bed en drink veel water. Neem een aspirientje. Bel me straks.'

Ik draaide me om en dook onder de dekens. Gladys kreunde in haar slaap en ging tegen me aan liggen. Ze had de afgelopen twee nachten bij ons in bed geslapen en begon angstig te jammeren zodra ik uit haar zicht verdween. Eigenlijk was zij de ware reden waarom ik niet naar het huis in Bedon's Alley ging om afscheid te nemen van Fairlie. Ik voelde me echt afschuwelijk, maar ik wist dat het een geestelijke en geen lichamelijke oorzaak had. Ik wilde Gladys gewoon niet alleen laten.

'Toe, zeg,' zei Camilla kortaf toen ik haar belde om het te zeggen. 'Ze zal eraan moeten wennen om af en toe alleen te zijn. Je kunt haar niet meenemen als je de stad uit moet. Breng haar mee. Ze kan in de keuken liggen. Of ze kan bij Boy en Girl blijven. Wat zal Henry wel niet denken?'

Maar ik wist dat het onvoorstelbaar wreed zou zijn om de oude Gladys mee te nemen naar haar vroegere thuis nu haar baasjes er niet meer waren. En ze was nooit erg bevriend geweest met Boy en Girl. Haar wereld draaide om Henry. En nu misschien een beetje om mij. Het was natuurlijk een band die uit wanhoop was ontstaan, maar ik zou die niet doorbreken.

'Henry zou hetzelfde hebben gedaan,' zei ik, en daar was ik zeker van. 'Ik blijf hier en ga een kleine lunch bereiden voor iedereen. Ik weet dat Henry en Nancy meteen na de dienst naar het vliegveld gaan. Niemand verwacht nog een samenkomst.'

'Daar zorg ik al voor,' zei Camilla. 'Ik heb alles al besteld en ik hoef het vanmiddag alleen nog maar op te halen. Blijf jij maar lekker binnen en zorg goed voor jezelf.'

Ik voelde opeens iets van woede opkomen.

'Ík ga dit doen, Camilla,' zei ik op vastberaden toon. 'Deze keer ga ík voor ons zorgen. Ik weet dat jij het beter kunt dan wie ook, maar deze keer doe ik het.'

Het bleef even stil, en toen zei ze luchtig: 'Ach, als je het per se wilt... Wat kan ik meebrengen?'

'Niets. Wens alleen Henry en Nancy het allerbeste.'

'Natuurlijk zal ik dat doen, dat weet je.'

Die middag maakte ik een pan met chili con carne en maïsbrood. Dat, plus ijsbergsla en een dressing, leek me een goed keus. Het was nog steeds koud maar helder, en de wind geselde nog altijd de haven en de straten in de binnenstad. Het was geen dag voor ingewikkelde gerechten met kruiden en sauzen, voor champagne, voor salades. Gewoon veel warme chili con carne en rode en witte wijn uit de supermarkt en wat Lewis 'de vreselijke sla-ijsberg' noemde. Het was een maaltijd die aan je jeugd deed denken. Ik snakte zelfs naar mijn jeugd. Volgens mij moest iedereen dat gevoel hebben.

De volgende dag kwamen ze vlak na één uur binnen. Ze zagen er verslagen en nietig en oud uit. Voor het eerst, in elk geval in mijn ogen, oud. Ik omhelsde hen alsof ze kinderen waren die rillend van de kou uit school kwamen, liet hen plaatsnemen bij de haard en schonk bekers vol met die heerlijke warme drank die Fairlie me lang geleden had geleerd te maken. Het was een oud recept uit Kentucky. Rode wijn en runderbouillon, citroen en kaneel en nootmuskaat en een snufje suiker. Het klonk vreselijk maar het was heerlijk. Het verwarmde je door en door. We dronken er heel veel van. En we praatten. Gladys snuffelde aan ieder van ons en plofte vervolgens neer aan mijn voeten.

Lewis en Henry en Camilla hadden elk een korte toespraak over Fairlie gehouden tijdens de dienst, door alle herinneringen meer met een lach dan een traan. Anderen volgden; iedereen had wel een eigen verhaal over Fairlie. Nancy was opgestaan en begon over haar moeder te vertellen, maar toen was ze weer bevend gaan zitten. Camilla had een arm om haar schouders gelegd en de rest van de dienst had Nancy stilletjes zitten huilen. Toen de jonge dominee van Holy Cross op Sullivan's Island vroeg of iemand nog iets wilde zeggen, had Fairlies jongste kleinkind Maggie, die pas vier was, gezegd: 'Ik heb van oma geleerd dat ik in een grote schelp moet plassen want dan blijft het strand schoon.'

Overal op de stoelen die in een ronde rij voor de haard in de grote salon waren geplaatst, klonk gelach op, een golf van liefde en plezier om wie Fairlie was geweest. Het was, zei Lila, de enige keer dat de uitdrukking op Henry's gezicht veranderde. Hij had gekeken alsof iemand met een dolk in zijn hart stootte.

'Maar o, die dominee,' zei Lila terwijl ze haar hoofd zo schudde dat haar haren uitwaaierden vanonder de zwarte fluwelen hoofdband. Lila had haar haren altijd in een zilverkleurig asblond gehouden. Het was moeilijk te zeggen waar en of ze grijs werd.

'Nou ja, hij wist het niet,' zei Camilla. 'Alleen de familie en wij wisten dat hij haar as zou meenemen naar Kentucky. Trouwens, alleen wij wisten dat ze van plan waren daar te gaan wonen. Je kunt het hem niet kwalijk nemen. De bedoeling was goed.'

'Wat was er dan?' vroeg ik, bang voor het antwoord. Ik had gewild dat de herdenkingsdienst voor Fairlie vlekkeloos was verlopen.

Vlak na Kerstmis had Creighton Mills iedereen verbijsterd en in sommige gevallen geschokt door katholiek te worden. Sindsdien leefde hij vrijwel teruggetrokken bij de Franciscaner Orde in Mepkin Abbey. Het gonsde van de geruchten in de stad. Een kerkelijk schandaal was verrukkelijk.

Over het algemeen werd aangenomen dat Creigh een vreselijk geheim op zijn geweten had en daardoor in het klooster was gegaan.

'Hij doet boete,' zei iemand uit de congregatie die hoofdzakelijk uit bejaarden bestond. Maar daar was Lewis het niet mee eens.

'Ik denk dat hij het gewoon beu was om steeds de bekakte dominee voor de elite uit te hangen. Dat habijt zal wel lekker zitten na al die coltruien. Toch had ik graag gewild dat hij er nog was geweest voor Fairlie. Ik weet dat die onzin uit het Boek van Ruth Henry vreselijk pijn moet hebben gedaan.'

'Wát!' riep ik.

'Hij had het over hoe Fairlie bij ons kwam toen ze nog jong was en zich bij ons aansloot,' zei Camilla. 'En hoe het ons geestelijk heeft verrijkt dat ze ons thuis en dat van Henry als haar eigen thuis had verkozen. Toen las hij een versie van die passage uit het Boek van Ruth: "Verlang niet dat ik u zou verlaten, of terug zou keren na u gevolgd te hebben. Want waar u zult gaan zal ook ik gaan, en waar u zult overnachten zal ik overnachten; uw volk zal mijn volk zijn..." Nou ja, je weet wel. Iedereen knikte en fluisterde hoe lief dat was, en ik weet dat Henry het gewoonweg niet meer hád. Hij denkt nog steeds dat het zijn schuld is dat ze naar huis gaat in een bronzen urn. Als hij daar niet overheen komt, wordt het zijn dood nog.'

Er viel even een stilte, en toen zei Lewis: 'Minstens één van ons zal op Magnolia moeten eindigen, anders worden we allemaal buiten de stadsmuren gegooid als prooi voor de aasgieren. Charlie is in de oceaan en Fairlie is nu in Kentucky. Ik weet niet wat nog erger kan zijn. Misschien moeten we er om loten?'

'Het zijn misschien mijn zaken niet, Anny, maar als ik jou was, zou ik Nancy bellen voor ze vertrekken,' zei Camilla. 'Ik denk dat ze nog in Bedon's Alley zijn. Nancy is woedend dat je niet bij de herdenkingsdienst bent geweest, en wat we ook hebben gezegd, ze bleef bij haar mening. Het komt natuurlijk door de schok en het verdriet, maar ik denk dat Henry het vreselijk zal vinden om het aan te horen. Ik weet zeker dat je het zo weer recht zal kunnen zetten.'

Ik was zo geschokt en gekwetst alsof iemand me een klap in mijn gezicht had gegeven. Nancy was naar mij toe altijd even opgewekt en toeschietelijk geweest. Wat dat betrof leek ze op Henry. Ik kon net zomin begrijpen dat ze kwaad op mij was als ik had kunnen begrijpen dat ze me van kindermishandeling of erger verdacht.

'Natuurlijk zal ik bellen,' zei ik, en ik stond op en liep naar de telefoon in de keuken. Op de tafel in de woonkamer stond ook een toestel, maar hier hoefde niemand anders me te horen. Ik had geen idee wat ik zou zeggen.

De telefoon in Bedon's Alley ging een hele tijd over voor er werd opgenomen. Ik begon net, dankbaar, te denken dat ze toch al onderweg waren naar het vliegveld, toen er werd opgenomen en ik Nancy's stem hoorde. Ze klonk vlak en dof.

'Lieverd, met Anny,' begon ik. 'Ik heb gehoord dat je het me kwalijk neemt dat ik vandaag niet bij jullie allemaal was, en ik wil zeggen dat het me vreselijk spijt als ik je gekwetst heb...'

'Lewis zei dat je je niet lekker voelde,' onderbrak ze me. Haar stem had nu een stalen klank. 'Had je je niet een uurtje langer goed kunnen houden? Moeder zei altijd dat ze beter kon opschieten met jou dan met de andere vrouwen van die vervloekte Scrubs. Wat dom van haar om te denken dat jij ook zo over haar dacht.'

Ik hoorde Henry op de achtergrond iets zeggen, maar ze overstemde hem.

'Lewis zei ook dat je bij de hond wilde blijven. Wat schattig. Laten we vooral zorgen dat de hond zich goed voelt...'

Weer hoorde ik Henry's stem, deze keer dichterbij, en bijna net zo luid als die van zijn dochter.

'Stil, Nancy,' zei hij. 'Het was gewoon de juiste beslissing. Ik ben er heel blij mee. Je moeder hield net zoveel van Gladys als ik. Ik zou graag willen dat je Anny je excuses aanbiedt.'

Nancy begon te jammeren. Ik wist dat ze het niet tegen mij had.

'Je geeft meer om die rothond dan om ons! Altijd al! De hond en die dierbare Scrubs van je...'

Iemand legde zacht de hoorn op de haak.

Ik zei tegen niemand hoe het gesprek was verlopen.

Zoals vaak in de Low Country ging het slechte februariweer abrupt over in de lente, en zo bleef het. De geur van de eerste bloesems hing in de lucht en de hemel boven de haven was diepblauw met hier en daar donzige wolkjes als in een tekenfilm. De middagtemperatuur steeg tot een graad of twintig, af en toe viel er een zacht regenbuitje, en Charleston begaf zich naar buiten.

We trokken in de drie huizen aan de kreek. Of in elk geval trok Camilla met haar hele hebben en houwen in het middelste huis waarin ik haar had gezien toen ik er voor het eerst een kijkje nam. Ze zei dat ze er een paar weken zou doorbrengen en dat ze hoopte dat wij zouden komen wanneer we konden; het moeras kreeg groene tinten en de watervogels waren met bataljons tegelijk teruggekeerd. Ze had onlangs een vlucht zilverreigers gezien die als een sneeuwstorm neerdaalde op een grote eik aan de overkant van de kreek.

'Camilla, is het wel raadzaam dat je hier een hele tijd alleen bent?' vroeg ik. 'Het is hier niet zoals op Sullivan's. Er is in de wijde omtrek geen levende ziel te bekennen. Dit is echt een wildernis. Ik weet niet of ik hier wel een nacht in mijn eentje zou willen doorbrengen.'

'Ik ben niet bang,' zei ze met een glimlach. 'Ik ben nooit bang geweest bij het water. En ik ben niet alleen. Het moeras en de kreek maken leven genoeg 's nachts. Alles in het moeras probeert al het andere te verleiden.'

Uiteindelijk besloten we dat we haar niet alleen konden laten aan de kreek, en het volgende weekend brachten we alle meubels die we maar konden vergaren en zetten we een caravan neer bij de afslag van de snelweg. Simms had een grote vrachtwagen en personeel van zijn bedrijf meegebracht, en in de namiddag van zaterdag hadden we ons geïnstalleerd.

Lila en Simms hadden de meeste meubels van hun huis op Wadmalaw Island meegebracht. Ze hadden het opgeslagen sinds Hugo. Het waren prachtige, grote, met houtsnijwerk versierde meubels en veel rotan. In hun slaapkamer stond een mahoniehouten bed met een witte katoenen klamboe, die ik schitterend vond. Tegen de tijd dat de vrachtwagen vertrok, leek alles of het er al jaren was geweest, en alleen maar wachtte – zei Lewis – op de *Architectural Digest.*

In ons huis, rechts van dat van Camilla en het dichtst bij de waterkant, stonden wat rieten meubels met gesprongen veren die niet afkomstig waren van de Battery, en wat ijzeren bedden waarin de kinderen op Sweetgrass hadden geslapen. Linda en Robert

Cousins, inmiddels oud en verweerd maar nog steeds vitaal, kwamen op de dag van de verhuizing met een lading prachtig oud linnen: lakens, spreien, hoofddoekjes, servetten, tafelkleden en een paar dunne, zijdeachtige handdoeken. Die hadden al heel lang opgevouwen gelegen tussen mottenballen en lavendel. Het hele huis rook ernaar.

'Die gebruikte de grootmoeder van Lewis elke dag,' zei Linda toen ik zei hoe mooi ik ze vond. 'Mevrouw Sissy wilde ze weggooien. Ik heb ze uit de stapel gevist en mee naar huis genomen en ze bewaard. Ik heb altijd gedacht dat iemand ze ooit wel mooi zou vinden.'

Ik omhelsde haar. Ze rook naar dezelfde lavendel en kamfer. 'Binnen een mum van tijd lijkt dit op thuis,' zei ik.

'Dat hoop ik,' zei ze. 'Wat moeten jullie hier bij deze kreek en dit moeras? Dat hebben jullie toch al op Sweetgrass?'

En dat was ook zo. Dat was meer dan eens bij me opgekomen. Maar dit moeras en deze kreek waren heel anders dan die bij Sweetgrass. Het water in deze kreek, hoewel die net zo breed was als bij Sweetgrass, stroomde langzamer. Het land op de hoogte was wilder. En er waren geen geesten. Dat was het belangrijkste. Ik had genoeg van schaduwen en herinneringen zodra ik een hoek omsloeg of een stap zette op een krakende trap. Ik zou altijd van Charlie en Fairlie blijven houden en hen missen, maar ik had het niet kunnen opbrengen om twintig keer per dag vol pijn aan hen herinnerd te worden. Ik had behoefte aan het leven en aan hen die leefden, en ik hoopte dat we dat allemaal hier tot uiting konden brengen.

Op de eerste avond aten we bij Camilla, en ik had gedacht dat het wel even wennen zou zijn om te bepalen of we wel gezamenlijk wilden eten, en waar.

We zaten bij kaarslicht aan Camilla's fraai geschilderde tafel en aten oesters die Robert Cousins had opgegraven bij Sweetgrass, en Linda's beroemde krabsoep. Ik had brood meegebracht van de Saffron Bakery, Lila had een taart gebakken en Simms had wijn meegebracht. Geen champagne. Dat zou hij ook nooit meer doen, niet naar de kreek.

Vreemd genoeg paste Gladys zich beter aan dan ik had gedacht. Ze volgde me nog steeds overal of ze ging aan mijn voeten slapen, maar ze jammerde niet meer, en ze was niet langer aan het snuffelen naar Henry. Ik dacht dat er misschien hier geen geesten meer waren voor Gladys. Misschien werd het voor haar net zo rustgevend als voor mij.

Want we waren een heel nieuwe context aan het maken voor onszelf, en over het algemeen had ik er geen bezwaar tegen. Al kon ik niet helemaal deel uitmaken van de Scrubs en het oude huis en de zee, dan wilde ik er toch wel iets van. We hadden elkaar weliswaar nog, maar zo voelde het niet, in elk geval niet voor mij. Het was moeilijk om te bepalen wat je van Simms en Lila moest denken. Ze leken hetzelfde te doen als ze op Sullivan's Island hadden gedaan, zonder enig blijk van verdriet of herinneringen. Simms ging zeilen. Hij bracht de kleinste van de zeilboten naar de kreek, legde die vast en was elke ochtend in alle vroegte verdwenen om pas in de avond terug te keren. Lila belde via haar mobiele telefoon naar cliënten en naar haar kantoor. Ze was aan het schilderen geslagen en bracht uren al schilderend door aan de kreek of in het moeras, getooid met een hoed met muskietengaas tegen de zon en de muggen. Ze deed het helemaal niet slecht en tegen het einde van de zomer was ze zelfs heel goed geworden. In de herfst ging ze exposeren bij haar vriendin Baby, die een kleine galerie bij Broad Street had. We hadden allemaal schilderijen van Lila in onze weekendhuizen.

Lewis ging vaak met Simms mee zeilen. Hij ontdekte opnieuw

het plezier dat hij had gehad toen hij pasgetrouwd was en op de Battery woonde. Ik herinner me de foto die ik in zijn kantoor had gezien toen we elkaar voor het eerst ontmoetten; van hem en de donkere, mooie Sissy op het dek van een slanke, witte zeilboot, met Fort Sumter op de achtergrond. Hij was weliswaar niet zo prestatiegericht als Simms, maar hij genoot als ze een keer als eersten eindigden bij een regatta van De Carolina Yacht Club.

Ik hield van het water. Ik had op Sullivan's Island kilometers gelopen met een of meer van de honden, terwijl ik de zon en de wind en de zee in me opnam. Dat miste ik vreselijk, want lopen langs de kreek was iets heel anders. Je had alleen de weg naar de huizen en die zat vol kuilen die meestal vol water stonden. En de muggen zaten je achterna als straaljagers zodra je naar buiten kwam. Soms trok ik lagen kleren aan en smeerde ik me dik in met een muggenwerend middel en dan nam ik Gladys mee in haar golfkarretje, maar zelfs zij had al gauw een hekel aan de aanvallende muggen. Ze was echter gek op het oude golfkarretje en ze ging er vaak in zitten om alleen maar in de zon te zitten dutten, als een oude dame die wachtte tot de mannen klaar waren met spelen.

Als ik er met de Whaler of de roeiboot opuit trok, ging ze vaak met me mee en dan draaide ze net zo lang rond tot ze een plekje op de bodem vond waar ze lekker kon liggen. In de roeiboot lag ze te dutten en in de Whaler zat ze naast me op de achterbank, met wapperende oren en hangende tong. Af en toe blafte ze naar een watervogel of een zonnende schildpad of het in de verte wapperende witte staartje van een hert op een duin aan de andere kant van de kreek, maar het leek meer of ze het deed omdat ze vond dat ze het moest. Ik was hier niet zo bang meer voor alligators. We hadden wel eens in de verte een ijzingwekkend gebrul gehoord, maar we hadden geen aanwijzing gezien van een alligatorkolonie in de buurt, en Lewis en Simms zeiden dat ze er geen hadden opgemerkt als ze door de kreek naar het open water voeren. Ik maakte me niet druk over alligators in de buurt van de trage, kreupele Gladys. Als ze niet binnen was, dan was ze bij mij.

Na mijn uren op het water ging ik vaak even langs bij Camilla. Dat deden we allemaal als we terugkwamen van waar we die dag ook waren geweest. Het was geen afspraak. Camilla was gewoon zoals altijd het hart waaraan we ons warmden. Het leek heel gewoon om even bij haar langs te gaan als we terugkeerden van onze tripjes. Vaak zaten we heel lang op haar veranda of in de omheinde kooi van het zwembad te praten tot het bijna weer licht werd, en soms stelden we een etentje samen van allerlei ingrediënten die we toevallig in huis hadden. Maar vaak gingen we alleen even langs om te kijken of alles goed was, en trokken we ons terug in ons eigen huis.

Het was een onsamenhangend bestaan, die eerste lente en zomer. Lewis en ik werkten nog steeds hard, hoewel ik mijn reizen buiten de stad drastisch had verminderd en mijn plannen grotendeels via de telefoon of per e-mail besprak. Ik had een jonge vrouw als parttime kracht ingehuurd, en tot mijn genoegen merkte ik dat ze heel professioneel was geworden op onze noodzakelijke reizen. In het begin van de week was ik in mijn kantoortje, op donderdag en vrijdag op Sweetgrass met Lewis en, net als op Sullivan's Island, in de weekenden in het huis aan de kreek. We waren nog zelden in Bull Street, hoewel ik er minstens eens per week een kijkje probeerde te nemen.

We hadden het er vaak over om het te verkopen of te verhuren, maar om de een of andere reden wilde ik het niet kwijt. Ik kon gewoon niet alle banden opgeven die al zo lang met mijn leven verweven waren.

We zagen Camilla zelden buiten bij de kreek. De zon en de

muggen vormden een aanslag op haar lichte huid, en ze was nu bang om te vallen. Die angst deelden we. Ze werkte wel in de tuin, maar heel langzaam en voorzichtig. Meestal verzorgde ze alleen de gewone planten en de potplanten die Robert Cousins en Simms en Lila's tuinman Willie hadden neergezet. Ze vond het heerlijk ons te zien als we er kwamen; dat wisten we. Maar ze vond het ook heerlijk om door de week alleen te zijn. Ze bloeide er zelfs door op. Ze had weer kleur in haar gezicht en een lichte bruine teint door de zon verzachtte de rimpels rond haar ogen en mond. Ze droeg haar haren nu in een lange vlecht op haar rug en als je haar van voren zag uit de verte, leek ze net een tiener.

'Wat doe je hier de hele week?' vroeg ik in het begin een keer, toen we op de veranda zaten met drankjes en wat hapjes.

'Wat ik aan het water altijd deed,' zei ze. 'Tuinieren. Schrijven. Een dutje doen. Zonnen. Wat zwemmen. Wachten.'

'Waarop? Op Henry?'

Want er was een maand verstreken en we hadden niets van of over Henry gehoord. Hij was altijd in ons hart. Maar we hadden Nancy nog niet gebeld of geprobeerd hem op te sporen via de artsenorganisatie. Het was tenslotte nog zo kort geleden. We moeten hem meer tijd gunnen, zeiden we.

'Natuurlijk op Henry,' zei Camilla. 'Maar hoofdzakelijk op jullie allemaal.'

Eens, toen we iedereen bij ons thuis hadden voor een zondagse brunch, was ik kwaad geworden om iets wat Lila had gezegd, en zij schoot uit haar slof door mijn reactie, en de sfeer was nog koeltjes toen iedereen wegging. Lewis was verbaasd dat ik zo kwaad was geworden, en ik zelf ook. Lila's opmerking was zo onschuldig geweest dat ik me die een uur nadat ze weg was niet eens meer kon herinneren. Ik was ook verbaasd over haar reactie. We hadden naar elkaar zitten snauwen als een paar kribbige oude dames.

'We zijn de Scrubs niet meer,' zei ik nijdig tegen Lewis terwijl we de borden afruimden. 'We zijn gewoon een stel humeurige oude mensen die rondhangen in afgelegen huisjes.'

'Nou,' zei hij goedmoedig, 'als we dat zijn, laten we er dan maar het beste van maken.'

En dat deden we ook, denk ik. In elk geval probeerden we het. Maar er bleef een behoedzaamheid, een terughoudendheid als we samen waren, en onder dat alles lag een diep verdriet om Henry. Verdriet en ongerustheid die echte angst werd.

Toen er twee maanden voorbij waren en we nog steeds niets van hem hadden gehoord, begonnen we te beraadslagen of we hem moesten proberen op te sporen. Lila en Simms waren er helemaal voor.

'Er klopt iets niet,' zei Lila steeds weer. 'Anders hadden we wel íéts over hem gehoord, of iemand tenminste. En dan zou het als een lopend vuurtje door Charleston zijn gegaan. Maar het lijkt wel of hij van het aardoppervlak is verdwenen. Misschien is hij wel ziek, misschien...'

'Hij zei dat hij zou bellen als hij zover was,' zei Lewis. 'Hij vroeg ons om daar begrip voor te hebben. En ik zal me er aan houden. Als er iets met hem gebeurd was, zouden we het horen. Zijn artsenorganisatie zou het weten en het ons vertellen.'

'We kunnen toch op zijn minst naar Nancy bellen,' zei Lila ongelukkig. 'Hij moet toch contact met haar hebben?'

'Als hij haar belt, zou hij ons ook bellen,' zei Camilla. 'Ze wil trouwens met niemand van ons iets te maken hebben.'

'Hoe weet je dat?' vroeg ik, terwijl mijn schuldgevoel weer bovenkwam. Had de breuk tussen haar en mij zich uitgestrekt tot de anderen?

'Dat weet ik gewoon,' zei Camilla. 'In die omstandigheden denk ik dat ik ook niets met ons te maken zou willen hebben.'

'Welke omstandigheden?'

'Je begrijpt inmiddels toch wel dat zij denkt dat we Henry en haar moeder van haar hebben afgepakt. Ze denkt dat als de Scrubs en het strandhuis er niet waren geweest...'

Ik zweeg. Misschien had Nancy gelijk.

In het begin van mei begonnen berichten ons te bereiken. Een van de artsen met wie Henry en Lewis vaak hadden gevlogen, belde naar Lewis om te vragen of hij iets van Henry had gehoord. Lewis was in de kliniek en belde naar mijn werk.

'Ik wist niet hoe ik het had,' zei hij. 'Ik was er gewoon van uitgegaan dat hij ergens naartoe was met de Vliegende Dokters van zijn organisatie. Ik heb geen contact meer met hen, maar hij misschien wel. John was niet meegegaan op de laatste drie reizen en hij had het nog maar net gehoord over Fairlie. Hij gaat een van de anderen bellen met wie Henry heeft gevlogen. En een paar van de chartermaatschappijen. Hij zei dat hij het me zou laten weten. Iemand moet ergens iets over hem hebben gehoord. Maar ik moet toegeven dat ik nu ook erg ongerust ben.'

'We kunnen wel iets doen,' zei Simms die avond tijdens het eten.

Het was zaterdag, en we aten de eerste van de zoete kreekgarnalen, gekookt in zout water en aan tafel gepeld. We waren in ons huis. Het sap van de garnalen kon geen kwaad op onze oude schragentafel. Niets zou dat kunnen. Robert Cousins, die wist hoe hij met een katoenen net de geheime garnalenholletjes in de Edisto moest bereiken, had ze die middag gebracht. Robert maakte zijn eigen netten. Je kon in elke bouwmarkt van de Low Country veel sterkere nylon netten kopen, maar Robert vond die maar niets en hij zou zich schamen om ze te gebruiken. Lewis zei dat hij ooit had geweten hoe je de katoenen netten moest vlechten, maar dat was een kunst die je moest bijhouden, en hij was het vergeten. Dat was een van de dingen die hij wilde gaan doen als hij met pensioen was, zei hij. Robert moest hem weer leren hoe je de mooie, ragdunne webben van katoen moest vlechten en hoe je ze uit moest gooien.

Het was een stille avond en we konden de kleine garnalen in de kreek horen springen, en de plof van een harder. Camilla zei dat ze nog maar net terug waren gekeerd. Het moeras was nu helemaal groen, en zo uitgestrekt en diep en rijk aan zout dat het als één grote eenheid in en uit leek te ademen. Er stond geen maan. Het zou bijna ochtend zijn als hij opkwam, maar de sterren waren als bloeiende chrysanten. De muggen gonsden en belaagden ons. Ver weg over het water meenden we het gebrul van een grote krokodil te horen.

Toen het primitieve geluid was weggestorven, keken we allemaal naar Simms. Hij leunde achterover in zijn stoel met die alwetende uitdrukking op zijn gezicht die, zoals we inmiddels wisten, betekende dat de internationale zakenman het tijdelijk had overgenomen. Lewis noemde dat altijd Simms' slechte kant. Simms kon als die persoon heel bazig en eigengereid zijn. Geen van ons wilde dat die slechte kant zou besluiten achter Henry aan te gaan. Hij zou hem achtervolgen als een jachthond.

'Zoals?' vroeg Lewis fronsend.

'Je weet wel. Telefoonnummers opvragen. Overzichten van zijn creditcards. Gehuurde auto's. Vliegtickets. Of er geld van de bank is opgenomen. Wij hebben de mogelijkheden daarvoor op de zaak. Ik kan hem binnen één dag achterhalen.'

'Je lijkt wel een speurhond,' zei Lewis. 'We hebben tegen Henry gezegd dat we zijn besluit om te bellen als hij zover was, zouden respecteren, en ik vind dat we dat moeten blijven doen. Dit klinkt allemaal zo stiekem.'

De slechte kant verdween uit Simms' gezicht en hij zuchtte.

'Ik weet het. Maar hij is behalve jullie mijn oudste vriend en ik ben nu echt ongerust over hem. Ik weet hoe hij er geestelijk aan toe was toen hij wegging.'

Ongeveer een week later hoorde een van de verpleegsters in Queens, die vaak met Henry en Lewis had gevlogen, van een verpleegster uit Georgia die soms met de organisatie meevloog, dat er een gerucht ging over een dorpje in de bossen van het schiereiland Yucatán, waar een Amerikaan zou zijn gekomen in een vliegtuig met Amerikaanse artsen en verpleegsters. Ze hadden daar een basiskliniek opgericht, maar de Amerikaan was gebleven toen de anderen weer vertrokken.

In het begin bleef hij de dorpelingen behandelen in de kliniek, maar toen begon hij de middagen en avonden weg te drinken in de cantina en hij ging niet meer naar de kliniek. Hij verbleef in een hutje aan de oever van de rivier met een jong Indio-meisje, een van de prostituees van het plaatselijke bordeel, en hij kwam er alleen maar uit om naar de cantina te gaan. Daar praatte hij tegen niemand. Hij dronk alleen maar tot hij laat in de avond naar huis wankelde. Hij viel nooit, maar hij stond ook nooit vast op zijn benen, en de dorpelingen, die op hem gesteld waren geraakt toen hij er pas was, hielden hem zwijgend in het oog. Ze lieten vis en fruit en maïsmeel achter op zijn drempel. Ze namen aan dat de jonge prostituee zijn huis schoonmaakte en voor hem kookte. Niemand wist het. Hij was zo mager geworden dat je bijna door hem heen kon kijken. Hij had een lange baard en verborg zijn ogen achter een donkere bril. Toen een wanhopige jonge vrouw eens met haar zieke baby naar zijn hutje was gekomen, was hij in tranen uitgebarsten en had gezegd dat ze beter af was bij de sjamaan van het dorp. Niemand ging meer naar hem toe om medische hulp.

De verpleegster vertelde het aan Bunny Burford, die meteen in de hele medische gemeenschap rondbazuinde dat Henry McKenzie een dronkaard was geworden en in een hutje in het oerwoud leefde met een vijftienjarig hoertje. Het nieuws bereikte Lewis in de kliniek amper twee uur nadat Bunny was begonnen met haar roddel, en nog geen kwartier later was hij in het ziekenhuis en in haar kantoor.

Hij heeft me nooit verteld wat hij tegen haar zei, maar toen hij langskwam in mijn kantoor was hij zo kwaad als ik hem nog nooit had gezien. Bunny was naar het kantoor van haar baas geroepen voor een gesprek met hem en Lewis, en had de verdere ochtend huilend op het damestoilet doorgebracht. Ze ging naar huis zonder nog iets tegen iemand te zeggen.

'Lewis,' zei ik met een kil gevoel om mijn hart, 'kan het Henry zijn? Dat hoeft toch niet? Het kan iedereen zijn...'

'Inderdaad. En als dat kreng nog één woord over Henry zegt, zorg ik dat ze ontslagen wordt. Stan was vandaag al bereid om dat te doen.'

Zijn stem stierf weg. Hij slikte en keek uit mijn raam naar de kleine binnenplaats, waar de zomer opzichtig was losgebarsten.

'Maar je denkt wel dat hij het is,' fluisterde ik.

'Ik denk dat het mogelijk is.'

We verlieten het kantoor en reden langs het huis in Bedon's Alley, maar de luiken waren dicht en het hek was op slot, en de palmen die hun toppen boven de stenen muur uitstaken, waren droog en onverzorgd. Daar was lange tijd niemand geweest. Nancy's huis in Tradd Street was al even stil en leeg, en niemand nam de telefoon op in het huis op het Isle of Palms.

'Misschien zijn ze hem gaan halen,' opperde ik.

'Kun jij Nancy en die man van haar zich al een weg door het oerwoud zien banen met een machete?' zei Lewis grimmig.

Dat kon ik niet.

Die avond aan de kreek riepen we iedereen bij elkaar en vertelden welk gerucht de ronde deed in Charleston. 'Verdomme!' riep Simms uit, en hij sloeg met zijn vuist op tafel. Lila begon te huilen. Camilla zat zwijgend naar Lewis te staren. In het licht van de flakkerende kaars leek haar gezicht onaangedaan en vreemd, als een priesteres op een schrijn, een millennium vóór de opkomst van het Romeinse rijk.

'Ik kan er makkelijk achter komen waar hij is, áls hij het tenminste is, nu we een aanknopingspunt hebben,' zei Lewis. 'Zijn organisatie zal beslist lijsten bewaren van hun vluchten en wie er wanneer vloog. Ik zal morgen bellen. En als hij het is, ga ik hem halen.'

'Ik ga mee,' zei Simms. 'Je zult hulp nodig hebben met hem.'

'Met Hénry?' zei Lewis ongelovig.

Simms begon tegen te sputteren met een rood gezicht van kwaadheid, maar Camilla sloeg met haar handen op de tafel. Iedereen keek naar haar.

'Nee,' zei ze. 'Niemand gaat hem achterna. Begrijpen jullie dan niet dat hij het niet zou kunnen verdragen als we hem in die toestand zien... als hij het al is? Of hij komt naar ons of niet, maar we gaan hem niet achterna. Ik wil het gewoonweg niet hebben.'

We staarden naar haar. Niemand van ons had haar ooit op die toon horen praten. Ze klonk zo koud als het ijs van de noordpool.

'Goed,' zei Lewis na een ogenblik. 'Je hebt gelijk. We wachten en we kunnen alleen maar hopen en bidden.'

'Ja,' zei Camilla, en haar stem klonk weer vriendelijk. Ze glansde in het kaarslicht.

Laat in de zomer kwam Henry naar huis.

10

In augustus is het in de moerassen en kreken van de Low Country nooit aangenaam en vaak bijna ondraaglijk. De hitte beneemt je de adem en je wil. Geen bries van de oceaan kan het gebied bereiken. Insecten van zo'n diversiteit dat niemand weet hoe ze allemaal heten, houden hier hun bijeenkomsten. Slangen en alligators worden apathisch en prikkelbaar; watervogels houden zich tot laat in de middag schuil, en de moerassen stinken bij laag tij zo vreselijk in de onbarmhartige zon dat je er bijna misselijk van wordt. De wilde, viervoetige bewoners van het moeras komen alleen naar buiten in de warme nachten, en de mensen gaan ergens anders naartoe. Veel van de prachtige oude huizen in het chique Charleston waren zelfs gebouwd als zomerhuizen door de rijke eigenaars van de rijst-, indigo- en katoenplantages aan de kreken en rivieren, om aan de verderfelijke moerassen te ontsnappen. De slaven die achterbleven om voor de gewassen te zorgen, stierven met honderden tegelijk aan de gele koorts.

Maar de late zomer heeft een eigen aantrekkingskracht, dat jaar in elk geval voor mij. De vochtige hitte deed mijn bloed dik en traag als honing door mijn aderen stromen. De stille, trillende lucht boven de moerassen leek een soort magisch toneelgordijn waaruit van alles kon verschijnen. Er was hier geen sprake van de productieve activiteit en doelgerichtheid die we in de stad tentoonspreidden. Iemand had eens gezegd dat de twee belangrijkste dingen die het Zuiden ooit waren overkomen, burgerrechten en airconditioning waren, en niet noodzakelijkerwijs in die volgorde. Ik was het eens over de burgerrechten, maar op de hete zomerdagen aan het trage water van de Low Country, was ik zo zeker nog niet over de airconditioning. Het langzame, gedachteloze leven in de zomerse moerassen was net zo sensueel als naaktlopen. En ik had stiekem de rijpe zwavelgeur van de modder altijd lekker gevonden.

Toen we die zomer aan de kreek waren, deden we heel weinig en wat we deden, deden we heel langzaam. Ik genoot van het heerlijke nietsdoen, want diep vanbinnen had ik een lui trekje. Lewis, zelfs na alle jaren dat ik hem kende nog steeds rusteloos, deed het wat langzamer aan en was tot op zekere hoogte tevreden met op de veranda liggen lezen of doelloos ronddrijven in het omheinde, overschaduwde zwembad. Hij kon het echter niet langer dan een halve dag volhouden. Daarna begon hij te drentelen en algauw pakte hij zijn visgerei en ging eropuit in de Whaler, of hij leende Simms' boot en voer net zo ver de kreek af tot er wat wind in de zeilen kwam.

Simms en Lila waren niet graag bij het moeras in de zomer. Ze kwamen wel naar ons toe, maar ze bleven niet zoals wij af en toe deden, en ze leken veel last te hebben van de hitte. Ze namen de gewoonte aan om vroeg terug te gaan naar Charleston, onder het mom dat ze het druk hadden met hun werk. Maar ik wist dat met de voortdurende transpiratie iets vitaals uit hen vloeide. Eind juli liet Simms wat mannen van de fabriek komen om airconditioning in hun huis te installeren, en daarna bleven ze wat langer. Lewis en ik hadden grote, trage plafondventilators die niets deden dan de stinkende lucht verspreiden, maar ik denk dat wij van mening waren dat iets anders het onveranderlijke ritme van de seizoenen in de moerassen zou verstoren. Het weerhield er ons echter niet van om te genieten van de koele, droge lucht als we bij Lila en Simms gingen eten. Alleen Camilla leek het echt heerlijk te vinden in augustus. Ze was heel mager. De vochtige warmte leek haar te versterken als een bloedtransfusie. Zelfs ik verbaasde me dat ze zo goed hitte kon verdragen. Ze bloeide erdoor op, als een orchidee.

In de warme zomer was het aanzienlijk minder druk op mijn werk, en ik ging vaak al een paar dagen vóór Lewis naar de kreek. Hij had altijd veel te doen op Sweetgrass, net als ik, maar in augustus was ik gewoon niet in staat om me ergens op te concentreren, en ik genoot van de wereld van moeras en kreek omdat ik mezelf dan, zonder schuldgevoel, eraan kon overgeven. Camilla was er nu bijna altijd, hoewel ze eigenlijk alleen buiten kwam om naar het zwembad te gaan. Lila en Simms kwamen die zomer bijna niet, alleen af en toe op zaterdag en een deel van de zondag. Ik vroeg me af of ze naar ons terug zouden komen in de koele herfst, maar ik maakte me er niet druk over. Dat kwam wel in de herfst. In augustus zagen we wel wat er gebeurde.

Op een ochtend in het midden van augustus was het om acht uur al bloedheet, en de lakens plakten aan mijn lichaam toen ik wakker werd in de schemerige kamer. Ik was alleen, behalve Gladys, die vanwege de hitte aan het voeteneind lag te slapen. Lewis was nog op Sweetgrass en wilde die avond naar de kreek te komen. Simms en Lila zaten comfortabel en koel in Charleston. Ik hoorde plonzen achter het huis, en ik wist dat Camilla trouw haar baantjes trok in het zwembad. Ik keek uit mijn raam over het moeras naar de kreek. Het was eb, en het moeras glinsterde verderfelijk als een dode vis in de laagstaande zon, en stonk waarschijnlijk precies zo. De kreek was geslonken tot een lint, wat tweemaal per dag gebeurde. Maar in tegenstelling tot de afgelopen dagen, rimpelde het oppervlak. Wind. Op de kreek waaide ergens vandaan wind.

Ik trok een korte broek en een T-shirt aan, bond mijn haar in mijn nek samen met een veter van een of andere vergeten schoen, en liep blootsvoets de slaapkamer uit naar de keuken. Het was benauwd en warm in huis, maar de tegels waren koel onder mijn voeten. Ik deed de plafondventilator aan en maakte een beker koffie. Toen ik die stond te drinken, kijkend naar het zachte rimpelen van het water, kwam Gladys de keuken in strompelen. Haar nagels tikten op de tegels. Ze snuffelde zonder belangstelling aan haar eten maar dronk gretig uit haar waterbak, en toen keek ze naar me op alsof ze wilde zeggen: 'Weer een rotdag in het paradijs, hè?'

'Weet je wat, Gladys,' zei ik. 'Er staat wind op het water. Weet je nog, een briesje? Laten we met de Whaler eropuit gaan. Anders is de wind straks weer weg.'

Ze kwispelde. Ik zette een witte katoenen hoed op, trok teenslippers aan en smeerde me in met zonnebrandcrème en een insectenwerend middel, en toen gingen we naar buiten, de stille ochtend in. Als er al een briesje was, dan had die het huis nog niet bereikt. De vochtigheid voelde aan als een natte wollen overjas.

Camilla stond op haar veranda de potplanten water te geven. Ze droeg een witte badstof badjas en een zonnebril, en haar natte haar hing in een vlecht op haar rug.

'Waar gaan jullie twee naartoe?' riep ze.

'Weg met de Whaler. Er staat een briesje op het water. Het ziet er zalig uit.'

'Blijf niet te lang weg. Bries of niet, je kunt wel doodgaan in die zon als je pech krijgt en er niemand in de buurt is.'

'Over een paar uurtjes zijn we terug,' zei ik. Ik zwaaide nog even en toen gingen Gladys en ik over het houten plankier naar de steiger, schichtig stappend over de al hete planken.

Gladys was zo mank dat ik haar in de Whaler moest tillen, maar eenmaal erin klauterde ze op haar gebruikelijke plek naast me, en ik stuurde de boot de smalle kreek op. Het water was nauwelijks breder dan een straat in een stad, maar de rimpels van de wind glinsterden in de zon. We kregen meer vaart en Gladys' oren waaiden naar achter en ze slaakte een diepe zucht van tevredenheid.

Ik omhelsde haar even.

'Zeg dat dit beter is dan dat nepzwembad,' zei ik, en ze grinnikte naar me met haar tong uit haar bek.

We volgden ongeveer een uur de kreek tot we bij de bocht kwamen waarvan ik wist dat daar een van de grote, prehistorische schelpenbergen lag die verspreid liggen in de moerassen van de Low Country. De wind nam af en ik voelde zweetdruppels langs mijn haarlijn parelen.

'Genoeg voor vandaag,' zei ik tegen Gladys. 'Als we terug zijn is het lunchtijd, en daarna wordt het tijd voor een dutje. Maar ben je niet blij dat we zijn gegaan?'

Ik liet de boot een scherpe bocht maken en we voeren langzaam terug de kreek op, naar de steiger. De vloed kwam op, en de kreek werd langzaam breder en verspreidde zich zo langzaam als een gletsjer door het moerasgras. Er klonk bijna geen geluid in het bos. Geen vogelgezang, geen plof van een harder, geen geruis van gras of zachte plons als een schildpad of waterslang zich in het trage water liet glijden.

We waren niet ver van de steiger verwijderd toen ze met een ruk haar kop ophief, haar neus in de lucht stak en koortsachtig begon te snuiven. Ik had geen idee wat ze in de wind probeerde te ruiken. Ik hoorde niets anders dan het zachte geronk van onze motor. Toen ik de Whaler naar de aanlegplaats stuurde, sprong ze op de bank met een energie die ik in geen jaren meer had gezien en begon te blaffen, dringend, luid geblaf dat jaren geleden uit haar keel was gekomen, in de velden en herfstbossen. De boot lag amper stil toen ze uit de boot sprong en over het plankier rende alsof ze nooit stram of kreupel of oud was geweest. Ik klauterde uit de boot en rende achter haar aan terwijl ik haar naam riep. Het drong tot me door dat ze wel een soort toeval kon hebben.

Halverwege stapte ze mis, gleed van het plankier en viel met haar kop vooruit in het zwarte water van het moeras. Ik wist niet hoe diep het hier was, waarschijnlijk niet erg diep, maar de modder was dik en het gras benam het zicht. Gladys begon te spartelen en te janken. Ik sprong haar achterna.

Het water kwam maar tot mijn middel, maar bij haar reikte het tot over haar kop. Mijn voeten zakten diep weg in de gladde, zuigende modder. Ik kon Gladys niet zien, alleen het hevige gespartel, maar ik greep naar haar en kreeg haar te pakken. Ik tilde haar, nog steeds spartelend, in mijn armen en zette haar op het plankier. Ze zat van haar neus tot haar staart onder de stinkende modder, en ik was er ook mee bedekt. Voor ik die uit mijn ogen kon vegen ging ze er weer vandoor, blaffend en glijdend, om weer verder te rennen en weer uit te glijden. Ik ving haar, tilde haar op en liep naar de oever terwijl ik mijn best moest doen om haar stil te houden. Ik kon haar hart tekeer voelen gaan. Een dierenarts, ik moest haar naar een dierenarts brengen...

Ze rukte zich weer los en zette het op een lopen naar Camilla's huis. Ik volgde haar en bleef toen staan.

In het midden van de ronde oprit stond een stoffige oude open bestelauto, en op Camilla's veranda had een lange, gebogen, broodmagere oude man net zijn hand opgeheven om aan te kloppen. Hij draaide zich naar ons om en mijn knieën begaven het bijna van de schok. Henry. Het was Henry.

Hij zag Gladys naar hem toe komen, en met twee stappen was hij bij haar en tilde haar in zijn armen. Ze spartelde en jankte en blafte, dol van blijdschap, en likte over zijn magere gezicht. Hij hield haar vast en begroef zijn gezicht in haar smerige vacht. Hij keek op toen ik bij hen kwam. Zijn gezicht zat net zo onder de modder als Gladys en ik, en tranen trokken er bleke strepen door op beide wangen.

'Henry,' fluisterde ik, en ik begon ook te huilen en sloeg mijn armen om hem en Gladys heen. We zakten samen neer op het grind, man, vrouw en hond, een tableau van een thuiskomst, geboetseerd uit de oeroude klei van de Low Country.

'Jullie zijn de smerigste meisjes die ik ooit heb omhelsd,' zei Henry met een stem die nog slechts vaag herinnerde aan zijn vroegere trage, lieve stem, en toen bleven we gewoon met de armen om elkaar heen zitten en huilden.

Even later nam het bonzen van mijn hart af en ik hief mijn hoofd op en keek naar Henry. Zijn gezicht was wit en bevlekt met modder, maar hij had zich geschoren en zijn ingezonken blauwe ogen stonden helder. Zijn zilvergrijze haar viel in een slordige bos over zijn ogen. Het was langer dan ik het ooit had gezien. Ik kon zijn botten voelen, scherp als dode takken, door het met modder bevlekte oude denim overhemd heen. Je had alle ribben kunnen tellen. Er waren nog sporen van tranen in de modder op zijn gezicht, maar hij huilde niet meer. Er lag een verre blik in zijn ogen. Die had ik er nooit eerder in gezien. Henry was altijd zo helemaal bij je, zo vol aandacht. Wie was deze man?

'Henry,' begon ik, maar hij raakte mijn lippen aan met zijn vingers en ik zweeg. Gladys probeerde zich onder zijn arm te wringen, en hij aaide haar afwezig.

'Ik kan het nu niet, Anny,' zei hij met die gebarsten nieuwe stem. 'Ik kan het gewoon niet. Misschien dat we er later over zullen praten, maar nu nog niet. Het is alsof ik in een soort nachtmerrie heb geleefd en dat alles van na de brand opnieuw begint. Ik wil weten dat jullie allemaal om me heen zijn, maar ik moet hier helemaal opnieuw mee beginnen en dat moet ik alleen doen. Ik moet het nu allemaal voelen. Ik ben heel lang dronken geweest.'

Hij beefde licht over zijn hele lijf. Dat had ik eerder gezien. Mijn moeder beefde altijd als ze een enorme kater had. Veel ouders van mijn cliëntjes deden dat. Maar zijn ogen waren helder en er hing niet die zoetige, gistachtige lucht om hem heen die op vergevorderd alcoholisme wees. Als hij een drinker was geweest, dan was hij nu in elk geval geen dronkaard. Alleen een broos wrak van een man.

Ik knikte zwijgend, met mijn armen nog op zijn schouders, Gladys nestelde zich onder zijn arm en was stil. We zaten nog steeds zwijgend op de oprit met de armen om elkaar heen toen een hordeur klapte. Ik keek op en zag Camilla van de trap van haar huis rennen. Ik had haar in geen jaren zien rennen; ze liep nu heel voorzichtig. Maar op deze dag rende ze zo licht als een meisje, en haar vlecht danste achter haar aan. Ze droeg een dunne, gebloemde katoenen rok die om haar enkels wapperde, en een witte, mouwloze blouse. Ze was weer helemaal de jonge Camilla die had gelachen en gedanst met Lewis en Henry op het warme zomerzand van het strand op Sullivan's Island, lang geleden. Voor ze bij ons was, kwam Henry moeizaam overeind en bleef met uitgestrekte armen staan, en ze rende erin.

Ze klemde haar armen om hem heen. Ik kon haar gezicht niet zien.

'Ik heb op je zitten wachten,' hoorde ik haar zeggen. 'Ik dacht al dat je rond deze tijd zou komen. Ik heb al dagen een pan met gumbo in de vriezer staan. Je kunt ons vanavond tijdens een feestmaal vertellen over de odyssee van Henry McKenzie. Ik zal Lila en Simms bellen.'

Haar stem zong van geluk en een soort vreugdevolle zekerheid. Ze was niet verbaasd hem te zien, dacht ik. Met die gevoelige radar die ze leek te hebben waar het Henry en tot op zekere hoogte Lewis betrof, had ze geweten dat hij kwam, en zelfs bijna op welk moment. Ach, dacht ik, die drie zijn immers met elkaar opgetrokken vanaf dat ze amper konden lopen. Zo'n band kan niet verbroken worden.

Ze deed een stap achteruit terwijl ze nog steeds zijn handen vasthield, en maakte een gebaar of ze hem zachtjes mee wilde trekken naar de trap, maar hij bleef staan en schudde zijn hoofd.

'Nee, Cammy,' zei hij met die breekbare stem. 'Later, maar nu niet. Nu wil ik me alleen opfrissen en gaan slapen. Het is lang geleden dat ik geslapen heb. Ik hoorde van Nancy dat jullie allemaal ergens in een huis van Simms bij een moeras waren, en ik herinnerde me dat hij het land van Booter had gekocht, dus waagde ik de gok. Het spijt me dat ik jullie zo overval, maar op dit moment heb ik... kan ik nergens heen. Ik kan niet terug naar Bedon's Alley...'

'Natuurlijk niet. Je bent thuisgekomen. We hebben een huisje klaar voor je. Het is meteen in gereedheid gebracht toen we hier pas waren. Het staat achter het zwembad. Ik zal het je laten zien. Ga maar lekker douchen en stap in bed en we zullen je laten slapen tot je wakker wordt. Je kunt ons vanaf daar niet horen.'

'Gladys...'

Camilla glimlachte. 'Natuurlijk, Gladys. We zouden haar met geen mogelijkheid bij je weg kunnen houden. Kom, ik zal je kleren wassen terwijl je slaapt, en er is eten genoeg in je koelkast. Heb je nog andere kleren bij je?'

'Een paar, in een tas in de laadbak van de auto. Ze zien er niet best uit. Ik weet niet wat er met al mijn kleren is gebeurd...'

Zijn stem stierf weg en de verre blik kwam weer in zijn ogen.

'Het geeft niet, ik zorg er wel voor,' zei Camilla vastberaden. 'Kom. Als je denkt dat je het aankunt, dan zit de rest van ons waarschijnlijk wel op de een of andere veranda vanavond en morgen.'

Ze maakte aanstalten om hem mee te nemen naar het gastenhuisje tussen de dwergpalmen achter het zwembad. Nu wist ik waarom ze er op had gestaan om het juist op die manier in te richten en te voorzien van bed- en tafellinnen en bestek en serviesgoed. Ze had er ook een raamairconditioner laten aanbrengen. Het huisje stond daar al de hele zomer in de schaduw van de palmen en eiken, perfect ingericht en uitnodigend, wachtend op gasten die niet kwamen.

In plaats daarvan was Henry gekomen. Ik wist dat Camilla met dat huisje het thuis bedoelde waar hij naar toe was gekomen.

Hij weerstond haar zacht dwingende hand en keek naar mij.

'Ik heb jullie gemist,' zei hij zwak, en ik begon weer te huilen.

'Je weet niet hoe wij je gemist hebben,' fluisterde ik. 'Dat kun je gewoon niet weten.'

'Ik hoop het ooit te weten,' zei Henry, en toen draaide hij zich om en volgde Camilla over het pad om een bad te nemen, te eten en te slapen.

Ik belde naar Lewis op Sweetgrass en hij belde Simms en Lila, en in de namiddag zaten we allemaal op de veranda van Camilla te drinken en over Henry te praten.

'Hoe was het met hem?' 'Hoe zag hij eruit?' vroegen ze steeds weer, en ik kon alleen hulpeloos mijn hoofd schudden.

'Oud. Ziek. Zwak. Ik weet het niet,' zei ik. 'Hij is niet de oude Henry. Hoe zou dat ook kunnen, na alles wat hij heeft moeten doormaken? We zien wel hoe het met hem gaat als hij wat tot zichzelf is gekomen.'

'Maar heeft hij gezegd waar...?' 'Heeft hij het nog over Fairlie gehad?' 'Blijft hij hier?' 'Gaat hij weer aan de slag als arts?'

'Ik weet het echt niet,' zei ik. 'We hebben niet echt gepraat.'

'Wat hebben jullie dan gedaan?' wilde Lila ongeduldig weten.

'We hebben op de oprit met de armen om elkaar én om Gladys heen zitten huilen,' zei ik.

'Heeft Henry gehuild?' Simms was geschokt.

'Als hij niet had gehuild, dan had ik hem meteen naar een psychiater gebracht,' zei Camilla. 'Anny heeft gelijk. We moeten hem met rust laten. Laat hij maar bepalen hoe het verder moet.'

'Maar waar moeten we met hem over praten?' jammerde Lila, en ik had opeen zin om haar door elkaar te rammelen.

'Waar praatten jullie vroeger over?' informeerde ik.

'Je weet wel. Ditjes en datjes.'

'Nou, dan praat je over ditjes en datjes.'

Henry sliep de rest van die dag en nacht en het grootste gedeelte van de volgende dag. Of als hij niet sliep, dan kwam hij in elk geval niet naar buiten, en we zagen geen licht en we hoorden niets. Een paar keer kwam Gladys de deur uit, die op een kier stond, en ging naar de keuken van mij en Lewis om wat te eten en te drinken, maar daarna keek ze een beetje verbaasd en schuldbewust naar mij, kwispelde en ging terug naar het gastenverblijf.

'Het is goed,' zei ik de eerste keer. 'Ik weet dat hij terug is. Hij zal het leuk vinden als je er bent wanneer hij wakker wordt.' En weg was ze.

De volgende ochtend liep Camilla op haar tenen naar het huisje met een stapel gestreken kleren en een kan vers geperst sinaasappelsap, maar ze bleef niet.

'Hij slaapt nog steeds,' zei ze. 'Ik hoorde hem snurken.'

'Volgens mij is dat Gladys,' zei ik. 'Die kan je uit bed jagen.'

'Nou ja, wie het ook was, het klonk als een houtzagerij. Ik weet dat jullie hem allemaal willen zien, maar het lijkt me beter dat iedereen weer gewoon teruggaat naar zijn eigen huis. Misschien kan hij beter een voor een weer contact krijgen met de groep.'

'En die eerste ene ben jij,' zei Lila.

'Jullie weten dat ik hier altijd tot in de middag blijf op maandag,' zei Camilla. 'Ik wil gewoon weten of hij iets nodig heeft.

Daarna laat ik hem met rust. Maar ik laat hem niet helemaal alleen hier. Voorlopig niet. De herinneringen zullen nu in alle ernst opkomen en ik wil er zijn als hij wil praten.'

Maar Henry wilde kennelijk niet praten. In elk geval niet over Fairlie, of over de brand, of over zijn tijd in Yucatán. Halverwege de week meldde Camilla dat hij zijn slaap had ingehaald en at als een bootwerker, en dat hij er niet meer zo vreselijk mager uitzag. Hij bracht veel tijd door met doezelen in de zon of lezen bij het zwembad. Gladys liet hem geen seconde alleen en hij ging vaak uren de moerassen in met de kleine roeiboot die Simms naar de kreek had gebracht.

'Praat hij?' vroeg ik toen ze belde.

'O, dat wel. Maar niet over... dat alles. Hij heeft het over het landschap hier – blijkbaar hebben hij en Lewis hier rondgehangen met iemand die Booter heette – en hij heeft het over Gladys en honden in het algemeen, en de artsen, en wat er allemaal gaande is in de stad met al die toeristen en zo. En hij heeft het vaak over vroeger.'

'Het strandhuis?'

'Nee. Over voor die tijd. Toen hij en Lewis en ik als kind op het eiland waren. Ik was vergeten hoe vreselijk hij en Lewis waren. Daar moet hij vaak om lachen.'

'Dus we kunnen het beter niet over dat andere hebben...'

'Alles behalve dat. Dat kan hij nog niet aan. Laat hem het maar bepalen.'

Die vrijdag kwamen we allemaal ongeveer tegelijkertijd aan bij de kreek, tegen zonsondergang, en Henry stond op van de schommel op Camilla's veranda en rende de trap af om ons te verwelkomen.

'Nou, als dat niet de geachte Scrubs uit Charleston, South Carolina en Booters kreek zijn,' zei hij op lijzige toon, en we omhelsden hem allemaal en huilden en klopten hem op de rug, en Lila en ik gaven hem een kus. Hij rook naar zon en fris gestreken katoen, en heel vaag naar zout en modder, en zijn gezicht en armen waren lichtgebruind. Zijn zilvergrijze haar zat weer netjes, hoewel het nog steeds wat lang was. Iemand, ongetwijfeld Camilla, had het geknipt. Hij droeg een schone kaki broek en een blauw overhemd met opgerolde mouwen, en als je niet al te lang in zijn ogen keek, leek hij weer helemaal de oude Henry.

'Je ziet er goed uit, kerel,' zei Lewis terwijl hij zijn keel schraapte. 'Echt waar. En mijn god, Gladys! Moet je jou zien! Je kunt wel meedoen aan een wedstrijd voor de mooiste honden van Charleston!'

Gladys, die een en al blijdschap naast Henry zat en naar ons blafte, glansde alsof ze een dag in een exclusief kuuroord voor honden had doorgebracht. Om haar hals droeg ze een prachtige katoenen halsdoek in bruine, zwarte en witte tinten.

'Ik had altijd gezworen dat ik dit een hond nooit zou aandoen,' zei Henry. 'Maar ik had die uit Mexico meegenomen voor Nancy, en het was precies de kleur die Gladys heeft, dus heb ik de doek aan haar gegeven. En het staat Gladys oneindig veel beter. Nu lijkt ze echt net een cheerleader, vinden jullie niet? Het bad heeft haar natuurlijk ook geen kwaad gedaan.'

Dat eerste gesprek zette eigenlijk de toon voor de verdere zomer. Na wat aarzelingen in het begin merkten we dat we bijna heel gewoon met elkaar konden praten zonder het over Fairlie en de brand te hebben. Henry hielp daarmee door die eerste avond tijdens het eten te zeggen: 'Ik weet dat jullie alles willen weten en ik wil jullie ook alles vertellen. Maar nu nog niet. Ik moet nog veel te veel op een rijtje zien te zetten. En jullie begrijpen wel dat ik over bepaalde dingen niet wil praten en dat misschien ook nooit zal doen.'

We knikten terwijl we naar hem keken in het licht van Camilla-'s lange, witte kaarsen. Maar we begrepen het niet echt. Alleen Camilla, dacht ik terwijl ik naar haar keek. Ze glimlachte en knikte heel even. Als hij er klaar voor is, dan is zij er, dacht ik, en dat vond ik een troost. Camilla zou heel veel van Henry begrijpen zonder het te hoeven zeggen. Maar Fairlie en de brand en de jaren in het strandhuis zouden altijd bij hem blijven en altijd bij ons, wisten we.

Die zomer verbleef Henry in het gastenverblijf en Camilla bleef in haar huis. Wij kwamen in de weekends. Het was niet veel anders dan destijds in het strandhuis, alleen woonde Henry nu natuurlijk bij de kreek. Of in elk geval voorlopig. Hij deed geen poging om een huis in Charleston te zoeken en hij zei niets over doorgaan met zijn praktijk of weer op pad gaan met de Vliegende Dokters. Ik wist niet goed wat hij overdag deed. Camilla zei dat hij vaak op het water was, meestal met Gladys, en dat hij vaak ging wandelen in de velden en bossen rond het moeras. Ze had het idee dat hij op de dagen dat hij de eenzaamheid zocht, bezig was om zijn demonen uit te drijven. Zijn ogen waren vaak rood als hij aanschoof voor het avondeten, wat hij wel altijd deed. Maar tijdens het eten praatte hij gemoedelijk over ditjes en datjes, net als vroeger, en vaak bleven ze napraten tijdens de koffie. Maar nooit over Fairlie, en nooit over de brand.

'Hij komt er wel toe,' zei ze kalm. 'Ik denk dat het moment steeds dichterbij komt.'

Hij ging vroeg naar bed en las tot diep in de nacht, of in elk geval dacht Camilla dat. Er lagen stapels boeken in de woonkamer als ze er kwam om op te ruimen en hem zijn kleding en eten te brengen. En het licht in zijn slaapkamer bleef tot heel laat aan. Ze wist niet waar de boeken vandaan kwamen.

'Camilla, je bent de huishoudster en kokkin geworden van

Henry,' zei Lila op een dag in het begin van september. 'Hij moet ook eens zijn steentje bijdragen, of in elk geval iemand zoeken die het in jouw plaats kan doen.'

'Hij helpt me meer dan jullie kunnen bedenken,' zei ze met een glimlach. 'En zelfs hij heeft daar geen idee van.'

In de weekends was hij aardig en grappig en net zo vriendelijk als altijd, en hij kwam vaak mee als we gingen zeilen of zwemmen. Maar nooit met één van ons alleen. In die vroege herfst was Henry ieders kameraad en voor niemand een vertrouweling. Als Lewis, met wie hij altijd het meest vertrouwelijk was geweest, de diepe band miste die ze door de jaren heen hadden gekregen, dan zei hij het niet. Ik denk dat hij gewoon blij was Henry op welke voorwaarden dan ook terug te hebben, en dat gold ook voor mij. In die bronzen dagen van september, toen de monarchvlinders terugkeerden uit het noorden en in trillende clusters neerstreken op de bomen en struiken, en de grote spinnen in de vroege ochtend hun fabels sponnen, was Henry slechts alleen met Gladys en Camilla.

Vaak stond ik 's morgens vroeg op en dan zaten ze zacht te praten bij het zwembad, druipend en gehuld in handdoeken. In de namiddag, voor we allemaal bij elkaar kwamen om een aperitief te drinken, zaten Camilla en Henry en Gladys uitgestrekt in de lager zakkende zon op Camilla's veranda. Te praten en te praten. Eens stond ik midden in de nacht op om naar het toilet te gaan en toen ik uit het keukenraam keek, zag ik hoe Camilla stilletjes uit Henry's voordeur kwam en over het pad naar haar huis liep. Ik zei er niets over, behalve een keer tegen Lewis: 'Zou het niet mooi zijn als die twee samen iets kregen? Ze weten allebei wat pijn is. Ze kunnen een grote troost zijn voor elkaar. En ze kennen elkaar al zo lang...'

Lewis keek me bevreemd aan.

'Te veel geschiedenis,' zei hij. 'Veel te veel.'

En naarmate de langzame dagen doorgloeiden naar oktober, leek Henry een broze vrede te hebben bereikt die misschien het begin van genezing was. Dat heeft Camilla voor hem gedaan, dacht ik. Hij heeft het eindelijk van zich afgepraat tegen haar. En dat was de juiste manier. Ook al zou de rest van ons nooit de bijzonderheden horen van Henry's vreselijke odyssee, degene die hem werkelijk had geholpen, had ze wel gehoord.

De lieverd, dacht ik. Zonder haar was hij misschien wel gestorven van verdriet.

Eind september kwam een dag die zo blauw en goudbruin was en bezwangerd van de geur van rijpende wilde muskaatdruiven, dat ik de herfst bijna letterlijk onder mijn huid voelde kriebelen toen ik wakker werd. Het was zaterdagochtend, en Lewis was op Sweetgrass gebleven om met een landbouwagent over zijn dennen te praten. Ik wist dat de dag uitzonderlijk was. De hitte en gonzende insecten zouden in volle hevigheid terugkeren. In de Low Country begint het vaak pas met Thanksgiving af te koelen. Deze dag was een symbool, een belofte aan verwelkende zielen.

Het was nog vroeg toen ik met mijn bagel en marmelade op onze veranda kwam. De lucht was een schitterende kobaltblauwe koepel, maar langs de oever van de kreek hingen flarden ijzig witte mist. Slierten ervan dreven tussen het nog groene gras. Geluiden, dof en vaag in de zomer, hadden een nieuwe helderheid gekregen. Ik kon de motor van een boot ver weg op de kreek zo duidelijk horen alsof hij aan het uiteinde van onze steiger was, en het helikopterachtige geluid van een opstijgende vlucht bosooievaars klonk scherp en helder. Ik rekte me uit en slenterde op blote voeten in de richting van de steiger, gewoon om de ochtend helemaal om me heen te voelen.

Achter me klonk een zacht, mechanisch gegons, en ik draaide

me om. Henry en Gladys kwamen in het golfkarretje over het pad naar de steiger hobbelen. Henry stak met een glimlach zijn hand op en Gladys kwispelde zo hard dat haar hele achterlijf heen en weer ging.

'Wat een dag, hè?' zei ik.

'Zeg dat wel,' zei Henry. 'Gladys maakte me wakker en smeekte om te gaan varen in de Whaler, dus ik gaf toe.'

'Ze kan goed varen,' zei ik terwijl ik door het dunne haar op haar kop streek.

'Is ze vaak in de Whaler mee geweest?' vroeg hij.

'Ik heb haar er vaak in meegenomen. Dat is beter voor haar dan de roeiboot, want nu kan ze kijken.'

'Nou,' zei Henry terwijl hij uit het golfkarretje stapte en Gladys eruit tilde. 'Ik ben blij dat het niet haar eerste reis is.' En ze gingen het plankier op, de lange, magere man en de kreupele oude hond. Henry vroeg niet of ik met hen mee wilde gaan. Ik voelde me vreemd gekwetst, maar ik wist niet waarom.

Ik ging op de bank in het paviljoen zitten en keek toe terwijl Henry in de Boston Whaler sprong. Hij stak zijn armen uit naar Gladys, maar ze deinsde terug en keek van hem naar mij en weer terug. Je zag de verwarring op haar snuit. Toen ging ze gewoon zitten.

Henry begon te lachen.

'Ze vertikt het om zonder jou in de boot te gaan,' zei hij. 'Kom mee. We blijven niet lang weg.'

'O, Henry, drie is te veel.'

'Stap in de boot, mens,' gromde hij, en ik begon te lachen en sprong in de Whaler en tilde Gladys erin, die al op de rand van de steiger stond te wachten.

We gingen ver de kreek op, naar de plek waar hij overging in de grotere kreek en vervolgens in de trage, donkere rivier die uiteindelijk uitkwam in zee. Naar het oosten toe werden de oevers hoger door heuvels van oesterschelpen en glibberige klei die wemelden van de holen van wenkkrabben. Als je stil was, kon je duizenden van die krabben hun holen zien schoonmaken en met hun grote scharen zwaaien. Maar bij de minste geringste plons was de hele oever in een oogwenk leeg. Gladys blafte plichtsgetrouw, maar ze wist inmiddels dat ze nooit meer een krab te pakken zou kunnen krijgen.

Het was halverwege de ochtend, nog voor de zon hoog genoeg stond om op het water te kunnen schijnen. Het water was hier diep, en ondoorzichtig door de kolkende, krioelende lagen vol leven die tot diep in de modder reiken. Als ik vredig op het door de zon bespikkelde oppervlak dreef, duizelde het me af en toe om te bedenken dat de kreek zich dichter bij de primitieve, genererende massa bevond dan wat ook op aarde. Henry had de motor teruggedraaid tot een zacht, onderaards gebrom. We hadden weinig gezegd. Ik voelde me zo tevreden dat ik nergens aan dacht.

Hij zette de motor af en wees naar de schelpenbanken aan de andere kant van de kreek. Die was hier ononderbroken groen, op hier en daar eilandjes met dwergpalmen en oude struiken na, bijna tot de beboste horizon. Ik wist dat het schelpenbergen waren ofwel afvalbergen van de indianen, die al eeuwen voor de eerste blanke mens kwam, schaaldieren uit deze kreek visten. Elk tijdvak had een favoriet gerecht, had Lewis verteld. Sommige lagen bestonden uit oesters, sommige uit krabben, sommige uit mosselen en alikruiken, en sommige uit riviervis. Ik had er nooit een van dichtbij bestudeerd.

'Zie je die grote in het midden van het moeras?' vroeg Henry, en ik zag hem. Hij was hoog en rond als een diepe schaal in plaats van een ietwat kegelvormige heuvel, en groter dan de andere. Ik had hem nooit eerder gezien, want ik was nog nooit zo ver de kreek op geweest.

'Allemachtig, wat moeten ze hier gegeten hebben,' zei ik.

'Het is geen schelpenberg, maar een schelpenkring. Een soort tijdvakkalender, kun je zeggen. Als je die zou afgraven, zou je allerlei dingen vinden die de cultuur van het moment bepalen. Aardewerkscherven, schelpen en haaientanden die als betaalmiddel werden gebruikt, huishoudelijke voorwerpen en soms totems van sjamanen. Er werd veel aan toverij gedaan in deze moerassen. De universiteit van Charleston probeert al decennia lang een team archeologen hierheen te sturen, maar Booter wilde het niet, en Simms heeft tot dusver ook geen toestemming gegeven. Lewis en Booter en ik klommen er altijd omheen en we hebben mooie dingen gevonden, maar voorzover ik weet heeft niemand ooit echt opgravingen gedaan. Je moet eens aan Lewis vragen om je erheen te brengen.'

We bleven zwijgend zitten. Een zachte bries die naar zout en modder en de zee ver weg rook (O, het eiland! Het eiland en de zee!), stak op en deed het wateroppervlak rimpelen en koelde het zweet dat op onze gezichten stond.

'Misschien klink ik als een verwend nest,' zei ik even later, 'maar ik denk niet dat ik ergens zou kunnen wonen waar het niet mooi is. We zijn verwend in de Low Country.'

Henry zweeg. Toen zei hij, met een afwezige klank in zijn stem: 'Toen ik Fairlie terugbracht naar Kentucky, dacht ik dat ze in elk geval op die mooie groene plek zou zijn waar ze altijd zo van had gehouden, met de boerderij en de paarden en zo. Op een heuvel met uitzicht op het huis en de stallen stond een grote kastanjeboom die op de een of andere manier alle plantenziekten had overleefd, en daar wilde ze onder begraven worden. Maar toen ik er kwam, waren de weiden overwoekerd en de gebouwen waren verwaarloosd en overal was rode modder en schuren die op instorten stonden. Haar broer had nooit een vinger uitgestoken om het te onderhouden. Hij woont een kilometer of tachtig verderop en de paarden waren al jaren geleden verkocht. Dat had hij haar nooit verteld.'

Hij draaide zich naar me om en keek me aan.

'Anny, hoe erg het ook is, het eerste wat ik dacht was: "Goddank hoef ik hier nu niet te wonen." Ik zou het hebben gedaan, ik had het Fairlie beloofd en ik had het gedaan. Maar ik zou eraan onderdoor zijn gegaan. Het was niet erg om haar daar achter te laten; haar jeugd in Kentucky was de enige wereld die ze ooit zou kennen. Maar ik kon bijna niet wachten om die auto te keren en zo hard mogelijk weg te rijden. Sindsdien heb ik mezelf erom gehaat, maar ik ben niet van gedachten veranderd.'

Hij zweeg weer. Ik voelde een brok in mijn keel, maar ik zei: 'We hebben nu eenmaal onze voorkeuren, Henry. Er is geen reden om dat op te geven tenzij het niet anders kan.'

Hij glimlachte, maar het was een scheef glimlachje, en ik zag aan de spiertrekkingen bij zijn mondhoek dat het hem moeite kostte.

'Ja, ik hou van dit gebied, altijd al,' zei hij. 'Misschien heb ik het als vanzelfsprekend aangenomen, maar het is altijd mijn thuis geweest. Maar, Anny, nu heb ik hier nergens iets waar ik kan... zijn. Ik kan niet terug naar Bedon's Alley. Ik weet niet of ik dat ooit zal kunnen. Het strandhuis... nou ja. Ik heb zelfs een hutje aan een rivier duizenden kilometers ver weg geprobeerd, met een heleboel tequila en een lief jong hoertje als gezelschap. Nergens kon ik aarden. Ik kan niet weg uit de Low Country en ik kan er geen plek in vinden.'

Er klonk zoveel pijn in zijn stem dat ik mijn hand op de zijne legde en hij drukte die even.

'Wat is er mis met dit hier?' vroeg ik. 'Dit zijn echte huizen. Het is hier mooi. Je kunt hier net zo comfortabel leven als in de stad. Kan dit je thuis niet zijn? Misschien niet voorgoed, maar voorlopig. Camilla is hier nu bijna altijd. En de rest komt elk weekend. Ik weet dat hier niets is van... van je vroegere leven...'

Hij lachte even. 'Dat is juist de reden waarom het kan lukken,' zei hij. 'Hier word ik door niets en niemand achtervolgd. Weet je, ik ben ook teruggekomen om te zien of ik Fairlie ergens kon vinden, maar het blijkt dat ik eigenlijk op zoek ben naar mezelf.'

'Nou, laat het ons weten als je jezelf gevonden hebt. Intussen zijn we alleen maar blij dat we degene terughebben die zegt dat hij Henry is. Het was zo erg om niet te weten waar je was...'

'Je bent een schat, Anny Aiken,' zei hij. Hij kneep even in mijn hand en zette toen de motor weer aan. 'Ik heb altijd al tegen Lewis gezegd dat hij niet goed genoeg is voor jou.'

Het was al in de middag toen we naar de steiger tuften, en Camilla stond aan het uiteinde terwijl ze beurtelings haar handen in elkaar klemde en weer losliet, en er lag een geforceerd glimlachje om haar mond.

'Ik wou dat jullie het tegen me zouden zeggen als jullie weggaan,' zei ze. 'Ik ben zo ongerust geweest. Ik beeld me de vreselijkste dingen in als jullie weg zijn...' Ze draaide zich om en liep terug over het plankier, zwaar leunend op de wandelstok van sleedoorn die ze nu overal meenam. Ze leek meer gebogen dan ik haar sinds lange tijd had gezien.

'Ik had het haar moeten zeggen,' zei ik schuldbewust. 'Ze kan elk moment vallen. Iemand moet hier zijn als zij er is. Ik ben blij dat jij er door de week bent.'

'Ja,' zei hij. 'Hoor eens, Anny, zeg maar niets tegen haar over ons gesprek. Ze lijkt de laatste tijd nogal afwezig. Ik wil haar niet ongerust maken.'

'Heb je daar dan helemaal niet met haar over gepraat? Ik dacht juist van wel. Je zou het moeten doen, Henry. Zij is de enige die werkelijk kan weten wat je doormaakt. Je weet hoe sterk ze was na Charlie. Ze is altijd onze toevlucht geweest.'

Hij lachte. 'Als iemand een doordouwer is, dan is het Cammy wel. Maar ze zou proberen me beter te maken,' zei hij. 'Ze kan geen pijn zien zonder te proberen er iets aan te doen. Zo is ze altijd al geweest. Maar ik wil geen adviezen. Ik heb alleen een luisterend oor nodig. En ik dank je daarvoor.'

Toen we terugkwamen in het huis was Lewis er, en Lila en Simms, en de intensiteit van die prachtige goudbruine dag bleef onverminderd doorgaan.

Die avond zaten we lang aan tafel. De koele lucht geurde nog steeds naar druiven en de sterren gloeiden als de sterren aan een winterhemel. Er was regen voorspeld, gevolgd door hitte en vochtigheid, en we wilden deze avond niet laten gaan. Er heerste een sterk gevoel van verandering. Ik herinnerde me andere dagen en avonden in het strandhuis, als de verandering bijna tastbaar in de lucht hing. Ik huiverde en schonk nog een glas wijn in.

We waren in de eetkamer van Simms en Lila, die met de donkere meubels en kandelaars altijd meer een winterkamer leek in mijn ogen, en hoewel het er nog niet koud genoeg voor was, hadden ze een vuur aangelegd in de open haard en de airconditioning aangezet. We plaagden hen om die buitensporigheid, maar ik denk dat we allemaal de weerkaatsing van de dansende vlammen op het kristal en het geboende hout prachtig vonden. We hadden kwartel en grutten gegeten – 'Ik kan geen krab meer zien,' zei Lila – en nu zaten we wijn te drinken en te praten. Gladys was met Henry meegekomen en lag onder zijn stoel luidruchtig te snurken. Uit de kleine cd-speler klonk Pachabel. Buiten steeg het herfstgekwaak van honderden kikkers op in de koele lucht.

Henry boog zich voorover, zette zijn ellebogen op de tafel en zei: 'Ik heb vandaag wat telefoontjes gepleegd. Ik vond dat ik iets moest gaan doen. Ik kan niet steeds in de zon blijven zitten. Ik denk niet dat ik de praktijk heropen, maar misschien kan ik op oproep gaan werken of een paar dagen per week ergens in een medisch centrum. Dat op John's Island is nieuw. Ze toonden belangstelling.'

'Ga je ook weer bij de Vliegende Dokters werken?' vroeg ik. Ik besefte dat ik niet wilde dat Henry ook maar ergens naartoe ging, maar dat was een egoïstische wens. Natuurlijk zou Henry vroeg of laat zich weer nuttig willen voelen. Dat was hij zijn hele leven geweest. En dat zou niet met Fairlie verdwijnen.

Hij lachte. 'Na de laatste keer zullen ze me niet zomaar terugnemen. Ik ben daar inmiddels een legende.'

We lachten allemaal, opgelucht. Het was de eerste keer dat hij iets had gezegd over die vreselijke weken in Yucatán, tegen ons als groep. Weer een stapje verder, dacht ik.

'Je moet niets overhaasten,' zei Lewis. 'Misschien is het goed om nog een paar maanden rust te houden. Je mag wel eens wat aankomen.'

'En jij mag wel eens wat afvallen,' antwoordde Henry, en we lachten weer allemaal. Lewis gedrongen gestalte was zichtbaar aan het uitdijen. Het interesseerde hem niets.

'Met wat lichamelijke inspanning is dat zo weer weg,' zei hij.

Camilla zat zwijgend naar Henry te kijken.

'Over lichamelijke inspanning gesproken,' zei Simms, 'ik denk dat ik precies de juiste boot voor je heb gevonden, Lewis. Een kerel die ik ken in Fort Lauderdale vertelde erover toen ik zei dat ik naar een boot op zoek was. Het is een Hinckley, Pilot 35. Met vier britsen en een betegelde haard. Gebouwd in 1966, maar helemaal gerenoveerd. Ik weet wat je van Hinckleys vindt, en de

Pilot heeft een van de mooiste rompen die ik ooit heb gezien. De prijs is ook niet gek. Als je belangstelling hebt, kunnen we er volgende week een keer naartoe vliegen om te kijken. Hij zei dat hij wel iemand kon vinden om de boot voor je naar hier te brengen, als je hem wil.'

Ik keek naar Lewis. Hij had helemaal niet verteld dat hij een boot wilde. Ik wist dat hij het heerlijk vond om met Simms te gaan zeilen, maar het was vreemd dat hij er niets over gezegd had.

'Een Hinckley,' zei hij vol ontzag. 'Die heb ik altijd willen hebben. Ik ben gek op die oude modellen. Ik ben een keer in de zomer naar de Hinckley-werf in Southwest Harbor geweest, toen ik Mike Stewart in Maine ging opzoeken. Het was schitterend. Ik herinner me nog steeds die prachtige rompen en de geur van teakhout en vernis.' Hij draaide zich naar me om.

'Wil je de vrouw van een zeiler worden, Anny?' vroeg hij met een grijns.

Ik was nijdig, zonder te weten waarom.

'Die heb je al gehad,' zei ik. 'Dat lijkt me meer dan voldoende.'

Iedereen barstte in lachen uit en Lewis bewoog zijn wenkbrauwen op en neer naar me.

'Eén dag met de Hinckley eropuit in de haven, en je zult van gedachten veranderen,' zei hij. 'Goed, Simms, laten we een kijkje gaan nemen. Wanneer kun je volgende week?'

Ze spraken af om woensdag te vertrekken en zaterdag terug te komen. Dan, zei Simms, hadden ze tijd om onder verschillende weersomstandigheden met de Pilot te zeilen.

'Zorg dat jullie een feestmaal klaar hebben staan,' zei Lewis verheugd. 'Om de zeeman thuis te verwelkomen. Leg de champagne koel. Slacht het gemeste kalf.'

Camilla had nog steeds niets gezegd. Haar gezicht was ernstig en mooi in het kaarslicht.

Zondagmiddag gingen we terug naar Sweetgrass, en we brachten de namiddag door met zwemmen in de rivier bij de steiger. We hadden een heleboel te doen, maar we waren nog bevangen door dat vreemde gevoel van ophanden zijnde verandering, en ik wilde alleen maar drijven in het warme water van thuis. Water is eeuwig, onveranderlijk.

We zwommen tot de schemering helemaal was gevallen, en toen klauterden we op de steiger. De planken waren nog warm, maar er was een koel briesje opgekomen. Om de een of andere reden waren de muggen naar elders getrokken. We lagen in vochtige handdoeken gewikkeld te kijken hoe de maan opkwam aan de lavendelkleurige hemel.

'Weet je nog?' zei Lewis. En ik wist het. Die avond, de eerste keer dat ik Sweetgrass zag, toen we op deze steiger de liefde hadden bedreven onder de blikken van een rode lynx. 'Wil je het nog eens proberen, oudje?' zei Lewis.

'Kijk over tien minuten nog maar eens of dat "oudje" van toepassing is,' zei ik terwijl ik mijn handdoek liet vallen en mijn armen naar hem uitstrekte. Zijn lichaam was stevig en lief en vochtig, zoals het vele nachten had aangevoeld onder mijn handen. Het kon me nog steeds doen gloeien van verlangen.

Naderhand lagen we in elkaars armen, onze ledematen zwaar van moeheid en voldoening.

'Het is nog steeds goed, hè?' zei ik in zijn hals.

'Beter kan niet.'

'Zo zal het altijd blijven.'

'Zeker weten,' zei hij.

De volgende ochtend stond ik vroeg op. Lewis lag nog te slapen, diep weggedoken onder de verschoten oude sprei die nog van zijn grootmoeder was geweest. Ik maakte een beker koffie voor mezelf en roosterde een Engelse muffin, en met tegenzin trok ik mijn kantoorkleding aan. Ik zou later die ochtend naar de universiteit van Richmond vliegen om met de decaan van de verpleegopleiding te praten over de mogelijkheid ons programma tot een van de keuzevakken van de opleiding te maken. Normaal gesproken zou ik Allie, mijn jonge assistente, hebben gestuurd, maar dit kon een heel nieuwe richting voor ons openen. Ik moest er persoonlijk naartoe. Ik zou tot woensdagavond blijven en donderdag naar huis vliegen. In de groenige schemering van onze slaapkamer bedacht ik dat ik nooit zo weinig zin had gehad om op reis te gaan als nu.

Ik kuste Lewis op zijn voorhoofd en hij opende zijn ogen.

'Ik ga nu,' zei ik. 'Het spijt me dat ik er niet ben om je uit te zwaaien woensdag.'

'Als je er maar bent als we thuiskomen,' zei hij. Hij gaf een kus op mijn handen en ging weer slapen.

De sessie op de universiteit wierp vruchten af, maar was zo saai als alle academische zaken, en het duurde ongeveer anderhalve dag langer dan de bedoeling was. Ik was moe toen ik op mijn laatste avond terugkwam in mijn motel, en ik fluisterde: 'Verdomme' toen ik het lichtje van mijn antwoordapparaat zag knipperen. Ik had zin om de boodschap niet af te luisteren, maar deed het toch.

Het was Lewis, met een boodschap om naar zijn hotel in Fort Lauderdale te bellen, hoe laat ik ook terug zou zijn. Met bonzend hart toetste ik het nummer in.

'Wat is er?' zei ik toen hij opnam. 'Wat is er?'

'Slecht nieuws, schat. Henry belde net. Camilla is vanmorgen gevallen en ze heeft haar enkel ernstig verstuikt. Ze kan geen stap doen. En Anny... Gladys is vannacht gestorven.'

'O, Lewis!' riep ik uit terwijl de tranen in mijn ogen sprongen. 'Wat is er gebeurd? Hoe gaat het met Henry?'

'Ze is blijkbaar in haar slaap gestorven. Hij vond haar aan het voeteneind van zijn bed, in elkaar gerold, met haar snuit op haar poten. Hij zei dat het een heel vredige dood moet zijn geweest.'

'Is hij erg van slag?'

'Niet echt. Hij leek er vrede mee te hebben. Hij zei: "Ach, ze heeft op me gewacht en meer kun je toch niet wensen?" Hij wil haar naar Sullivan's Island brengen en vlak boven de duinenrij begraven, waar het strandhuis heeft gestaan. De mensen die het stuk land daar gekocht hebben zullen er voorlopig toch niet bouwen.'

'En Camilla... wat gaat er met haar gebeuren? O, Lewis, ik ga morgen meteen door naar de kreek. Wie moet er voor Camilla zorgen?'

'Lila gaat een paar dagen, en dan wil Henry het overnemen. Cammy is heel koppig. Hij wil dat ze een röntgenfoto laat maken, maar ze glimlacht alleen en weigert. Je kunt haar niet oppakken en meenemen. Ze zegt dat ze het best kan redden met krukken, maar natuurlijk valt ze bijna zodra ze opstaat. Ga Henry maar een poosje bijstaan, en probeer haar wat verstand bij te brengen. Henry zegt dat dit maanden kan duren als ze niet behandeld wordt.'

'Mijn god. Hoe wil ze dat redden?'

'Ze redt het altijd,' zei Lewis.

'Heb je de boot al gezien?'

'Morgenochtend. Ik heb aangeboden om terug te komen, maar Henry wil er niet van horen. We hebben net krab gegeten en ik ga naar bed. Ik bel je vrijdag wel als je bij de kreek bent.'

'Ik hou van je, Lewis.'

'En ik van jou, schat, altijd.'

Ik hing op en kroop in bed, en daar bleef ik een hele tijd liggen huilen om mijn mooie vriendin die zo achteruitging, en om de oude hond waarvan ik zo had gehouden, en om de magere, gewonde man die ook van haar had gehouden.

Toen ik de volgende middag bij de kreek kwam, was alles stil in de zinderende hitte. Ik keek naar alle veranda's maar zag niemand. Misschien deden ze een middagdutje. Ik ging naar ons huisje en zette de plafondventilator aan. Ik trok mijn mantelpakje en panty uit voor de warme lucht nog maar begon te bewegen, en toen ging ik met een zucht van opluchting naar de veranda aan de achterkant, slechts gekleed in een korte broek en T-shirt. Ik zwoer dat ik nooit meer naar besprekingen buiten de stad zou gaan. Er gebeurde niet genoeg terwijl er te veel thuis gebeurde.

Er klonk traag geplons in het zwembad, en ik tuurde door het gaas van de omheining. Henry trok op zijn gemak baantjes, en alleen zijn natte witte haar was te zien als hij zijn hoofd omdraaide om lucht te happen. Net als Lewis, als alle jongens uit de Low Country, kon Henry goed zwemmen. Het water was als lucht voor hen, een ander element. Ik zag niemand anders.

Henry zag me en hees zich op de kant. Hij was nu diepgebruind, bijna als toen hij veel jonger was, in de dagen van het strandhuis, en het leek of de wrede holtes om zijn botten opgevuld waren. Ik liep naar hem toe.

'Twee rotdagen, hè?' zei ik terwijl ik naast hem op een canvas ligstoel ging zitten.

'Rot,' gaf hij toe. 'Ik heb erger meegemaakt, maar het was rot.'

'Henry, ik vind het zo erg van Gladys. Het is hartverscheurend als ik eraan denk.'

'Zo moet je het niet opvatten,' zei hij, en zijn stem klonk zo vredig als Lewis had gezegd. 'Ze was een lief oud dier en ze heeft iedereen die haar kende veel plezier gegeven. Ik wil dat jullie aan de goede tijden met haar denken, en aan de gekke dingen. Tenslotte was ze een grappige hond.'

'In elk geval was het een mooie manier om dood te gaan. In je slaap, met degene van wie je het meeste houdt in je nabijheid.'

'Daar zou ik ook voor tekenen,' zei hij.

We bleven een poos zwijgend zitten luisteren naar het ruisen van het moerasgras en het gezang van de vogels op de hoogten.

'Ik was altijd bang dat je geen reden meer zou hebben om bij ons te blijven als ze doodging,' zei ik.

'Nee. Ergens is het zelfs beter. Er is nu letterlijk niets meer over van... van vroeger, behalve wij. Het is hier anders. Ik zie Fairlie hier niet. Ik zal haar nu niet meer zien als ik naar Gladys kijk. Ik moet een nieuw leven opbouwen omdat ik niets meer over heb van het vroegere leven. Dan kan ik daar net zo goed nu mee beginnen.'

'We hoopten allemaal dat je het hier prettig zou vinden om de omgeving zelf,' zei ik zacht.

'Dat is ook zo. Het is prachtig. En ik ben hier zowat opgegroeid, dat weet je, met Lewis en Booter. Alles hier heeft goede herinneringen.'

'Daar ben ik blij om. Is Gladys... Heb je...?'

'Vanmorgen vroeg. De zon was net opgekomen. Er was niemand. Ze heeft een mooie plek. Een van de weinige dingen die de nieuwe eigenaars intact hebben gelaten, is die grote palm precies op de duinlijn. Ik heb haar aan de voet ervan begraven. Die palm zal gedijen als nooit tevoren, en ze zullen nooit weten dat het door Gladys komt.'

'Was het niet erg om het eiland en het strand weer te zien?'

'Nee, ik was bang van wel, maar zo was het niet. Er is niets meer van ons daar. Ze hebben alles platgewalst en ze zijn van alles aan het aanleggen. Zo te zien aan alle bouwmateriaal wordt het een gebouw van vier verdiepingen met Palladiaanse ramen. Het zal een vermogen kosten en er precies zo uitzien als alle huizen aan het strand. Dat is ergens een troost. Ik zou het vreselijk vinden om te denken dat het oude huis daar nog stond te wachten terwijl niemand van ons terugkomt.'

Ik voelde een brok in mijn keel.

'Denk je vaak aan het oude huis en... en aan alles, Henry?'

'Maar vijftig keer per dag. En jij?'

'Ja. Ik probeer er niet aan te denken, maar dat lukt niet. Ik zie het wel zoals het was. Het is goed om te weten dat niet meer zo is.'

'Nou, er zal altijd iets van de Scrubs blijven met Gladys onder haar duin. Weet je nog hoe ze in het golfkarretje zat te kijken als wij op het strand waren, maar dat ze er zelf niet meer durfde te komen sinds Hugo?'

De adem stokte in mijn keel. Natuurlijk wist ik dat nog. Ik herinnerde me alles.

'Vertel eens over Camilla,' zei ik. 'Hoe erg is het? Ik ben hier al heel lang bang voor geweest.'

Hij fronste zijn wenkbrauwen.

'Het is niet best. Ik zag haar naast het zwembad liggen toen ik na het ontbijt naar buiten ging. Ze was drijfnat en bijna bewusteloos van de schok en de pijn. Die schok vond ik nog het meest zorgwekkend. Ik heb haar opgetild en naar haar huis gebracht en haar in dekens gewikkeld tot haar polsslag weer sneller werd. De enkel zal mettertijd wel genezen. Als ze er tenminste een foto van laat maken en eventueel een loopgips laat aanbrengen. Als ze dat niet doet, kan ze haar verdere leven kreupel blijven.'

'Waarom is ze zo koppig? Het is niets voor Camilla om mensen ongerust te maken. Ze zou voor geen goud iemand tot last willen zijn.'

'Dat zou je inderdaad denken, hè?' zei Henry.

'Waar is Lila?'

'Ze is boodschappen gaan doen. Ik ben hier gebleven omdat het makkelijker voor mij is om Camilla op te tillen als ze zou vallen. Hoewel ze nog geen vijfenveertig kilo kan wegen. Mijn god, sinds wanneer is ze zo mager?'

Even later kwam Lila terug met zakken vol boodschappen en dozen wijn en andere drank, en we hielpen haar om alles naar haar huis te dragen.

'Als ik hier vastzit, dan wil ik wel alles hebben wat nodig is,' zei ze. 'Ik ben blij dat je er bent, Anny. Misschien luistert ze wel naar jou wat die dokter betreft. Ik weet niet wat haar bezielt.'

Camilla verscheen met etenstijd, met de ene arm leunend op haar kruk en met de andere op Henry. Ze zag zo wit als een doek en haar huid was bijna doorzichtig. Onder het verband om haar enkel verspreidde zich een akelige blauwe plek over haar hele voet en tot op haar been. Ze had duidelijk pijn, maar ze had een kleurige Mexicaanse rok en blouse aangetrokken, en lipstick en wat rouge opgedaan. Op haar witte wangen leek de rouge net ronde rode vlekken op het gezicht van een clown.

Maar ze glimlachte.

'Wat een gedoe allemaal, hè?' zei ze. 'Ik ben zo elegant als een manke beer.'

Herny hielp haar op haar stoel en Lila zette ons eten op tafel. Het was een koude maaltijd, licht in de hitte die was teruggekeerd: garnalensalade en avocado, en de laatste van die heerlijke tomaten van John's Island. We dronken er een geurige chablis bij.

Na het eten gingen we op de veranda zitten in de zachte, zwarte avond van de Low Country. Het was zo donker dat ik de anderen amper kon zien; alleen het kraken van de schommelstoelen was een teken dat we er allemaal waren.

'Goed, nu we met meer mensen zijn, zal ik het onderwerp van de dokter weer ter sprake brengen,' zei Lila vastberaden. Ik hoorde ergernis in haar zangerige stem.

'Je moet gaan, Camilla,' zei ik. 'Het duurt misschien maar een ochtend. Henry kan met één telefoontje een afspraak met een goede orthopedist voor je regelen. Misschien heb je alleen maar loopgips nodig. Dan ben je wat vaster ter been en dan word je veel sneller beter. Hoeveel we ook van je houden, Lila en ik kunnen moeilijk de hele tijd bij je blijven. En je weet dat Henry heeft gezegd dat hij binnenkort weer aan de slag wil. Je kent Henry: hij zal net zo lang blijven als je hem nodig hebt. Maar met de hulp van een dokter kan die tijd gehalveerd worden.'

Ze bleef even stil. Toen zei ze in het donker: 'Ik ga wel. Natuurlijk. Ik wil niet dat jullie allemaal kwaad op me zijn. En natuurlijk moet Henry terug naar de bewoonde wereld. Ik denk dat die bestelauto niet één keer van John's Island is geweest sinds hij hier is. Het is alleen... Ik ben nooit meer in een ziekenhuis geweest sinds Charlie...'

Dat trof me diep in mijn hart.

'Ik breng je wel,' zei ik. 'En ik zal de hele tijd bij je blijven.'

'Nee,' zei Lila. 'Ik ga wel. Henry wil een helling maken over Camilla's trap aan de voorkant, en jij moet zorgen dat alles klaar is voor de thuiskomst van de zeehelden. Simms zegt dat de boot prachtig is. Ze zullen ons zaterdagavond foto's laten zien.'

De volgende ochtend reden Lila en Camilla naar een orthopedist bij wie Henry voor haar een afspraak had gemaakt. Henry haalde hout en een handzaag tevoorschijn terwijl ik in het paviljoen aan het uiteinde van het plankier ging zitten om een boodschappenlijstje te maken.

De ochtend was zacht en blauw en spinnenwebben glinsterden van de dauw tussen het moerasgras. Ik wist dat het tegen de middag weer heet zou zijn, maar nu was er die veelbetekenende rimpeling door een briesje op het water, en het was vloed. Opeens verlangde ik naar de Whaler. En toen dacht ik aan Gladys, en er kwam een waas van tranen voor mijn ogen.

Henry liet zich naast me op de bank vallen.

'Ik heb gewoon geen zin om deze ochtend te klussen,' zei hij.

'Laten we weglopen. Ik weet wat, ik zal je de schelpenkring laten zien. Die moet je echt zien, en Lewis gaat voortaan toch alleen maar zeilen. Heb je zin?'

Mijn hart maakte een sprongetje. Op het water zijn, misschien te kunnen lachen, Henry te zien lachen...

'Ik ga sandwiches maken,' zei ik terwijl ik opstond.

'Neem wijn mee!' riep hij me na.

Een halfuurtje later voeren we met de verfrissende wind in ons gezicht over de oktoberblauwe kreek.

We zeiden niets tot de hoogte in het zicht kwam waarin de schelpenkring verborgen zat. Om er te komen moesten we de motor uitzetten en de Whaler zo dicht mogelijk bij de kant brengen, die vervolgens vastmaken en door het water waden. De bodem van de kreek was zacht en glibberig en pluizig, en het water was net een dikke, donkere soep. Ik probeerde zo licht mogelijk te lopen, bang voor waar ik in dat oude, geheime water op kon trappen. Henry had gezegd dat hier geen scherpe schelpen van oesters of mosselen waren, maar toen ik eens met Gladys aan het varen was, had ik de donkere, driehoekige vorm van een grote rog onder de boot gezien, en het angstzweet brak me uit. Het maakte niets uit dat Lewis zei dat onze kreekroggen ongevaarlijk en zelfs bang waren, en ook niet dat ze heel lekker smaakten. Zodra ik donker, ondoorzichtig water zie, denk ik meteen dat het er wemelt van de gevaarlijke roggen. Ik was dan ook blij toen we glibberend de oever beklommen en ons door het diepe gras een weg naar de schelpenkring baanden.

De hoogte was zo groot dat er oude, knoestige eiken stonden, met baarden van zilverkleurig Spaans mos. Zelfs zo laat in het jaar zagen ze nog groen van de klimvarens en hier en daar staken de scherpe bladeren van dwergpalmen erdoorheen. Onder de overkoepelende eiken zag de vlakke, met mos bedekte grond er net zo netjes uit als een aangelegde tuin. Henry zei dat hier het indiaanse dorp had gestaan dat de schelpenkring had gevormd. Het was hier gebouwd vanwege de schaduw, het rijk bevolkte water van de kreek en de kleine waterbron die aan de andere kant van het groen borrelde. Het was er zo stil als in een kathedraal. Onder deze bomen ging je onwillekeurig fluisteren.

We legden de fles wijn in de bron en gingen naar de schelpenkring. Die was twee keer zo hoog als wij, en Henry zei dat je, als je hem beklom, in het midden een krater zou zien, net als bij een vulkaan.

'Maar we hebben hem nooit beklommen,' zei hij. 'Niemand heeft gezegd dat we het niet mochten, het leek ons gewoon niet juist. We hadden altijd het gevoel dat ze ons gadesloegen.'

'Ze?'

'Degenen die deze kring zijn begonnen. Die hem opbouwden. Ik heb nooit geweten wie het waren. Volgens geologen zijn deze kreek en de andere hier in de buurt minstens zesduizend jaar oud. Ze zijn gevormd toen de oceanen niet meer stegen. De eerste mensen die hier woonden kunnen wel een stam zijn geweest over wie niemand ooit gehoord heeft.'

Ik keek op naar de grote, steile muur van schelpen en resten, nu bedekt met gras en varens en sediment van duizenden jaren oud. Het was donker in de schaduw van de kring, en koel. We rommelden in het wilde weg in de rand van de kring, en vonden schelpen en scherven aardewerk, pijlpunten, stukken van kommen, en kapotte kralensnoeren. We vonden ook een reusachtige haaientand. Henry zei dat die als betaalmiddel moest hebben gediend en heel veel waard was geweest. We lieten de tand liggen en de andere dingen ook. Henry had gelijk. Je voelde hier de aanwezigheid van andere schepsels rond de kring en onder de eiken. Als ik in de groene schaduw eronder keek, kon je de vlekken van het zonlicht makkelijk aanzien voor schimmige bruine mensen die bezig waren met in hun dagelijkse behoeften te voorzien door te jagen in de kreek en op de hoogten. Ik huiverde.

'Ik heb trek,' zei ik. 'Zullen we wat eten?'

Hij keek glimlachend op me neer. 'Jij voelt het ook, hè? Dat wie hier ook ooit is geweest, er nog steeds is.'

Ik herinnerde me iets waar ik niet meer aan had gedacht sinds de universiteit.

'Heb jij ooit *De gouden tak* van James Frazer gelezen? Dat grote boek over mythen en magie van over de hele wereld?'

Henry schudde zijn hoofd.

'Eén ding wat hij zei ben ik nooit vergeten. Het ging ongeveer zo: "De tweede regel van magie: dingen die ooit met elkaar in contact zijn geweest zullen op elkaar blijven reageren nadat het fysieke contact is verbroken."'

Henry keek me aan en glimlachte.

'Dat hoop ik,' zei hij. 'Voorzover ik weet heeft hij gelijk.'

Had hij het over Fairlie? Ik dacht van wel. Ik glimlachte terug.

'Nou, dan zal Gladys altijd bij ons blijven,' zei ik.

'Ja. En een heleboel andere dingen.'

Terwijl we onze sandwiches aten en de wijn dronken, had de lucht in het westen een donkere violette kleur gekregen. Ik merkte het pas toen de wind op de kreek af en toe fel opstak en weer ging liggen. Het klonk alsof de kreek zwaar ademde.

'Dat ziet er niet goed uit,' zei ik tegen Henry. 'Denk je dat we op tijd terug zullen zijn?'

'We hebben vijftig procent kans,' zei Henry. We pakten onze papieren zakken en de fles wijn en renden de glibberige kant af en het water in, en klauterden in de Whaler.

Henry gaf vol gas en we voeren in volle vaart terug naar huis, steeds net voor de toenemende duisternis en de griezelige wind.

Aan de zeekant van de kreek zag de lucht geel. Net als op de heenweg zwegen we. Ik kon de geur van ozon ruiken in de killer wordende wind. Bliksem op open water in een metalen boot was niet iets om grapjes over te maken.

De bui barstte los toen we halverwege het plankier waren en naar de huizen renden. Er kwam een enorme bliksemflits en het haar op mijn armen en in mijn nek ging overeind staan, en toen klonk een hevige donderklap alsof het vlak achter ons was ingeslagen. De planken rammelden onder onze voeten. Dikke, koude regendruppels begonnen op het plankier te spetteren, en toen we over het pad naar de veranda's holden, waren we al doorweekt, en we lachten hardop van opluchting dat we het hadden overleefd.

We stoven onze woonkamer binnen, nog steeds lachend. Terwijl ik de natte haren uit mijn gezicht streek, zag ik dat de anderen er waren: Lila en Camilla. En Simms. Alleen Simms. Iedereen keek naar ons. Niemand zei iets.

De lucht knetterde als ozon omdat het niet klopte. Ik begreep het niet. Ik schudde mijn hoofd.

'Wat doe jij hier, Simms?' vroeg ik. 'Zijn jullie eerder teruggekomen? Waar is Lewis?'

Nog steeds zei niemand iets. De kamer werd opeens heel licht. Naderhand las ik ergens dat de pupil van het oog zich verwijdt in tijden van gevaar, opdat geen enkel detail onopgemerkt blijft.

Simms begon te praten, maar ik kon hem niet horen door het gedreun in mijn oren en de verblindende helderheid. Maar toen hoefde ik de woorden niet meer te horen. Ik wist het. De plek in mijn wereld die altijd door Lewis was ingenomen, was leeg en vulde zich met mist en duisternis. Achter me voelde ik dat Henry me stevig bij de schouders greep.

Nu praatten ze allemaal tegelijk, zacht, hun gezichten vertrokken van pijn, maar ik kon hen niet verstaan. Ik hoorde alleen een gedreun als van de zee. De mist en duisternis van Lewis' lege plek rolden op me af.

Verblind draaide ik me om naar Henry en zei met een angstig stemmetje dat ik niet herkende: 'Ik weet niet wat ik met dit aanmoet. Help me alsjeblieft. Ik weet niet wat ik moet doen.'

Ik draaide me weer om naar Camilla en dacht, door de kolkende duisternis, dat ze haar handen naar me uitstak.

'Zeg me hoe ik dit moet doen, Camilla,' fluisterde ik. Toen nam de kolkende duisternis bezit van me en het laatste wat ik voelde waren Henry's armen, niet die van Camilla.

11

De boot heette de *Miss Charity Snow*, genoemd naar de echtgenote van degene die haar in 1966 had gebouwd. Ik herinnerde me wat Lewis eens had verteld over zijn bezoek aan de Hinckley-werf in Maine, en ik dacht aan die eerste eigenaar – in mijn verbeelding bruin en gerimpeld en met de blik van de zee in zijn ogen – hoe hij keek terwijl ze door de grote hydraulische lift omlaag werd getakeld. Ik rook het teakhout en vernis. Ik dacht aan zijn blijdschap en bijna ontzag voor dit eenvoudige, perfecte ding, en ik wenste dat hij was gestorven voordat hij ooit aan Hinckley had gevraagd om een boot voor hem te bouwen.

Het is vreemd als iemand die je liefhebt, sterft. Heel lang doet het er niet toe hoe ze gestorven zijn. Of dat was tenminste bij mij het geval. Er gingen dagen overheen voor het bij me opkwam om te vragen wat er was gebeurd, hoewel ik wist dat hij op het water moest zijn gestorven. Ik had gewoon geen behoefte aan details. Niet dat ik bang was ze te horen, hoewel ik wist dat het vreselijk moest zijn. Het interesseerde me gewoonweg niet. Wat maakte het nog uit?

Uiteindelijk, na me door het eindeloze web van het regelen voor een passende begrafenis van de overledene heen te hebben geholpen, liet Henry me op een dag op een stoel plaatsnemen en vertelde hoe het was gebeurd.

'Je moet het weten, Anny,' zei hij. Zijn gezicht was bleek van verdriet om zijn oudste en beste vriend. 'Je hebt de afgelopen dagen als een zombie rondgelopen. Je zult er nooit overheen komen als je het niet weet. Het zal nooit werkelijk lijken. Neem dat maar van mij aan.'

'Er overheen komen?' zei ik ongelovig. 'Hoe kun je denken dat ik er ooit overheen zal komen?'

We zaten aan het zwembad. Het was laat in de middag. Het schuine licht had de gloed van oud goud en de bries van de kreek had een kille ondertoon. Ik had een oude trui van Lewis aan, om de overgebleven warmte van zijn lijf te voelen en zijn geur te ruiken. Toch had ik het koud. Ik had het in die eerste dagen steeds koud.

Henry had me een glas wijn gegeven, maar ik dronk het niet leeg. Ik voelde me misselijk en verdoofd door de wijn. Op dat moment had ik alles willen doen om me beter te voelen. Gewoon iets beter, heel even. Als ik dat kon, dacht ik, dan kon ik misschien diep ademhalen en verder leven met de pijn tot die zou afnemen. Camilla en Henry hadden allebei gezegd dat het zo zou gaan. Ik geloofde hen niet. Dit verstikkende ding met tentakels om mijn hart en tanden in mijn keel leek het eeuwige leven te hebben en mijn bloed op te zuigen. Maar ze hadden het allebei doorstaan, en hoewel het bij beiden – in elk geval bij Henry – een litteken had achtergelaten, waren ze er nog steeds. Ik begreep vaag dat ik van hen kon leren. Maar ik had er de kracht en de wil niet voor. Het enige waar ik toe in staat leek te zijn, was ademhalen.

Maar ik bleef zitten en liet Henry vertellen hoe mijn man was gestorven, of hoe ze dachten dat het was gebeurd. Pas veel later kwam bij me op dat ik het misschien nooit zou weten. Ze hadden Lewis' boot gevonden en de dag erna vonden ze Lewis, maar er was niemand die het ware verhaal kon vertellen. Daar leken de anderen problemen mee te hebben, maar ik niet, nu nog steeds niet.

Simms had een zakendiner, zei Henry zonder naar me te kijken, en ik wist dat we ons allebei afvroegen of hij bij een van zijn liefjes was geweest.

Welke WC was het deze keer, Simms? dacht ik zonder boosheid. Ik voelde alleen enige nieuwsgierigheid. Nogmaals, wat deed het er toe? Naderhand schreeuwde Lila tegen hem, zo hard dat we het konden horen: 'Welk zakendiner kon verdomme zo belangrijk zijn dat je hem in zijn eentje met die boot weg hebt laten gaan, terwijl het al donker begon te worden? Je wist dat hij lang niet zo goed kon zeilen als jij. Je wist dat hij de boot nog niet kende...'

Simms had niets gezegd. Hij leek wel tien jaar ouder te zijn geworden sinds die vrijdagmiddag. Op de zaterdag toen ze Lewis vonden, was hij naar het huis op de Battery gegaan en was daar gebleven. Camilla en Lila en Henry organiseerden de begrafenis. Verloren in mijn dikke mist kon ik gewoon geen besluit nemen.

'Het spijt me,' zei ik een keer tegen Camilla toen ze met haar eeuwige aantekenboek dingen zat te noteren en telefoontjes pleegde. 'Zo ben ik anders helemaal niet. Ik sta aan het hoofd van een instelling waar het niet altijd gemakkelijk is. Ik heb mijn hele leven voor mensen gezorgd. Ik was helemaal op mezelf tot ik Lewis ontmoette, en dat vond ik helemaal niet erg.'

'Je bent in een shock,' zei ze. 'Dat is de natuurlijke manier om door het eerste en het ergste te komen. Het is een soort verdoving. Je hebt ons om je te helpen, en als de pijn komt, zul je al je energie nodig hebben om erdoorheen te komen.'

'Na Charlie is de pijn bij jou niet zo hevig geweest als dit.'

Ze glimlachte zonder op te kijken.

'Niemand van jullie weet iets van mijn pijn destijds,' zei ze.

Dus zat ik die middag apathisch bij het zwembad en liet Henry vertellen wat hij wist over hoe Lewis was gestorven.

Het was al laat toen Simms terugkwam in zijn hotelkamer. Hij belde naar de kamer van Lewis, maar kreeg geen gehoor. In het begin maakte hij zich geen zorgen. Lewis had gezegd dat hij zou kijken hoe de boot zich 's avonds gedroeg, en dat hij niet van plan was om buiten de goed verlichte jachthaven te gaan. Maar na verloop van tijd was Lewis er nog niet. Na beneden in de bar te hebben gekeken reed Simms naar de jachthaven. Lewis was om een uur of zes met de *Miss Charity Snow* weggevaren, zei de havenmeester, en ze waren nog niet terug. Hij had op het punt gestaan om zelf naar Simms te bellen. Lewis was veel te lang weggebleven voor een kleine proefvaart.

Bij het krieken van de dag vond de kustwacht de *Miss Charity Snow* op haar kant, met de zeilen nog gehesen. Van Lewis was geen spoor te bekennen. De kustwacht had de zeilboot naar binnen gesleept na een boodschap te hebben gestuurd naar de jachthaven. Simms was op het eerstvolgende vliegtuig naar huis gestapt. Hij wilde er zijn voor ik het op een andere manier te weten zou komen, zei Henry.

Die avond vonden ze Lewis in de branding aan het strand van het John U. Lloyd State Park, nog geen twee kilometer van de post van de kustwacht en de marineposten. Hij moest volgens hen al minstens achttien uur dood zijn. Ik heb nooit gevraagd hoe ze tot die conclusie waren gekomen.

Toen het telefoontje kwam, stortte Simms in en hij begon te huilen.

Waarom? dacht ik. Ze kunnen hem toch niet meer tot leven wekken.

Maar algauw besefte ik dat het ondraaglijk zou zijn geweest als ze Lewis nooit hadden gevonden. Ik denk niet dat ik een van die dappere, opgewekte, eenvoudige weduwen zou zijn geweest die beweren dat de verloren geliefde op een dag zal terugkeren, daar geloofde ik niet in. Maar in de nacht nadat hij was gevonden, droomde ik over de regels in *De storm* die ik altijd zo prachtig had gevonden: 'Vijf vaam diep ligt uw vader op het wad... parels waar hij ogen had...'

En in mijn droom rees Lewis langzaam op uit het donkere water vlak bij waar ik stond, en hij keek me aan met ogen die als doffe parels waren. Blinde, dode ogen.

Ik werd snikkend wakker, want ik wist dat ik gek zou worden als ik altijd dat beeld voor me zou zien.

De chique inwoners van de stad liepen wederom een degelijke begrafenis op Magnolia Cemetery mis. Henry haalde de kist met Lewis af van het vliegveld en reed er regelrecht mee naar Sweetgrass, en hij en Robert Cousins en Tommy, inmiddels een lange jongeman, groeven het graf op het oude familiekerkhof onder de oude eiken achter het huis. Hier en daar stonden scheefgezakte, met mos bedekte grafstenen, daarachter de kleinere witte kruisen van de slaven en vervolgens de gedenkplaten van de geliefde honden van Sweetgrass. Het parelgrijze mos vormde een grote tent voor de overleden Aikens, en ik vond dat de eenvoudige, mooie marmeren steen die ik voor Lewis had gekozen, goed zou passen in die ragdunne koepel.

Ik was bijna letterlijk misselijk bij het idee dat iedereen naar de kist van Lewis zou kijken als die hydraulisch in de aarde zou zakken, dus lieten Henry en Robert en Tommy de kist zelf neer, met hulp van Tommy's studievrienden. Ze schepten er verse aarde over en Linda en Lila legden palmbladeren en krullende wilgentakken op de kleine heuvel.

Bij deze ceremonie waren weinig anderen aanwezig behalve wij en wat vrienden uit de artsenkringen en de dochters van Lewis, die uit het oosten waren gekomen en afstandelijk heel rechtop stonden onder dit vreemde gordijn van mos, met de sterke geur van modder in hun neus. Ik had aan Robert Cousins, die lekenprediker was in de kleine methodistenkerk op een kilometer of twee van Sweetgrass gevraagd of hij iets wilde zeggen. En dat deed hij. Hij sprak vriendelijk en waardig over Lewis en dit land en huis en hoe ze bijna hun hele leven bevriend waren geweest en samen hadden gewerkt, en dat het resultaat de blijvende erfenis van Lewis zou zijn.

Hij vertelde over hun jeugdjaren hier, en hoewel de tranen over onze wangen stroomden, moesten we toch lachen om de streken van twee jongens, de een blank en de ander zwart, die blootsvoets door het moeras renden en spiernaakt in de rivier zwommen. In zijn zorgvuldig gekozen woorden kon ik de jonge Lewis horen lachen en de man voor me zien zoals ik hem voor het eerst had gezien, bruisend van leven. Robert vertelde dat Lewis altijd danste 'alsof de duivel in zijn broek zat', en ik herinnerde me de avond bij Booter's oesterrestaurant, en voor het eerst voelde ik iets van geluk, maar het was al weg voor het zich gevormd had. Toch leerde ik er iets van. Ik leerde dat – heel misschien – er ooit een dag zou komen waarop ik met een glimlach van vreugde aan Lewis kon terugdenken.

Toen bogen we ons hoofd en Robert ging ons voor in het onzevader, en toen kwamen Linda Cousins en de vrouwen die Charlie de zee in hadden gezongen, naar voren en zongen ook voor Lewis:

I know moonlight, I know starlight; I lay dis body down.
I walk in de moonlight, I walk in de starlight, I lay dis body down.
I know de graveyard, I know de graveyard,
When I lay dis body down.
I go to judgment in de evenin' of de day
When I lay dis body down.
And my soul an' your soul will meet in de day
When we lay our bodies down.

Er was een grote ontvangst in het huis, en veel mensen kwamen eten van Linda's heerlijke gerechten en drinken van de sterke punch van Lewis' grootvader, en omdat Lewis nu eenmaal Lewis was, werd er meer gelachen dan gehuild. Maar ik bleef niet lang in de grote woonkamer. Ik voelde mijn knieën knikken halverwege een zin tegen een oude dame die Lewis' moeder had gekend en vaak naar feesten op Sweetgrass was geweest ('Je hebt geen idee, lieverd, wat een mooie feesten we destijds gaven. Perfect tot in de kleinste details. Adelie was een uitstekende gastvrouw.').

Camilla, die zich goed staande hield ondanks haar kruk en loopgips, zag me wankelen en gebaarde naar Lila, die meteen bij me was en me naar boven bracht, in het oude bed stopte en de gordijnen dichttrok. Ik sliep meteen, veel te vlug om de pijn te voelen dat ik zonder Lewis in dit bed lag, en Lila bleef bij me zitten tot lang nadat het donker was geworden, toen ik wakker werd. Toen had iedereen al het eten en drinken op en was teruggegaan naar Charleston, en Henry had de tweelingdochters van Lewis Aiken teruggebracht naar hun suite in het Charleston Plaza.

'O god, ik heb niet eens afscheid van hen genomen,' fluisterde ik versuft toen Henry terugkwam.

'Maak je geen zorgen,' zei hij. 'Zij hebben toch ook geen afscheid van jou genomen?'

Ik had gedacht een paar dagen op Sweetgrass te blijven om te zien of ik hier iets van Lewis kon voelen en tot mezelf te komen, maar toen de tijd naderde dat Lila en Simms en Henry en Camilla terug zouden gaan naar de kreek, voelde ik een opwelling van paniek waar ik erg van schrok, en ik wist dat ik niet alleen kon blijven. In elk geval niet vannacht.

'Dat hoeft ook helemaal niet,' zei Lila. 'Je komt met ons mee en dan blijf je een paar nachten in de logeerkamer.'

Ik begon te protesteren, maar ze zei klaaglijk: 'We hebben je nodig, Anny. We willen niet ook jou verliezen.'

'Wat mankeert ons oude mensen eigenlijk dat we elkaar niet los kunnen laten?' fluisterde ik, en nu kwamen de tranen die op Sweetgrass niet hadden willen komen.

'Maar naar wie kunnen we anders heen?' zei Lila. 'We hebben ons leven in elkaar geïnvesteerd.'

Ik reed met Henry en Camilla terug naar de kreek. Ik zat voorin en keek hoe de donker wordende bossen voorbij flitsten, en ik voelde slechts een diepe dankbaarheid dat ik niet alleen was.

Camilla, op de achterbank, zei niets.

Op mijn eerste dag aan de kreek zonder Lewis, probeerde ik de dingen te doen die ik altijd had gedaan, maar dat bleek onmogelijk. Als ik met de Whaler of de kajak wegwilde, verlamde de angst mijn handen en armen en kon ik met moeite terugkeren naar de steiger. Als ik op de ligstoel bij het zwembad probeerde te lezen, bonsde mijn hart en stond het zweet in mijn handen, zodat ze helemaal zwart kleurden van de inkt. Als ik ging liggen om een dutje te doen, sloeg de paniek in het middaglicht zo toe, dat mijn haren en kleren doorweekt raakten van het zweet, en ik kon alleen maar opspringen en naar het huis van Camilla of Henry hollen, overtuigd dat ik dood zou gaan als ik alleen bleef. Ik deed mijn best om het te verbergen tijdens het avondeten, of als we tot laat bij iemand op de veranda zaten met truien en dassen aan tegen de kilte van de nacht. Mijn handen beefden en ik transpireerde de hele tijd, maar ik dacht dat ik het goed kon verbergen door te praten over ditjes en datjes.

Maar Henry en Camilla wierpen me steeds vaker ongeruste blikken toe, en ik wist dat ik niemand voor de gek hield. Toen de grote meteorenregen van de Leoniden in zilveren linten door de lucht trok en ik er alleen maar langs kon staren zonder iets te zien, zei Henry: 'Anny, dit kan zo niet doorgaan. Ik neem je mee als Camilla en ik morgen naar haar fysiotherapie gaan. Je moet met iemand praten. Op zijn minst moet je een poos kalmerende middelen slikken. Ik denk dat wat je voelt een heel natuurlijke reactie is op alles wat er is gebeurd, maar je bent niet eens in staat om te functioneren. Ik weet zeker dat het opgelost kan worden, lieverd, maar dat moet door professionelen gebeuren.'

Ik schudde zwijgend mijn hoofd, niet in staat om te praten door de bonzende angst en de diepe schaamte die ik voelde. Verdriet had in elk geval nog iets van waardigheid; dit laffe bibberen had niets waardigs.

Ik barstte in belachelijke, hulpeloze tranen uit, en ze wilden maar niet ophouden. Henry stond op, kwam naar mijn stoel en knielde neer terwijl hij zijn armen om me heen sloeg, en ik snikte in zijn overhemd tot het drijfnat was. In haar schommelstoel mompelde Camilla sussend in het donker. Ik kon haar gezicht niet zien.

'Ik kan niet naar een psychiater, Henry, dat kan ik gewoon niet, niet nu,' snikte ik. 'Kun jij me niet voor een paar weken kalmerende middelen geven? Misschien heb ik dan genoeg rust om alles weer onder controle te krijgen. Ik heb te veel te doen om uren in de spreekkamer van een psychiater te zitten huilen. Ik moet terug naar Bull Street om op te ruimen. Ik moet iets doen met Lewis' kleren...'

'Het enige wat je moet doen is hier doorheen zien te komen,' zei Henry. 'Ik weet wat er gebeurt als je het uitstelt.'

Dus gaf hij me genoeg Xanax voor een week toen hij en Camilla de volgende dag terugkwamen van de fysiotherapie in Charleston. Ik nam er een in en sliep voor het eerst heel diep en zonder te dromen de hele middag door.

Maar de volgende ochtend was de angst terug als een wild beest dat op de loer lag, ietwat op een afstand gehouden door de Xanax, maar het vrat aan me. Ik kon het iets beter onder controle houden. Ik kon een korte periode alleen zijn en ik ging bijna een halfuur weg met de Whaler. Maar de angst keerde altijd terug.

In de volgende dagen leek er altijd iets van een koele wind op mijn rug en schouders te zijn, alsof er niets achter me was dan een lege ruimte. Ik merkte dat ik overdag vaak de telefoon wilde pakken om Lewis te bellen, of dat ik dacht over wat we die avond zouden eten. Ik zocht hem overal tot ik het me weer herinnerde, en dat herinneren was zo vreselijk dat ik bijna door mijn knieën zakte. Tranen, tranen, en nog meer tranen. Ik haatte ze en ik haatte mezelf erom, maar ik kon ze niet tegenhouden.

Camilla troostte me, net als Henry, maar ik wist dat dit niet kon blijven duren. Henry begon de volgende week voor halve dagen bij het Medisch Centrum op John's Island, en Camilla raakte langzaam uitgeput door mijn afhankelijkheid. Ik voelde dat ze zich begon terug te trekken. Daardoor laaide de angst juist nog meer op.

Op een middag stond ze abrupt op na een van mijn huilbuien en zei: 'Ik heb echt even rust nodig. En, Anny, je moet weer aan de slag gaan. Dat heeft mij geholpen, na Charlie. En je moet terug naar Bull Street. Als je dat niet doet, zul je het nooit meer kunnen.'

En ze strompelde terug naar haar eigen huis. Henry en ik bleven nog een poos zitten voor de haard in mijn woonkamer. De vorige nacht was het voor het eerst echt koud geweest. Vergeelde varens en moerasgras waren met zilver bedekt in de ochtend, en de bomen op de hoogten lieten hun verstilde bladeren vallen.

Ik haalde diep en haperend adem en zei wanhopig tegen Henry: 'Hoe kan ik weer aan het werk gaan of terug naar Bull Street als ik niet eens alleen in een kamer kan blijven? Wat is er met me aan de hand, Henry? Ik ben nog nooit zo geweest, dat weet je. Ik kan andere mensen niet met deze onzin opzadelen. Camilla heeft er al genoeg van.'

Hij legde een hand op de mijne. 'Het duurt zo lang het nodig is, Anny. Ik laat je niet alleen. Daar hoef je niet bang voor te zijn.'

'Je moet weer aan het werk! Jij kunt het weer aan. Alles is geregeld. Het is een grote stap voorwaarts voor je. Ik zou het vreselijk vinden om je daarin te belemmeren. Kijk hoe goed Camilla alles aankon na Charlie.'

'Camilla is een heel andere persoon, Anny,' zei Henry. 'Ze heeft een ijzeren wil. Ze stond gewoon niet toe dat Charlies dood haar echt raakte. Dat is ook nooit gebeurd. Jouw kwetsbaarheid zal je uiteindelijk helpen. Daardoor kun je alles voelen, alles doorleven. Dat is waar je mee bezig bent. Je mag je er niet voor schamen of proberen het te verbergen.'

'Maar Camilla is nu ook kwetsbaar. Ze is weer een vriend kwijt. Ze kan niet goed lopen en ze weet niet of ze het ooit weer zal kunnen. Ik kan haar niet met dit alles opzadelen.'

Hij keek me even aan. Toen zei hij: 'Anny, ik heb nooit iemand meegemaakt die zo onkwetsbaar is als Camilla Curry.'

'Ja, maar als ik hier blijf kan ik haar helpen,' zei ik koppig. 'Ze heeft iemand nodig; ze kan nu niet alleen blijven. En jij kunt hier niet blijven, je moet echt weer aan de slag. Ik kan alle boodschappen doen, koken en wassen, al die dingen die jij hebt gedaan. Ik kan leren om haar oefeningen met haar te doen. Dan voel ik me minder nutteloos...'

Hij keek me aan met die heel blauwe ogen. Ik zag vol gewetenswroeging dat zijn wenkbrauwen nu bijna helemaal wit waren.

'Misschien moet je toch proberen terug te gaan. Je kent iedereen op je werk zo goed dat je je voor hen niet groot hoeft te houden. Breng een paar nachten door in Bull Street en kijk hoe het gaat. Als het te moeilijk is, dan kom je 's avonds terug naar de kreek. Je hoeft je nergens voor te schamen. Ik kan nog steeds niet terug naar Bedon's Alley.'

'Maar wat moet Camilla dan als we allebei weg zijn?'

'Ik blijf tot ze weer op de been is. Dat zal niet lang meer duren. Wil je het proberen? Hoe dan ook, ik laat je niet in de steek.'

'Ik weet niet wat ik zonder jou zou moeten, Henry McKenzie,' zei ik.

'Anny, ik doe het met alle plezier.'

En dus trok ik maandagochtend voor het eerst sinds de begrafenis mijn rok en panty en hoge hakken aan en reed naar mijn werk in Charleston. Terwijl ik langs de moerassen en bossen over de Maybank Highway reed, praatte ik tegen mezelf.

'Je doet het goed,' zei ik opgewekt. 'Nog niet veel verkeer. Binnen een mum van tijd ben je op East Bay.'

Toen ik over de Stono Bridge reed, zei ik tegen mezelf: 'Dit was helemaal niet moeilijk. Ik kan het. Ik ga naar mijn werk, net als duizenden andere mensen op deze weg. Ik moet alleen maar doorgaan met doen wat ik altijd heb gedaan. Tenslotte heb ik het al duizenden keren gedaan.'

Ik reed over de Ashley River Bridge en volgde de weg naar Lockwood, via Broad Street naar East Bay, en vervolgens reed ik over de straatkeitjes van Gillon Street.

'Stelde niets voor,' zei ik terwijl ik op mijn plekje in de overdekte garage parkeerde. Ik stapte uit en de angst nam me volledig in beslag. Mijn knieën knikten, ik leunde tegen de motorkap en bleef met mijn hoofd omlaag staan terwijl zwarte vlekken achter mijn gesloten oogleden krioelden.

Opeens werd ik kwaad. Woest. Kokend van een woede die ik nooit eerder had gevoeld. Ik hief met een ruk mijn hoofd op en keek omhoog.

'Nu is het genoeg, verdomme,' zei ik met opeengeklemde kaken. 'Je hebt Lewis. Je hebt Fairlie. Je hebt Charlie. Je hebt zelfs Gladys. GEEF ME NU VERDOMME MIJN LEVEN TERUG.'

Een vrouw die haar hond uitliet in het park aan de waterkant wierp me een zijdelingse blik toe en haastte zich verder. De angst en woede namen iets af. De angst bleef, maar kroop zo diep weg dat ik weer kon lopen en ademhalen. De woede ebde weg.

'Bedankt,' zei ik, en ik liep naar de lift. Ik had geen idee tegen wie ik het had. Niet tegen God, dacht ik. Niet nu.

Ik had gebeld om te zeggen dat ik zou komen, en mijn personeel stond op me te wachten, stijf en rechtop, onzeker wat ze met hun armen moesten doen en hoe ze moesten kijken. Ik wist het ook niet. Dit was de eerste keer dat ik, om zo te zeggen, terug was in de wereld. Het verraste me.

'Hallo, allemaal,' zei ik op nietszeggende toon. Ze mompelden terug. Marcy kwam naar voren en omhelsde me onhandig, met tranen op haar wangen.

'Ik vind het zo erg, Anny,' fluisterde ze. 'Zo vreselijk erg.' Vervolgens kwam Allie, die iets van gelijke aard mompelde. Een voor een kwamen ze me omhelzen, stijf, alsof ik onder hun handen zou breken, en ik omhelsde hen allemaal terug. Zou deze orgie van omhelzingen ooit voorbijgaan? Even later was het zover.

Ik schraapte mijn keel en zei: 'Ik weet hoe jullie je allemaal voelen en ik stel jullie steun meer op prijs dan ik kan zeggen. Neem me niet kwalijk als ik af en toe raar doe of in mezelf praat. Ik zal hier doorheen komen, maar ik moet het op mijn manier doen, en op dit moment kan ik er niet over praten. Maar ik kan wel over allerlei andere dingen praten, en dat moeten jullie ook doen. Jullie mogen net zo vaak vloeken en schelden als je maar wilt.'

Er klonk opgelucht gelach, en ik glimlachte terug en ging mijn kantoor binnen.

'Dat ging goed,' zei ik tegen wie dan ook mocht luisteren. 'Dat heb ik er goed van afgebracht, al zeg ik het zelf.'

Er lagen stapels papierwerk en er moesten een heleboel telefoontjes beantwoord worden, en ik werkte ze een voor een af. Zie je hoe efficiënt deze vrouw haar werk doet?

Met lunchtijd was ik bijna helemaal bij, en opeens stroomde de energie uit me weg, alsof er een stop uit was getrokken. De angst kwam niet, maar het verdriet wel, een vreselijk, klauwend verdriet dat me dubbel deed slaan over mijn bureau en me de adem benam. Opeens stond ik mezelf toe vooruit te kijken, iets wat ik tot nu toe niet had durven doen. Wat ik kon zien was hetzelfde als vandaag: eindeloze dagen waarop ik mezelf zag doen of alles heel normaal was, terwijl het verscheurende verlangen naar Lewis' stem en aanraking als een kanker aan me vrat. Ik zag niets anders. Toen ik uit mijn kantoor kwam om tegen de medewerkers te zeggen dat ik naar huis ging, voelde ik een diepe, vernederende schaamte. Verdriet is beschamend. Ik wilde niet dat iemand me zag aankomen met mijn verdriet als een donkere wolk boven een zonnige dag. Ik wist dat ik nooit meer naar mijn kantoor wilde gaan, maar ik wist dat ik het zou moeten.

Bull Street was dierbaar en onvergelijkelijk mooi in mijn ogen, en ondraaglijk. Ik keek naar de zacht gekleurde oude stenen, het mooie bovenlicht bij de voordeur en de Gotische boogvensters. Ik liep op de benedenverdieping over de mooie, oude tapijten van Lewis' huis op de Battery. Ik klom de trap op naar de woonkamer en slaapkamer waar we zoveel ochtenden hadden doorgebracht met koffie en de kranten, en avonden met televisiekijken en daarna liefde. En ik wist als nooit tevoren dat Lewis hier was. Ik kon hem niet aanraken en hij mij niet, maar we wisten allebei dat de ander er was. En ik wist ook dat ik niet bij hem kon blijven. Ik kon nooit meer in die blinde, dode ogen kijken.

‘Het spijt me zo, schat,’ fluisterde ik, en ik begon weer te huilen. En toen vluchtte ik het huis uit zonder de lichten uit te doen, stapte in de auto en belde naar Lila met mijn autotelefoon, en ik bleef die nacht bij haar en Simms op de Battery. Ik beefde van schaamte toen ik er kwam, maar Lila kwam me tegemoet en sloeg haar armen om me heen. ‘Het was veel te vroeg, dat vond ik meteen al. Niemand kan zo sterk zijn. Kom, dan gaan we lekker eten en een fles wijn drinken, en morgenochtend neem ik je mee naar Pritchard Allen. En ik duld geen tegenspraak.’

‘Soms noemen we het een aanpassingsstoornis,’ zei Pritchard Allen. Ze was een vrouw met een lief gezicht, iets ouder dan ik, en ze had al jaren een succesvolle praktijk. Ze had met de helft van de vrouwen van Charleston op Ashley Hall gezeten. Ik voelde me op mijn gemak bij haar.

‘Acute onrust, zelfs angst, is geen ongewone reactie op de meeste stressveroorzakende factoren,’ zei ze. ‘Het verlies van een dierbare zou een ander syndroom zijn, maar daar heb ik nooit in geloofd. Je hebt drie mensen verloren van wie je het meest hebt gehouden. Je bent een huis kwijt waar je van hield. Soms is er wat angst om gescheiden te worden van de belangrijkste aanhechtingspunten. Waarschijnlijk zul je later een poos heel depressief zijn. Ik zou me zorgen om je maken als je niet de helft van de tijd doodsbang was. Bij jou is het waarschijnlijk acuut, en dat betekent dat het geen zes maanden zal duren. Als het langer duurt, noemen we het chronisch. Hoe dan ook, we kunnen het behandelen en jij kunt jezelf helpen. Ik kan je iets sterkers dan Xanax geven, en iets om je te helpen slapen. Je mag ze niet langer dan een paar weken gebruiken, maar ik denk niet dat je ze zo lang nodig zult hebben.’

‘Ik kan mezelf helpen?’

‘Ja. Bedenk wat je nodig hebt. En zorg dat je het krijgt.’

Ik voelde me beter toen ik terugreed naar de kreek, alsof ik weer mezelf was, hoe beschadigd ook. Ik had niet meer het idee dat ik een parodie van mezelf als een automaat door mijn leven zag gaan. Ik had het gevoel dat ik twaalf uur achtereen zou kunnen slapen en in mijn eigen vel wakker zou worden, en dat gebeurde.

Maar ik wist dat ik nog niet weg kon bij de kreek, niet 's nachts. Nog niet. En dat ik dat niet van mezelf zou vergen. Bedenk wat je nodig hebt, had Pritchard Allen gezegd. En zorg dat je het krijgt. Wat ik nodig had waren Henry en Camilla en de kreek.

Henry ging uiteindelijk toch niet aan de slag met zijn nieuwe baan in het Medisch Centrum op het tijdstip dat hij had gepland. Camilla was weer gevallen, en deze keer brak ze een van haar broze polsen. Ze was erg gekneusd en geschokt, en woedend op zichzelf en daardoor op ons.

'Dus je bent weer terug,' snauwde ze tegen me. Haar gezicht zag wit van de pijn.

'Ja, ik ben er weer,' zei ik gelijkmoedig. Ik begreep dat de pijn niet door haar pols kwam.

Toen ze in bed lag, zat ik bij de haard met Henry. Hij wist, hoewel ik het hem niet vertelde, dat mijn terugkeer naar Bull Street rampzalig was geweest, en hij ging er niet op door. Daar was ik dankbaar voor, maar ik maakte me wel zorgen om hem.

'Je hoeft hier niet de hele tijd te blijven,' zei ik. 'Alleen in de ochtend als ik op mijn werk ben, en dan los ik je af als ik tussen de middag thuiskom. Ga alsjeblieft weer aan de slag. Je bent gewoon te belangrijk om alles gewoon te laten vallen.'

'Ik kan wat langer blijven,' zei hij. 'Ze moet iemand hebben die haar kan tillen. Moet je jou zien, je bent minstens zeven kilo afgevallen. Je zou niet eens een zak veertjes kunnen tillen.'

'Ik kan het heus wel aan met Camilla,' zei ik geërgerd. 'Ik blijf en jij gaat.'

'Ik heb toch liever dat je hier nu niet alleen bent. Je hebt veel te veel omhanden. Je hebt te veel te verwerken. Je moet aan je eigen carrière denken. Volgens mij is het de beste oplossing om iemand in dienst te nemen, in elk geval parttime. Tot ze weer beter is.'

Hij legde het idee voor aan Camilla toen we die avond iets zaten te drinken. Ze trok weer wit weg, zowel van woede als van pijn.

'Ik heb nog nooit iemand ingehuurd om voor me te zorgen en daar begin ik nu ook niet aan. Ik begrijp niet dat je er zelfs maar aan kunt denken, Henry,' zei ze op kille toon.

'Cammy, Anny en ik kunnen hier niet de hele dag blijven. Wij moeten door met ons leven. En jij ook. Dat begrijp je toch?'

'Ik begrijp alleen dat ik geen ingehuurde hulp wil!'

'Wij komen 's avonds terug,' zei Henry op scherpe toon. 'Je neemt hulp, of anders bel ik je zoons.'

'Je weet wat die zullen doen! Ze stoppen me ergens in een vreselijk bejaardenhuis in Californië en dan ga ik daar dood.'

'Dan wordt het dus hulp aan huis,' zei Henry. 'Hier of in Gillon Street. Jij mag kiezen.'

Camilla's bruine ogen vulden zich met tranen en ik voelde mijn ogen prikken.

'Ik kan het nu niet aan in de stad,' zei ze zacht. 'Het is te veel. We hebben allemaal te veel verloren. Ik wil alleen... gewoon bij jullie allemaal zijn. Ik wil hier blijven.'

En zo gebeurde het dat ik een week later een briefje op het prikbord van de supermarkt op John's Island zag, en Gaynelle Toomer in ons leven kwam, rijdend op een flamingoroze Harley-Davidson 2000.

12

De week voor Gaynelle kwam was de ergste week die ik me kon herinneren. Als ik er later aan terugdacht beschouwde ik die als de februari van mijn leven: dof, zwaar, eindeloos grauw, zonder hoop, zonder enig teken van de komende lente. Een tijd om te proberen niet toe te geven aan de dood door een langzame, kille verstikking. Nu geloofde ik dat Lewis weg was. Het was aan mij om een manier te vinden om daarmee te kunnen leven. Die zag ik niet, en een poos deed ik ook geen poging. Ik hield me alleen aan mijn routine met mijn hoofd gebogen, zoals een oude pony op een kinderfeestje zijn rondjes blijft lopen als de muziek allang is opgehouden.

'''s Morgens ging ik naar mijn werk en in de middag kwam ik terug naar de kreek. Henry was er altijd. Hij had erop gestaan om er hele dagen te blijven tot we iemand hadden gevonden voor Camilla. Geen van zijn telefoontjes naar het ziekenhuis of de Thuiszorg leverde iemand op die bereid was hele dagen door te brengen aan een afgelegen kreek, zo ver van Charleston.

'Ze moeten te ver rijden,' zei Henry gelaten. 'Nou ja. Collega's in Queens zullen voor me uitkijken.'

Ik deed boodschappen, maakte schoon en 's middags hielp ik Camilla, voorzover ze dat toestond. Ik zorgde voor lichte maaltijden, meestal soep, nu de winter kwam en het vroeg donker werd. Daarna zaten we bij de haard, meestal in Camilla's huis omdat ze dan niet naar ons hoefde te strompelen, en we spraken over van alles en nog wat, maar nooit over onze drie dierbare doden. En niet over wat misschien zou komen. Als iemand me had gevraagd wat mijn plannen waren, dan had ik diegene alleen sprakeloos aangekeken. Mijn plannen bestonden uit gewoon elke dag zien door te komen.

We zeiden weinig, maar Camilla leek haar vroegere sereenheid te hebben hervonden. Af en toe glimlachte ze naar ons of ze luisterde met gesloten ogen naar de muziek uit de kleine cassetterecorder. Ze hield van barokmuziek. Daar had ik nooit veel om gegeven, maar nu vond ik het rustgevend.

Toch was het een kille, doodse tijd en we zochten allemaal vergetelheid door vroeg te gaan slapen. Ik bracht Camilla naar bed en daarna liep Henry met me mee tot mijn deur. Daar omhelsde hij me even zwijgend en verdween vervolgens naar zijn gastenverblijf. In de eerste nachten na de dood van Lewis had ik nauwelijks geslapen, bang om weer te dromen over de man met de dode ogen, of wakker te worden en me te herinneren dat hij er niet meer was. Maar nu sliep ik wel, diep en droomloos. Ik kon me de lange nachten in het strandhuis niet meer herinneren of voor de geest halen, toen we lachten en wijn dronken en schunnige verhalen vertelden en naar het zachte geluid van de branding luisterden. Als ik nu al wakker werd, hoorde ik alleen de winterse stilte van het moeras en misschien af en toe de kreet van een uil. Henry vertelde dat hij eens de grote mannetjesalligator had horen brullen, nu dichterbij, maar dat heb ik nooit gehoord.

Elke ochtend, meestal rond een uur of zes, werd ik wakker met zo'n hevige huilbui dat ik ineenkromp en naar adem snakte. Dan stopte ik de dekens in mijn mond om het niet uit te schreeuwen, en ik huilde tot ik helemaal uitgeput was en me bijna misselijk voelde. Daarna waren de tranen opgedroogd en kwam de zware dofheid weer. Maar ik wist dat de volgende ochtend de tranen weer zouden komen. Het leek er niet veel toe te doen.

Op de vrijdag van die week kwam ik om twaalf uur thuis en zag dat Henry Camilla weer in bed probeerde te krijgen. Ze was niet gevallen, maar hij had haar horen roepen en haar half uit bed gevonden, niet in staat om erin of eruit te gaan. Ze had pijn, en het kostte hem moeite om haar niet nog meer pijn te bezorgen.

'Camilla, je weet dat je moet roepen als je uit bed wilt,' zei ik terwijl ik me haastte om Henry te helpen. Ze voelde als een bundel veertjes en riet aan onder mijn handen.

'Ik verdom het om Henry McKenzie te roepen als ik naar de wc wil,' beet ze me toe met opeengeklemde kaken. 'En als iemand hier een po durft te brengen, gooi ik die naar zijn hoofd. Als hij vol is.'

We moesten even lachen. Ergens in deze breekbare vrouw school de oude Camilla nog. Ik hielp haar naar de badkamer en keek naar Henry.

'Ik ga informeren,' zei ik. 'Morgen. Ik heb wat kaartjes op het prikbord van de supermarkt gezien van mensen die werk zoeken. We vinden wel iemand.'

'Bij de supermarkt kun je vast van alles vinden, denk ik,' zei Henry goedmoedig. Ik glimlachte, en bedacht dat ik anders hardop gelachen zou hebben.

Die avond, tijdens het eten, zei Camilla: 'Weten jullie hoe ze ons noemen in Queens? In plaats van de Scrubs?'

We keken naar haar. Ze zag er mooi uit die avond. Haar lange haren hingen los om haar schouders en ze droeg een bronskleurige, met gouden draden doorschoten zijden kaftan. In het kaarslicht leek ze net... Camilla.

'Het Doodseskader. Ik heb gehoord dat Bunny Burford ermee begonnen is. Iedereen in het ziekenhuis heeft het inmiddels gehoord.'

'Hoe weet je dat?' vroeg ik. Mijn stem beefde.

'Ik heb mijn contacten,' zei Camilla.

Ik rilde. Het was waar, dacht ik. De dood achtervolgde ons. In plaats van de ooit zo stralende, succesvolle mensen waren we nu donkere, in rook gehulde gestalten geworden. Iets van de angst die weg begon te ebben, kwam weer op.

'Nu is het verdomme afgelopen,' zei Henry, en hij stond op en ging naar de keuken. Hij was heel lang aan de telefoon, maar we konden niet horen wat hij zei.

Naderhand hoorden we dat Bunny weg was bij Queens en administrateur was geworden bij het nieuwe Medisch Centrum van Frogmore. Dat lag kilometers van elke stad verwijderd. Het stond bekend om de Frogmore-stoofpot en de nog steeds bloeiende voodoocultuur, en de bevolking was overwegend zwart. Niemand in Frogmore zou gevoelig zijn voor Bunny's geniepige, bedekte toespelingen. Frogmore interesseerde zich niet voor insinuaties.

'Je hebt haar echt laten wegsturen,' zei Camilla tegen Henry toen we het nieuws hoorden.

'Camilla toch, je weet van geen ophouden,' zei Henry zonder van zijn soep op te kijken.

'Daar had Lewis ook een keer mee gedreigd,' zei ik met een glimlach, en ik herinnerde me dat Bunny toen gif zat te spuien over Henry in zijn verdriet om Fairlie, en ik zweeg abrupt. De tranen sprongen me in de ogen.

'Ik ga nog wat brood halen,' mompelde ik, en ik vluchtte naar de keuken.

'Laat haar maar,' hoorde ik Camilla sussend tegen Henry zeggen. 'Ze doet zo haar best. Ik heb me nooit gerealiseerd wat een kind ze in veel opzichten is. We moeten haar meer onder onze hoede nemen.'

Mijn tranen verdwenen en maakten plaats voor verontwaardiging. Een kind?

'Ik vind haar geen kind,' hoorde ik Henry zeggen, en ik voelde iets van rechtvaardiging. Toen ik terugkwam in de eetkamer, waren mijn tranen opgedroogd. Ik zou ze nooit meer laten zien aan Camilla.

De volgende ochtend reed ik over Bohicket Road tot ik bij het centrum van John's Island kwam. Daar stond een kleine verzameling van gebouwen: het stadhuis, een benzinestation, een snackkraam en een nieuwe supermarkt die alles om zich heen in het niet deed zinken. Ik had nooit veel huizen gezien, maar het parkeerterrein stond altijd vol open bestelbusjes, stoffige terreinauto's en veel motoren die onder de modderspetters zaten. Ik keek er onverschillig naar. Motoren hoorden wat mij betrof bij Marlon Brando en Hell's Angels. En ik verwachtte niet dat ik een van hen zou tegenkomen bij de supermarkt op John's Island.

Binnen in de felverlichte winkel wemelde het van vrouwen in spijkerbroeken en truien en bodywarmers. Ze duwden karretjes voort die waren volgeladen met blikken bonen en knakworst en nacho-chips en hondenvoer en bier, ongetwijfeld het weekendrantsoen voor een groot gezin. Veel van hen leken elkaar te kennen en bleven staan om een praatje te maken, waardoor ze de doorgang belemmerden. Ze wierpen een achteloze blik in mijn richting als ik mijn karretje erlangs probeerde te manoeuvreren. Ik glimlachte verontschuldigend en zij verplaatsten hun karretje zonder naar me te kijken, en vervolgden hun gesprekken over koopjes en countrymuziekconcerten in het Coliseum in North Charleston. Deze ochtend had ik opeens graag een van hen willen zijn, me willen verheugen op een optreden van het maakte niet uit wie op een koude zaterdagavond.

Lila en Simms zouden het hele weekend komen, en ik kocht verse sint-jakobsschelpen en spinazie en champignons en, in een opwelling, vier dozijn verse oesters in hun schelpen, half begraven in schaafijs. Ik kon ze bijna proeven, zoet en zoutig en bijna doorzichtig. Van al het eten had Lewis die het lekkerste gevonden...

Op weg naar de kassa schoot me het prikbord te binnen, en ik ging er een kijkje nemen. Tussen de te koop aangeboden boottrailers en krabbennetten, aanbiedingen om maaltijden voor bruiloften en begrafenissen te verzorgen, de aankondiging van een uitvoering van *Ahmal en de nachtelijke bezoekers* door de brugklas van de plaatselijke middelbare school, en opsporingsberichten voor vermiste jachthonden, zag ik een bericht dat op een roze kaartje was geschreven met paarse inkt: 'Ik heb veel ervaring in het huishouden als babysitter, kokkin en als chauffeur. Ik kan ook reparaties in huis doen. Ik kan mijn werkuren aanpassen en als het nodig is, kan ik ook een nacht blijven slapen.' Eronder stond een telefoonnummer.

Het briefje was ondertekend met een groot, scheef, lavendelkleurig hart.

Dat hart, en de ongewoon uitgebreide informatie, trok mijn aandacht. Ik noteerde het telefoonnummer en toen ik terug was bij de kreek, belde ik.

Ik kreeg een antwoordapparaat aan de lijn. 'Hallo. Dit is het nummer van Gaynelle Toomer. Als het over alimentatie gaat, bel mijn advocaat. Als het om mijn kaartje bij de supermarkt gaat, spreek dan alstublieft een boodschap in.'

'Eh, met mevrouw Aiken,' zei ik voorzichtig. Alimentatie? Advocaat? 'Wij wonen op dit moment in drie nieuwe huizen aan de kreek en we hebben iemand nodig die op doordeweekse dagen een uur of vijf, zes kan komen om de boel wat bij te houden en voor iemand te zorgen die bijna invalide is. Tillen is niet nodig en ze is niet bejaard, alleen herstellend van een ongelukje. Enige hulp bij het koken slaan we ook niet af. Wilt u me terugbellen?'

Rond de tijd dat we allemaal in de woonkamer van Lila en

Simms zaten met onze aperitiefjes, vertelde ik over de vrouw met het paarse hart.

'Ze lijkt me wel wat,' zei ik. 'Een beetje vreemd, maar heel capabel. Maar ze heeft nog niet gebeld. Misschien hebben we geluk. Misschien is ze in werkelijkheid een travestiet die in coke dealt.'

'Precies wat ik altijd heb willen hebben,' zei Camilla.

'Maandag zal ik iemand raadplegen,' zei Lila. 'Volgens mij heeft de huishoudster van Kitty Gregory hier veel familie. Misschien is het een nicht of een kleindochter. Is het een zwarte vrouw?'

'Nee,' zei ik zonder na te denken, en ik vroeg me af hoe ik dat kon weten. Maar ik wist het.

Lila fronste haar wenkbrauwen.

'Ik heb altijd pech gehad met blanke meisjes. Die gaan er altijd vandoor naar de een of andere opleiding voor acrylnagels of iets dergelijks. En al dat geklaag! Vriendjes die hen in de steek laten, moeders die hen de deur wijzen en weet ik wat nog meer.'

'Jeetje, Miss Scarlett,' zei Henry.

Lila bloosde.

'Ik bedoelde het niet racistisch. Zo heb ik het nu eenmaal meegemaakt.'

Camilla deed haar mond open om iets te zeggen, maar haar woorden werden overstemd door een brullend geluid dat over het grind en de ronde oprit naderde. De buitenlampen sprongen aan en we haastten ons naar de ramen om te kijken. Het leek wel of een bulldozer op drift was geraakt.

'Hou je gedeisd,' zei Simms. Hij ging naar de deur en maakte die open. We kropen achter hem aan.

In het blauwe schijnsel van de veiligheidslampen stond een grote, roze motor, beschilderd met paarse en rode vlammen. Een jonge vrouw stapte af en liep naar de deur. Ze was lang, breedgeschouderd, met een smal onderlijf, en ze had een woeste, donkerrode haardos en een heleboel sproeten. Ze had een kort neusje en een brede mond, en ze glimlachte breed, met lippen die gebarsten waren door de wind. Je moest wel teruglachen. Ze droeg een strakke, zwarte spijkerbroek en een leren jack dat wel met een pond metalen sierspijkers leek te zijn uitgedost, en ze had laarzen aan. Ze zat onder het stof.

'Hoi,' zei ze met een glimlach alsof het een familiereünie betrof. 'Ik ben Gaynelle Toomer. Ik was het nummer kwijt van het antwoordapparaat, maar ik wist waar de huizen moesten liggen. Booter was een vriend van mijn vader. Jezus, moet je die huizen zien! Booter zou sprakeloos zijn geweest. Sorry dat ik zo laat ben. Wie van u is mevrouw Aiken?'

Ik stak mijn hand op als een kind in een klas.

'Dat ben ik,' zei ik gedwee.

Achter me begon Henry te lachen.

'Kom binnen,' zei ik. 'Je zult het wel koud hebben.'

'Nee hoor. Daar ben ik aan gewend.'

Ze keek om zich heen.

'Mooi,' zei ze. 'Booter zou zich in de hemel hebben gewaand. Volgens mij had hij hier alleen een hutje.'

Ik gebaarde dat ze moest zitten en dat deed ze. Ze trok haar leren jack uit. Niemand zei iets. Onder haar T-shirt zaten de meest verbijsterende borsten die ik ooit had gezien. Ze bolden zacht onder de roze stretchstof als een paar overrijpe meloenen, en ze zagen er net zo groot uit. Ik kon zien dat ze geen beha droeg. Ze keek goedmoedig glimlachend om zich heen, alsof niemand in de kamer verbijsterd was door die borsten, en het flitste door me heen dat ze er niet mee zat te pronken. Dat had ze niet nodig. Deze jonge vrouw was helemaal thuis in haar lichaam, in haar vel vol sproeten.

Ik vroeg me af hoe ze ooit enig werk kon doen met de last van die borsten. Of hoe ze kon motorrijden, wat dat betrof. Het hobbelen moest heel pijnlijk zijn.

Ik stelde haar voor aan de rest. Ze knikte en nam onze namen in zich op. Tegen Simms en Lila zei ze: 'Dit is uw huis, hè? Het past precies bij u.'

Lila stiet een vreemd, instemmend geluid uit en Simms knikte heftig, niet in staat om iets te zeggen. Ik kreeg het idee dat als hij Gaynelle Toomer ooit in een toilet in het nauw zou proberen te drijven, hij de kous op zijn kop zou krijgen.

Henry liet zijn lieve glimlach zien.

'Je zei dat je vader Booter kende? Hij was een van mijn beste vrienden in mijn jeugd. Van mij en Lewis... dokter Aiken. Hij... hij is onlangs overleden. We hebben deze kreek en het moeras tot op de centimeter verkend.'

'Ik heb het gehoord over dokter Aiken,' zei ze. Ze draaide zich naar me om. 'Ik vind het heel erg voor u. Hij was een fantastische man. Hij heeft de voet van mijn dochtertje geopereerd toen ze drie was, en nu kan ze radslagen maken en doet ze mee aan missverkiezingen voor kinderen. Ik weet dat u zijn vrouw bent door uw boodschap op het antwoordapparaat. U zult hem wel vreselijk missen.'

Ik knikte glimlachend terwijl ik tranen weg knipperde.

'Ja, dat is zo. Het is fijn om te horen dat hij je dochtertje heeft kunnen helpen. Ze doet nu radslagen?'

'Ja. En ze doet mee aan missverkiezingen. En ze is een natuurtalent, als ik het zo mag zeggen. Vorige zomer was ze Miss Folly Beach Pier, en toen was ze nog maar zes, en nu is ze aan het oefenen voor de John's Island Junior Tomato Princess. Daarom ben ik zo laat. De supermarkt is een van haar sponsors. Ik ben op zoek naar een tweede, want ze moet er twee hebben. Als jullie rijke mensen kennen die iets willen doen voor de carrière van een schoonheidskoninginnetje, laat ze het dan weten.'

Lila en Simms staarden alleen maar naar haar. Camilla lachte haar meest innemende glimlachje. Henry en ik lachten breed. Dit hartelijke lelijke eendje bleek een prachtige zwaan te zijn.

'Dus je hebt Booter gekend,' zei ik, denkend aan de man met het rode gezicht en de ontbrekende tanden die lang geleden op een zomeravond de sterren van de hemel had gedanst.

'Mijn hele leven al. Volgens mijn moeder ben ik op een avond aan het eind van Booters steiger verwekt. Ze konden daar goed feesten vroeger.'

'En nu ben je op zoek naar werk.' zei Lila op haar tuinclubtoon.

Simms had nog steeds niets gezegd.

'Ja. Ik werk nu in de Rural Centre-bibliotheek, maar eerlijk gezegd kan ik veel meer verdienen met schoonmaken en koken, en dat vind ik leuk.'

'Wat heb je in de bibliotheek gedaan?' vroeg Camilla.

'Ik was de bibliothecaris. Daar heb ik voor gestudeerd.'

'Maar dan moet je toch geen huizen gaan schoonmaken,' zei Camillia op warme toon. 'Je moet je opleiding toch niet verspillen?'

'Dat doe ik ook niet,' zei Gaynelle Toomer. 'Ik lees de hele tijd. Ik heb Britney – mijn dochter – leren lezen toen ze vier was. En ik geef avondles aan de andere kinderen en soms ook aan hun moeders. Maar ik heb het werk nodig. Mijn ex is er twee jaar geleden vandoor gegaan en ik moet Britney in mijn eentje grootbrengen. Jullie zullen er geen spijt van krijgen. Ik ben heel goed in wat ik doe.'

Ze keek naar Camilla. 'U bent zeker degene die een beetje hulp nodig heeft? Ik heb gewerkt in een verpleeghuis op Myrtle Beach. U bent zo licht dat het geen probleem is om u te helpen. En het zal leuk zijn, omdat u zo knap bent.'

'O ja, en nu moet ik natuurlijk op jou stemmen,' zei Simms binnensmonds, maar ik had niet het idee dat Gaynelle een wit voetje probeerde te halen bij Camilla. Camilla wás mager, bijna uitgemergeld. En ze was knap. Ze liet weer haar stralende glimlachje zien.

'Het houdt in dat twee huizen en een bijgebouw bijgehouden moeten worden,' zei ik. 'We zullen iemand nemen voor het zwaardere werk. En mevrouw Curry moet gezelschap hebben als wij weg zijn. We werken allebei, maar ik 's morgens en hij 's middags. Het zou fijn zijn als je het nodige doet tot een uur of vier. Daarna kan ik het wel overnemen. Misschien kun je voor haar ontbijt en lunch zorgen. Ik zorg meestal voor het avondeten.'

'Dat is geen enkel probleem,' zei ze. 'Ik kan ook af en toe zorgen dat er avondeten klaarstaat, als u dat zou willen. Ik kan heel goed koken. En wie zou hier niet willen opruimen met al die boeken? Het lijkt me heerlijk.'

'Drie huizen lijkt veel, maar meneer en mevrouw Howard zijn hier alleen maar in de weekenden. We willen je niet overbelasten.'

'Ik kan deze huizen met één hand schoonhouden,' zei ze. 'Ik zou het leuk vinden. Ik werk voor een scherpe prijs. En mevrouw Aiken, uw huis doe ik gratis.'

'Natuurlijk niet!' protesteerde ik.

'Toch wel. Ik wil geen geld van u aannemen. Dokter Aiken heeft mijn baby en mij een nieuw leven geschonken.'

Ik kreeg een brok in mijn keel. Je laat een diepe indruk achter, Lewis, dacht ik.

'Rijd je altijd op een motor?' vroeg Henry. 'Wat een prachtding. Ik heb vroeger op een oude Indian gereden. Ik vond het heerlijk.'

'Dat heb ik nooit geweten!' riep Camilla uit. 'Henry, wanneer heb jij ooit een motor gehad?'

'Toen ik medicijnen studeerde,' zei hij. 'Ik moest hem verkopen toen ik inwonend co-assistent werd. Maar ik ben een paar jaar overal naartoe geweest op die oude Indian.'

'Dat is een prachtige oude machine,' zei Gaynelle. 'Iemand van mijn club had er een, helemaal gerestaureerd. Rij eens een keer mee met de club. Er is altijd wel een motor over.'

'Hebben jullie een club?' vroeg Henry. Zijn ogen straalden.

'O, ja. Er zijn er zoveel. Alleen al een stuk of twintig in de buurt van Charleston. En tijdens de grote race op Myrtle Beach zijn er meestal wel meer dan vijfhonderd motorrijders. Dat is prachtig om te zien. Onze club heet de Bohicket, en we zijn met een stuk of twintig. U zult ons wel aardig vinden. We hebben artsen en advocaten en een rechter en wat verzekeringsmensen. Mijn vriend is dealer van Honda. En sommige vrouwen verdienen meer dan de mannen. Motorrijden heeft niet alleen te maken met Hell's Angels.'

'Dat wist ik allemaal niet,' zei Henry.

'Ja hoor, ik meen het. Ga eens een keer mee rijden. Ik zal wel even kijken wanneer de volgende grote tocht is. Waarschijnlijk die ten bate van de Low Country Officer's Family Fund. In januari misschien. Intussen kan ik u wel eens meenemen op een tochtje met de Harley. Hij is aan mijn lengte aangepast, maar ik ben niet veel kleiner dan u. Zodra het een keer mooi weer is, kom ik langs.'

'Dat zou ik heel leuk vinden,' zei Henry, en zijn stem klonk levendiger dan ik in lange tijd had gehoord.

'Bespreek het eerst maar even met uw vrouw,' zei Gaynelle met een glimlach naar Camilla. 'Niet alle vrouwen houden van motoren.'

'Hij is mijn man niet,' zei Camilla vriendelijk. 'Mijn man is jaren geleden gestorven. Dokter McKenzie heeft zijn vrouw vorige winter verloren. We zorgen zo'n beetje voor elkaar.'

Gaynelle maakte een meelevend geluidje, maar ze ging er niet op door.

'Fijn dat u elkaar hebt,' zei ze. 'Dat horen meer mensen te doen in plaats van op hun eentje te blijven wonen en te sterven van eenzaamheid.'

We kwamen een uurloon overeen, en toen ze weg was, keken we naar elkaar in het licht van het haardvuur. Camilla en Henry en ik moesten lachen.

'Een bibliothecaresse op een Harley met tieten als de voorkant van een Studebaker uit '53 en een tomatenprinses als dochter. Wat heeft God bezield?' zei Henry met een zacht lachje.

'Die in een verpleeghuis heeft gewerkt,' zei Camilla, glimlachend naar Henry. Ze genoot zichtbaar van zijn vrolijkheid.

'Ik weet het niet,' zei Lila. 'Ik weet niet wat ik ervan moet denken. Hoe weten we of ze niet terug naar de bibliotheek vlucht? En die motor... Mijn god! Én ook nog een van die vreselijke minivrouwtjes die met hun achterwerk wiebelen en Britney Spears zingen. Zo heet ze zelfs, Britney. Kunnen we niet gewoon een aardige zwarte vrouw nemen die dankbaar is dat ze werk heeft en haar mond houdt? Deze is veel te vrijpostig. Let op mijn woorden, deze vrouw en haar kind trekken nog bij ons in.'

'O, Lila toch,' zei ik. 'Ze is uniek. Ik vind haar fascinerend. Wat een leven heeft ze al achter de rug, zo jong als ze is. En ze kan alles doen wat we nodig hebben...'

'Laten we het een kans geven,' zei Simms. Hij deed voor het eerst weer zijn mond open. 'En zeg dat ze altijd T-shirts moet dragen.

Henry en Camilla en ik lachten, maar Lila vond het niet grappig. Ze wierp Simms een nijdige blik toe.

'Goed, maar zeg niet dat ik jullie niet heb gewaarschuwd.'

'Dat zouden we nooit zeggen,' grinnikte Henry.

Gaynelle hield zich aan haar woord. Als het goed weer was, kwam ze om acht uur in de ochtend aanscheuren op haar Harley, of in de bestelbus als het slecht weer was. Ze maakte een klein, warm ontbijt voor Camilla en Henry, en voor mij als ik er nog was. Ze ruimde zingend de huizen van mij en Camilla op en Henry's huisje. Haar stem deed me denken aan die van Patsy Cline. Ze leek een voorkeur te hebben voor Billy Gilman. Camilla vertelde dat ze elk liedje van hem uit haar hoofd leerde.

Voor de lunch maakte ze een salade of een lichte soufflé, en ze wachtten met eten tot ik terugkwam. Soms stelde Henry zijn vertrek naar de kliniek uit tot na de lunch. Ik moest toegeven dat alles even lekker was. Gaynelle kon, zoals ze had gezegd, heel goed koken. Ze nam de gewoonte aan om warme maaltijden te bereiden die konden worden opgewarmd en we lieten haar dankbaar haar gang gaan, ons ervan bewust dat we heel lang alleen hadden gegeten wat we voor elkaar kookten.

In de ochtenden en middagen hielp ze Camilla met een bad nemen en aankleden en haar oefeningen, en om een uur of vier stopte ze haar in bed met een boek en de cd-speler. Camilla deed meestal een dutje. Daarna had Gaynelle naar huis kunnen gaan, daar ik er toch meestal was, maar op een dag vroeg ze of ze even mocht blijven om boeken uit onze bibliotheken te lezen, en ik zei: natuurlijk.

Eerlijk gezegd was ik blij met haar gezelschap. Gaynelles zakelijke opsommingen van haar moeilijke tijden – toen ze uren in de gratis klinieken voor minderbedeelden moest wachten op deze test of die dokter, altijd geld bijeen moest schrapen voor de bestelbus of de motor, moest sappelen om het kinderdagverblijf te betalen waar Britney tot vijf uur bleef, haar ex-man tot de rechtbank toe achtervolgde voor de alimentatie die hij al in drie jaar niet had betaald – openden een venster voor me op een wereld waarvan ik het bestaan amper had geweten. Eigenlijk wist ik het wel; ik herinnerde me het verscheurde leven van de moeders van mijn kleine cliënten, maar het was heel lang geleden dat ik die werkelijkheid had gezien. Gaynelle had absoluut geen zelfmedelijden, hoewel ze vaak woedend was op de een of andere sociale instelling, of op 'die klootzak van een vent'. Ik kreeg veel bewondering voor haar. Ze leefde voortdurend op de rand van de armoede, en slaagde er toch in, ondanks alle beperkingen en ongemakken, een redelijk goed leven te leiden. Haar moed maakte me af en toe beschaamd. Camilla was helemaal gefascineerd door haar. In haar ogen leidde Gaynelle een zigeunerleven dat weinig met de realiteit te maken had.

'Ik ga haar in een boek zetten,' zei ze op een middag, druk bezig met schrijven nadat Gaynelle was vertrokken. Ze schreef nu meer dan ooit in haar aantekenboeken, en ze leek levendiger en meer betrokken dan ik haar sinds lang had meegemaakt.

Op een ochtend hoorde ik Gaynelle aan haar vragen: 'Schrijft u een boek? U bent altijd aantekeningen aan het maken.'

'Wie weet,' zei Camilla met een glimlach.

'Kom ik er ook in?'

'Ik peins er niet over om jou erbuiten te laten.'

Eind november kwam Gaynelle op een vrijdagmiddag, toen ze eigenlijk vrij was, op de roze Harley aanscheuren, vergezeld door een man op een monsterachtige zwarte motor vol zilverkleurige uitlaatpijpen en buizen. Hij zat onder het stof van de weg naar de kreek, maar je kon zien dat het een nieuwe motor was. De man zelf was klein, kleiner dan Gaynelle, en helemaal kaal. Een grote blonde baard viel over zijn leren jack en om zijn hoofd had hij een doek gebonden. Hij droeg een zwarte bril. Het was onmogelijk om zijn leeftijd te schatten. Achter hem zat een klein meisje, van top tot teen in leer gehuld, te zwaaien en te kraaien van plezier. Ik zag knalrode krullen onder haar kleine helm uitkomen, en ik zag ook dat ze glitters op haar laarsjes had. Ongetwijfeld de vriend en de dochter van Gaynelle Toomer.

Gaynelle nam hen mee naar de voordeur en ik deed open om hen binnen te laten. Het laatste straaltje van de winterzon glinsterde op de kreek, en in het westen lag een veeg over de lucht die een spectaculaire zonsondergang voorspelde. Gaynelle duwde hen voor zich uit naar de woonkamer als een lerares met lastige kinderen op een schoolreisje. Ze zetten hun bril af en toen zag ik dat de vriend jaren ouder was dan Gaynelle, misschien een jaar of veertig. Hij had vriendelijke blauwe ogen en een aardige glimlach achter al dat baardhaar. Het meisje was zo mooi en zich daar zo van bewust dat je bijna een grimas van afkeer zou trekken.

'Dit is mijn vriend, T.C. Bentley,' zei Gaynelle. 'Bentley van Honda. En dit is mijn prinsesje, Britney, die zowel lief en getalenteerd als mooi is. Britney, wat zeg je tegen mevrouw Aiken?'

Het kind, wier haar net zo rood opgloeide als dat van Fairlie had gedaan, maakte een kleine, stijve revérence waarbij ze bijna voorover viel, en zei: 'Hoe maakt u het?'

Ze maakte een hoofdbeweging waardoor haar haren over één oog vielen en schonk me een glimlach die duidelijk bedoeld was om me voor haar in te nemen. Ik meende lipstick op haar mond te zien.

Ze was het soort kind van wie ik inwendig een afkeer had, maar iets aan haar amuseerde me.

'Leuk je te ontmoeten, Britney,' zei ik. 'Wat voor talent heb je?'

'Ik speel smoelorgel,' tsjilpte ze.

'Britney, hoe vaak moet ik nog zeggen dat ik dat niet wil horen? Het is een mondharmonica,' zei Gaynelle. Britney rolde met haar ogen en ik moest lachen.

'Wil je een keer voor me spelen?'

'Ja, hoor. Zal ik het nu doen? Mijn smoe... mijn mondharmonica zit in mama's tas.'

'Vandaag niet,' zei Gaynelle terwijl ze de rode krullen gladstreek. 'T.C. neemt ons vanavond mee naar Gilligan om gebakken garnalen te eten, en je moet in bad en je verkleden. T.C., mevrouw Aiken is... was getrouwd met de dokter die Britneys voet heeft geopereerd.'

'Het is me een eer, mevrouw,' zei T.C. Bentley. 'Het is heel mooi wat hij voor de kleine meid gedaan heeft.'

Hij sprak zacht en sloeg zijn ogen neer terwijl hij sprak. Een verlegen motorrijder?

Ze wilden net weggaan toen Henry kwam aanrijden in zijn open bestelwagen. Hij kwam niet naar binnen, en ik keek langs hen om te zien waar hij bleef. Hij zat op zijn hurken en liet zijn smalle chirurgenvingers over de zwarte motor glijden, met hetzelfde ontzag waarmee een pelgrim de heilige graal zou benaderen. T.C. Bentley liep naar hem toe en hurkte naast hem. Ik zag dat ze elkaar een hand gaven en begonnen te praten, maar ik kon niet horen wat ze zeiden.

'Dat is de Rubbertail van T.C.,' zei Gaynelle. 'Hij heeft hem pas sinds vorige maand. Helemaal gerestaureerd. Hij houdt er meer van dan hij ooit van mij zal houden. Zo te zien vindt dokter McKenzie hem ook wel mooi.'

Even later denderden zij en het kind en T.C. Bentley weg in de vallende schemering, en Henry liep langzaam naar het huis, terwijl hij omkeek naar de stofwolk die ze achterlieten. Zijn wangen hadden een blos van de kou of van plezier of van allebei, en zijn zilverkleurige haar viel over één oog.

'Binnenkort neemt hij een motor voor me mee en dan ga ik een keer met hen mee uit rijden,' zei hij. 'Mijn god, ik vraag me af of ik nog weet hoe het moet. Hij lijkt me een aardige vent. Dat kind is wel een brutaaltje, hè?'

'Heeft ze haar charmes op je losgelaten?'

'Ja. Of wat voor charmes moet doorgaan bij een kind van zeven. Ze zal een flinke lastpost worden, als ze dat niet al is.'

'Ik vond haar toch wel leuk,' zei ik. 'Ze is me er eentje. Precies haar moeder.'

Henry bracht Camilla naar mijn huis voor het avondeten. We zouden een van Gaynelles verfijnde kippasteien eten. Die stond in de oven op te warmen, en de geur verspreidde zich naar de woonkamer, waar we voor de haard zaten. Henry vertelde Camilla over T.C. Bentley en zijn wonderbaarlijke motor, en dat hij een keer zou meerijden met de club.

Camilla's serene gezicht verbleekte.

'O, Henry, nee,' zei ze. 'Ik moet er niet aan denken dat je op een van die dingen over John's Island gaat scheuren. Ik krijg een hartstilstand als je laat zou zijn. Je hoort zoveel over ongelukken...'

'Camilla, ik ben op die Indian van me door drie staten gereden, en dat ging heel goed. Het is net als met fietsen: je verleert het niet.'

'Henry, beloof me...'

'Geen beloftes, Camilla,' zei hij vriendelijk. 'Ik wil beloven dat ik voorzichtig zal zijn, maar niet dat ik niet ga rijden.'

Ze keek hem zwijgend aan en knikte instemmend, en toen was het tijd om de pastei uit de oven te halen.

Rond de eerste week van december konden we niet langer de koortsachtige drukte negeren die gepaard ging met de kerstdagen. Op elk kruispunt werden kerstbomen te koop aangeboden. Op de terreinen met tweedehands auto's op John's Island stonden er hele bossen van. Als ik naar mijn werk in Gillon Street reed, fonkelden kerstlichtjes in de palmen van Broad Street, en in de oude binnenstad hingen op elke voordeur bloeiende magnoliakransen. In de supermarkt puilden de schappen uit met lampjes en kerstballen en afschuwelijke pluchen speelgoedbeesten en reclameborden die kalkoenen en ingeblikte yams aanbevolen. Henry had het er niet over, maar ik wist dat hij dezelfde dingen zag. We spraken niet over de kerstvoorbereidingen in het oude Charleston. Camilla vroeg er niet naar.

Maar ik wist dat het in hun gedachten opdoemde, net als bij mij. De feestdagen in het verleden stonden ons sterk voor de geest. Ik kon ons laatste kerstdiner aan het strand nog proeven. De heildronken klonken nog na in mijn oren. Het beeld van Lila en Simms die opnieuw de huwelijkseed aflegden voor de open haard, was nog haarscherp. Het prachtige vuurwerk in de nieuwjaarsnacht, en toen de schok dat Fairlie en Henry aankondigden dat ze naar Kentucky zouden verhuizen...

Die hebben wat aan het rollen gebracht, dacht ik. Ze hebben iets in ons geopend en iets binnengelaten. Toen is de voodoo begonnen.

Nee, ik wilde dit jaar niets met de kerstdagen.

Dat gold blijkbaar voor iedereen, want Kerstmis kwam steeds dichterbij en nog steeds had niemand het er over. Als je het over de duivel hebt, dan trap je hem op zijn staart, zoals het aloude spreekwoord luidt.

Op een weekend, half december, vertelden Simms en Lila ons met ietwat beschaamde gezichten dat ze hadden besloten om Kerstmis dit jaar in Charleston door te brengen. Clary en de kleinkinderen hadden het gevraagd. Wilden we alsjeblieft ook komen? We waren allemaal vergeten hoe mooi Kerstmis in Charleston kon zijn.

Het was een fatale breuk, en dat wisten we allemaal. We keken elkaar aan, en toen zei Camilla: 'Ik zou het liefst hier blijven en een heel rustige kerst hebben. Het is een tijd voor herinneringen. Henry en Anny hebben geen behoefte aan drukte op hun eerste Kerstmis... alleen. Laat ons oude weduwen en weduwnaar maar een laatste orgie van herinneringen hebben.'

Ik hield hoorbaar mijn adem in en ik zag Henry's gezicht rood worden. We staarden verbijsterd naar Camilla. Het was niets voor haar om zo ongevoelig te doen, en ik dacht even dat ik het misschien niet goed had verstaan. Lila en Simms knikten en wendden opgelaten hun blik af.

'We zullen zorgen dat we er op oudejaarsavond zijn,' zei Lila. Maar ik wist dat ze het niet zouden doen. Misschien zouden ze nog af en toe lijfelijk aanwezig zijn aan de kreek, maar hun harten waren terug in Charleston. Was dit het einde van de Scrubs? Nee. Dat was lang geleden al gekomen, toen niemand er erg in had, maar er was wel een sterke band gebleven tussen Henry en Camilla en mij. Ik wist niet precies wat het was.

Toen de Howards weg waren, zei Camilla: 'Dat was vreselijk van me. Ik weet niet wat me bezielde. Ik denk dat ik kwaad op hen was en gewoon een steek onder water wilde geven. Vergeven jullie het me?'

'Natuurlijk,' mompelde ik. Kon iemand Camilla ooit iets niet vergeven?

'Hoor eens,' zei ze een paar dagen later. Niemand had het meer over Kerstmis gehad. 'Ik ben zo met mezelf bezig geweest dat het niet eens bij me is opgekomen dat jullie misschien bij je familie willen zijn met Kerstmis. Als dat zo is, dan vind ik het prima. Ik huur wel een stuk of tien video's en dan ga ik in bed zitten met een grote emmer roomijs.'

Ik had geen familie, niet echt, niet met wie ik veel contact had, waren de woorden die ik niet uitsprak.

En natuurlijk piekerden Henry en ik er niet over om Camilla alleen te laten. We hadden nog steeds geen plannen gemaakt toen Gaynelle de laatste keer voor haar kerstvakantie kwam.

'Waar is de boom?' riep ze uit. 'Waar zijn de kerstkransen en alle versieringen? Waar zijn meneer en mevrouw Howard?'

Ik zei: 'Ze zijn naar huis met de kerstdagen. Ik denk dat de rest van ons er nog niet aan toe is om naar huis te gaan.'

'Is dit dan geen thuis?' zei Gaynelle.

Ik kreeg een kleur van schaamte. Gaynelle leefde van de ene betaalcheque naar de andere, in een bunker van een flatgebouw. Het moest onvoorstelbaar voor haar zijn dat iemand kon kiezen uit verschillende huizen.

Toen ze weg was, dacht ik: we hebben inderdaad allemaal een thuis. En dat is dit niet.

Ik maakte een opmerking in die richting tijdens het eten. Camilla kreeg tranen in haar ogen. 'Voor mij wel, inmiddels,' zei ze. 'Ik had gehoopt dat het voor jullie ook een thuis zou worden, zoals we allemaal van plan waren geweest. Wij allemaal samen.'

'O, Camilla,' zei ik, en ik kneep even in haar hand. Henry glimlachte.

Op een grijze namiddag, twee dagen voor Kerstmis, stoof T.C.'s Rubbertail de oprit op, gevolgd door Gaynelle en Britney in Gaynelles oude bestelauto. Op de bumper hing een scheve kerstkrans, en de Rubbertail was versierd met zilverkleurige kerstslingers. De achterbak van de bestelauto was afgedekt met een rood kleed.

'O jee,' zei Henry bij het raam. 'Op het laatste uur komen er toch nog elfen.'

Ze dromden binnen bij Camilla met kerstverlichting en slingers en kransen van dennentakken die roken alsof ze pas uit het bos waren gehaald. Gaynelle liep voorop met een grote mand die met een witte doek was bedekt. T.C. volgde. Hij torste drie afschuwelijke kleine, witte, glinsterende boompjes die ik de hele maand al met tientallen tegelijk bij de supermarkt had gezien. Britney kwam achteraan, uitgedost in een kort, roodfluwelen rokje dat was afgezet met wit nepbont. Ze zwaaide met een glinsterende baton en zong 'Hier komt de kerstman' met een schel stemmetje dat op je zenuwen werkte. Ik weet nog dat ik dacht dat het maar goed was dat ze haar mondharmonica niet bij zich had.

'Ik peins er niet over om u hier te laten zitten zonder iets van de kerstsfeer,' zei Gaynelle. 'Het is een moeilijke tijd, de eerste kerst alleen. Ik weet maar al te goed hoe het was toen Randy ons vlak voor Kerstmis in de steek liet. En ik wil geen tegenspraak. Jullie blijven gewoon zitten, dan gaan wij onze gang. Straks ziet u wel wat een verschil het kan maken.'

En dus bleven we zitten. Henry en ik glimlachten hulpeloos en Camilla sloeg haar ogen ten hemel terwijl Gaynelle en T.C. en Britney de afschuwelijke glinsterende boompjes neerzetten en optuigden met elektrische lichtjes, dennentakken op de schoorsteenmantels legden, voor elk raam een witte elektrische kaars zetten, een zilver met blauwe krans aan de voordeur nietten en enorme, opzichtige vilten kousen boven de haard hingen. Het klapstuk van Gaynelle was een plastic kerststalletje dat ze op de antieke klaptafel voor Camilla's raam zette. Jezus, Jozef en Maria en de kamelen waren kauwgumroze.

'Je mag nooit vergeten wat Kerstmis betekent,' zei ze.

Toen alles klaar was, gingen ze op de bank en de stoelen zitten en keken voldaan om zich heen. Dat was ik trouwens ook. De smaakvol ingerichte kamer was vol ordinaire opzichtige dingen. Het deed me denken aan de goedkope versieringen die ik jaren geleden voor mijn zusjes en broer bijeen had geschraapt. Toen hadden we Kerstmis prachtig gevonden. Ik voelde opeens heimwee opkomen, niet naar alle voorgaande kerstdagen met de Scrubs, maar tot mijn verbazing naar die povere kerstdagen thuis.

'Het is prachtig,' zei ik tegen Gaynelle. 'Het doet me denken aan toen ik nog klein was. Wat lief van je!'

'Ik heb de bomen gekozen!' riep Britney, zich in allerlei bochten draaiend van opwinding, en ik knuffelde haar.

'Ik heb nog nooit zulke bomen gezien,' zei ik.

Ze keken allemaal naar Henry en Camilla, en Henry glimlachte en zei: 'Precies zoals de dokter zou hebben voorgeschreven. Het ziet er fantastisch uit.'

'Heel apart,' mompelde Camilla.

'Kom, Henry, dan neem ik je mee voor een ritje,' zei T.C. Sinds T.C.'s eerste bezoek waren ze blijkbaar Henry en T.C. geworden.

'Graag,' zei Henry terwijl hij opstond.

'Henry, niet zo laat!' riep Camilla. 'Als het een mooie dag was, maar het mist en het wordt al donker! Doe alsjeblieft niet zo onverantwoordelijk.'

We keken bevreemd naar haar.

Er kwam een felle blos op haar wangen.

'Het is niet gevaarlijk, mevrouw Curry,' zei Britney toen. 'Ik rij heel vaak met mama mee als het donker is, en T.C. ook. Er zitten lampen op de motorfietsen.'

Camilla schudde glimlachend haar hoofd. 'O, ga maar,' zei ze. 'Ik ben je moeder niet. Maar wil je me wel een plezier doen en een das omdoen?'

Even later gingen T.C. en Henry, gewikkeld in dassen, naar buiten en nog iets later hoorden we de Rubbertail stotterend tot leven komen en het grind spatte op toen ze wegscheurden. Heel vaag hoorde ik die oude, rebelse strijdkreet die elk kind uit het Zuiden leert zodra het kan praten: 'Jieee-ha!'

Ik wist dat Henry dat riep, en ik was er blij om.

Ik stak het vuur in Camilla's haard aan en zei: 'Volgens mij is er wel cacaopoeder om warme chocola te maken. En biscotti.'

'Wat is dat?' vroeg Britney.

'Italiaanse koekjes,' zei haar moeder.

'Koekjes!' riep Britney uit. Ze rende naar me toe en sloeg haar armen om mijn middel. Ze tilde haar hoofd vol krullen achterover en lachte van plezier. Ik was vergeten hoe een kind je kon omklemmen. Alle kinderen die ik ooit had opgetild of gewiegd of geknuffeld op Outreach kwamen allemaal weer terug in mijn herinnering. Ik voelde vooral het spartelende lijfje van kleine Shawna met die zware leren laars, op de dag dat ik haar in de hitte naar Lewis' kliniek had gedragen. Tot deze dag had ik niet veel andere lijfjes meer gevoeld.

O, Lewis, zei ik in stilte. Het was een vergissing dat we geen kinderen wilden. Dan had ik nu nog iets van jou gehad. Dan had ik in elk geval nog iemand gehad.

Ik draaide me om en liep naar de keuken, terwijl Britney me nog steeds omklemde. Gaynelle volgde en maande haar dochter om me los te laten. Britney gehoorzaamde en ging huppelend de rest van het huis verkennen.

'Ze is dol op u,' zei Gaynelle. 'Meestal is ze afstandelijk als ze mensen niet goed kent, maar u bent een uitzondering. Dus wil ik een grote gunst vragen. U kunt meteen nee zeggen als u het niet wilt.'

'Wat dan?' vroeg ik behoedzaam.

'Britney wil haar kerstcadeautjes graag hier openmaken met Kerstmis. Ik weet niet waarom, misschien omdat ze haar grootouders niet meer ziet... nou ja, u zegt het maar als u het niet wilt. We hebben zelf een kerstboom en zo.'

'Maar natuurlijk,' zei ik. Ik kon geen reden bedenken waarom Britney niet op kerstochtend bij ons kon zijn, behalve misschien dat niemand van ons er echt zin in had. En het leek nogal kleinzielig om een klein kind het plezier van een leuke kerstochtend te ontzeggen.

'Het lijkt me leuk.'

'Goed, dan breng ik een heel kerstdiner mee voor het geval dat u ook 's middags uw kerstdiner wilt eten. Ik heb een grote kalkoen, helemaal klaar, en maïsbrood en een oestersaus, en jus, en kool en aardappelpuree, en yams met marshmellows. Ik heb zelfs een dessert gemaakt volgens het recept van mijn moeder. En T.C. maakt elk jaar heerlijke vruchtencake die hij in Amerikaanse whisky weekt en drie maanden onder een doek laat trekken. Niemand van u hoeft ook maar iets te doen.'

Wat moest ik zeggen? We willen graag je eten maar jullie niet? Trouwens, bij de gedachte aan een kerstdag met Gaynelle en Britney Toomer en T.C. Bentley van John's Island en Bohicket Creek moest ik grijnzen. Simms en Lila zouden het niet meer hebben als ze het hoorden.

'Dat klinkt fantastisch. Ik moet het overleggen, maar ik weet zeker dat iedereen het enig zal vinden.'

Toen ze weg waren en Camilla en Henry en ik bij de haard zaten, vertelde ik hun over Gaynelles plan voor Kerstmis.

Henry barstte in lachen uit.

'Waarom niet?' zei hij. 'Tenslotte worden we niet op de Yacht Club verwacht.'

'O mijn god,' jammerde Camilla. 'De hele dag? Echt waar? Met die stinkende motorfietsen en dat kind... Ik bedoel, ik weet dat het een knap ding is en zo, maar ze is niet bepaald een meisje dat je op het verjaardagsfeestje van je kleinkind zou uitnodigen...'

Henry wierp haar een spottende blik toe.

'Bespeur ik daar iets van Lady Chatterley en Mellors de jachtopziener?' zei hij.

'Nee, helemaal niet,' snauwde ze. 'Maar jullie beseffen toch wel dat je nu voor iedereen cadeautjes moeten kopen?'

En dat deden we. De volgende ochtend nam ik een halve dag vrij en ging op zoek in King Street. Ik vond een kindertutu voor Britney in een winkel voor tweedehands kleding, boeken voor

Gaynelle, en in de Harley-Davidsonwinkel in Meeting Street kocht ik T-shirts met grote logo's voor T.C. en Henry, en voor de grap ook een voor Camilla. Henry kwam beladen met pakjes thuis die, zo zei hij, een van de meisjes in de kliniek voor hem had ingepakt. Daar zagen ze ook naar uit.

'Kan een van jullie wat nieuwe bakbiljetten voor me halen?' zei Camilla. 'Meer zit er wat mij betreft niet in.'

Op de ochtend van Kerstmis werd ik vroeg wakker, net als toen ik nog klein was, en net als toen voelde ik iets van opwinding in mijn buik kriebelen. Ik kleedde me aan en ging naar Camilla's huis. Ik zou haar niet wakker maken, dacht ik, maar koffiezetten en de haard aansteken.

Toen ik binnenkwam was alle kerstverlichting aan, het hout in de haard brandde, er hing een geur van koffie en de slecht ingepakte cadeautjes lagen onder de kerstboom. Henry zat op een bank naar het vuur te kijken. Hij keek op en lachte.

'Ik heb dit niet meer gedaan sinds Nancy klein was,' zei hij. 'Het is leuk. Ik krijg bijna zin om een treinset in elkaar te zetten, of zoiets.'

Ik liet me naast hem op de bank vallen.

'Het is ook leuk. Waar is Camilla?'

'Ze slaapt nog. Ik heb heel zachtjes gedaan.'

We bleven een poos zwijgend zitten en toen zei ik, terwijl ik opeens het zout van een bodemloze zee van verdriet in mijn keel voelde opkomen: 'Een fijne kerst, Henry.'

Hij sloeg zijn arm om me heen, trok mijn hoofd tegen zijn schouder en zei: 'Een fijne kerst, Anny Aiken. Ze zeggen dat het na de eerste beter zal gaan.'

Om negen uur verschenen de motor en de bestelbus en was het gedaan met de rust. Ze kwamen met hun armen vol pakjes binnen terwijl ze luidkeels 'Vrolijk kerstfeest!' riepen. Britney droeg een kostuum uit *De kleine zeemeermin*, dat haar magere schoudertjes bloot liet. Ze schudde zich uitbundig, en glittertjes vielen op het kleed.

'Ik kan onder water leven,' zong ze.

'Dat moeten we eens uitproberen,' mompelde Camilla binnensmonds, maar ook zij glimlachte.

Het volgende uur pakten we onze cadeautjes uit met kreten van verrukking, we pasten alles en wierpen het papier en de strikken in het rond. Algauw was Britney bijna hysterisch van opwinding, en ze stond er op om haar versie van Britney Spears' 'Oops! I Did It Again' te zingen. Het was niet om aan te horen, en we lachten net zo breed als Gaynelle. Uiteindelijk verslikte Britney zich in haar kauwgum en begon te huilen, en toen werd ze naar Camilla's spaarzaam gemeubileerde slaapkamer gebracht om even te slapen. Ik had medelijden met Camilla.

Het diner was luidruchtig en zwaar en fantastisch. Camilla had de tafel gedekt met het linnen en kristal en zilver van haar grootmoeder, en witte kaarsen van bijenwas aangestoken. Voor we begonnen, knikte Gaynelle naar T.C. Hij schraapte zijn keel, boog zijn kale, glimmende hoofd en zei: 'God, wij danken u voor dit maal en uw zegen.' Hij droeg voor de gelegenheid een blauw pak, dat inmiddels onder de glitters van Britneys kostuum zat, en toen hij zijn hoofd boog, duwde hij zijn baard opzij. Zijn handen waren bijna tot bloedens toe schoongeboend. Het vet voor motoren was blijkbaar moeilijk te verwijderen. Opeens voelde ik alleen maar genegenheid voor hem.

'Amen. Laat de spelen beginnen,' zei Henry.

Het was een heel Zuidelijk en landelijk kerstdiner, en het was bekender voor me dan ik had verwacht. Ik at flink, net als Henry, en Camilla deed haar best. Ze aarzelde bij de kool en kaantjes, maar uitte haar bewondering voor het dessert met verse kokosnoot. We aten allemaal twee plakken van T.C.'s met drank doordrenkte vruchtencake.

Na het diner stond Gaynelle er op om zelf de tafel af te ruimen en de vaat te doen. Camilla en ik moesten voor de haard gaan zitten. Ik was heel moe, hoewel ik geen idee had waarom, en Camilla zat zelfs te knikkebollen.

'Jullie moeten maar een lekker dutje gaan doen,' zei Gaynelle toen ze uit de keuken kwam met een geeuwende Britney op haar hielen. 'Ik ga deze mensen thuisbrengen. We hebben echt genoten vandaag.'

Ik stond op en omhelsde haar.

'Je weet niet half wat een mooi geschenk je ons vandaag hebt gegeven,' zei ik.

'Het is niet moeilijk om u allemaal een plezier te doen,' zei ze, en ze nam Britney mee naar buiten. Henry kwam aanlopen met een dikke trui aan.

'Ik ga bij T.C. de Georgia-Georgia Tech kijken,' zei hij. 'Hij brengt me na afloop thuis.'

'Je bedoelt dat je op die motor gaat rijden,' zei ik met een glimlach.

'Dat ook.'

Camilla zei niets. Ze sliep, met haar kin op haar borst.

Ik maakte haar wakker en bracht haar naar bed. Toen ging ik terug naar mijn eigen huis en stak het vuur in de haard aan. Ik was ervan overtuigd dat de poel van verdriet zich weer zou openen, maar dat gebeurde niet. Ik voelde me gewoon leeg. Het was warm en schemerig in de kamer en het vuur knetterde, en ik viel in slaap op de bank en werd pas wakker toen ik Henry en T.C. op de grommende motor hoorde naderen.

De dagen na Kerstmis waren grauw en koud en ze leken eindeloos. Er heerste een diepe stilte aan de kreek en we raakten weer in onszelf gekeerd. We bewogen ons zacht, spraken op gedempte toon en gingen vroeg naar bed.

Maar ik weet zeker dat we ons allemaal ervan bewust waren dat het hier heel even vol leven was geweest.

13

'Jullie zijn helemaal boers geworden,' zei Lila op een zondagmiddag tegen het einde van januari. 'Ik wist het wel.'

Het was zo'n typische winterdag van de Low Country die je doet snakken naar de lente. Het was een graad of vijftien, en de bries vanaf de kreek was mild. De zon liefkoosde onze gezichten.

We zaten op Lila's veranda ijsthee te drinken en keken hoe Britney op het grasveld dat afliep naar de steiger, met Lila's kleine Honey liep te ravotten. Ze had het hondje niet vaak meegenomen naar de kreek. Haar kleinkinderen stonden te dringen om op te passen als zij en Simms weg waren, en Lila was blij met hun grote, ommuurde tuin. Honey liep zonder na te denken overal heen. Ik zie nog steeds voor me hoe ze met haar neus over de grond blindelings weg rende, kwispelend van pure vreugde met haar pluizige staartje. Ze was een mooi beestje, maar kribbig en bijtgraag naar de meeste mensen. Maar vanaf haar eerste gesnuffel was ze dol op Britney, en de liefde was wederzijds. Sinds ze elkaar die ochtend voor het eerst hadden gezien, waren het kind en het hondje onafscheidelijk.

We zaten alleen op de veranda. Henry en T.C. waren na de lunch vertrokken op de Rubbertail. Simms had een regatta op de Yacht Club. Camilla lag te slapen. Gaynelle was bij haar in de donkere slaapkamer terwijl op de kleine cd-speler een kwartet van Mozart werd gespeeld. Gaynelle had klassieke muziek ontdekt en ze kon er geen genoeg van krijgen. Ze luisterde er voortdurend naar als ze bij ons was. Ik voelde me belachelijk trots, als een moeder wier kind voor het eerst de hip-hop laat staan en naar Bach luistert. Gaynelle had, diep in zich, het vermogen om allerlei rijkdom in zich op te nemen. We noemden elkaar nu ook bij de voornaam.

'Hoe bedoel je?' zei ik slaperig, hoewel ik heel goed wist wat ze bedoelde. Gaynelle en T.C. en het kind waren hier vandaag alleen omdat ik hen had gevraagd toen ik voorzag wat de dag zou inhouden. Hun aanwezigheid zou de leegte enigszins opvullen. Henry en ik waren op zondag meestal alleen met Camilla. Maar vandaag riep de zon om energie en gelach, ook al zouden die niet van mij komen.

'Ik bedoel, zoals je heel goed weet, dat jullie enige gezelschap hier blijkbaar bestaat uit jullie werkster, een zwijgzame, kale motorrijder en een ordinaire Lolita. Ik heb gehoord dat jullie ze hier onlangs te eten hebben gehad en dat jullie daarna naar de bioscoop op James Island zijn geweest. Wat denk je dat jullie vroegere vrienden hiervan zullen vinden?'

'Hoe zouden mijn vroegere vrienden dat kunnen weten? Is Bunny weer in de stad?' zei ik glimlachend. Ik vertikte het om me te laten provoceren. Daar was de dag te mooi voor.

Ze bloosde. Het kon me niets schelen. Charleston heeft een radar die alle pogingen tot geheimhouding teniet kan doen. En we waren helemaal niet uit op heimelijk gedoe. We hoefden alleen geen bezoek.

'Je moet niet vergeten dat je nog meer vrienden hebt behalve Henry en Camilla en ma en pa Flodder. Iedereen in Charleston vraagt wanneer jullie terugkomen. Niemand heeft jullie de laatste tijd gezien. Ze beginnen bedenkingen te krijgen over jullie drieën hier, helemaal alleen.'

Ik barstte in lachen uit.

'Ik en Camilla en Henry in een *ménage à trois*? Hoe is het mogelijk. Zeg maar dat we overwegen om ons op de brandstapel te gooien als een van ons sterft. Nee, je weet best dat Camilla helemaal niet in orde is. En ik ben elke ochtend op mijn werk en Henry is elke middag in de kliniek. Als iemand me wil spreken, dan hoeven ze alleen maar naar Gillon Street te gaan.'

'Dat is niet hetzelfde. Jullie hebben je zo begraven bij deze kreek dat je er bijna in verdrinkt. Simms en ik vinden het hier ook prettig. We komen vaak in het weekend. Maar we hebben ook nog een ander leven.'

En dat hebben jullie een heleboel jaren niet gehad, dacht ik. Niet toen we het strandhuis nog hadden.

'Ik ben tevreden met mijn leven,' zei ik.

'O, Anny, kijk eens naar jezelf!' riep Lila uit. 'Je bent vel over been. Je bent in geen maanden naar de kapper geweest. En volgens mij heb je nooit meer lipstick opgedaan sinds je hier bent. Je moet eens wat meer aan jezelf denken. En Henry moet eens van die vervloekte motor stappen en zijn vrienden opzoeken. Hij kan gaan zeilen met Simms wanneer hij maar wil. Simms zegt steeds dat hij niemand meer heeft om mee te zeilen...'

Ze zweeg abrupt. Ik keek niet naar haar.

'Het spijt me,' zei ze. 'Het spijt me echt, Anny. Ik zou alleen zo graag willen dat je iets anders deed dan alleen voor Camilla zorgen.'

Die winter maakten we ons allemaal zorgen over Camilla. Ze leek voor onze ogen af te takelen. Ze klaagde nooit, maar ze was vaak zo duizelig dat twee mensen haar moesten vasthouden, en ze sliep hele middagen en avonden door alsof ze onder de medicijnen zat. Maar 's nachts kon ze niet slapen, zei ze. En als ik in de nacht opstond en uit mijn raam keek, zag ik inderdaad dat het licht in haar slaapkamer aan was. Henry ging zo vaak mogelijk bij haar kijken. Volgens hem was er niets mis met haar hart, maar hij vond dat ze een heleboel tests moest laten doen. Camilla vertikte het om naar haar internist in Charleston te gaan.

'Ik zou me veel beter voelen als ik 's nachts kon slapen,' zei ze wanhopig. Henry gaf haar een voorraad Ambien. Maar elke nacht weer was het licht in haar slaapkamer aan. En ze sliep nog steeds overdag. Ze leek nu op een portret van een mooie aristocrate dat vervaagd was van ouderdom. De verandering had heel plotseling plaatsgevonden. Volgens mij was het vlak na Kerstmis gebeurd.

'Waarom doe je het?' informeerde Lila, terwijl ze met haar vinger in haar thee roerde. 'Ze hoort in Gillon Street te zijn met een hulp voor dag en nacht. Dat kan ze zich heel goed veroorloven. Daar of in Bishop Gadsden. Ze moet in de buurt van Queens zijn. Henry moet eens een keer streng tegen haar zijn.'

Ik keek naar haar.

'Hadden we niet allemaal gezworen dat we zoiets niet zouden laten gebeuren?' zei ik.

'O, Anny, dat was zo lang geleden! Het was meer een... nou ja, een grap. Niemand van ons heeft ooit bedoeld dat je een slaaf zou worden. Lewis zou het vreselijk hebben gevonden.'

'Ik zou niet eens bij jullie hebben gehoord als zij niet de eerste was geweest die me had opgenomen, en met heel haar hart,' zei ik. 'Ze heeft me een heleboel keren gesteund. Ons allemaal.'

Lila sloeg haar ogen neer en ik wist dat ze zich die afschuwelijke dag herinnerde waarop we wisten dat Simms achter andere vrouwen aan zat, toen ze als een kind naast Camilla had gezeten en Camilla haar had getroost.

Er kwamen tranen in Lila's ogen.

'Dat weet ik wel,' zei ze. 'Ik vind het alleen vreselijk wat er met jullie gebeurt. Jullie zouden je eigen leven moeten leiden in plaats van je hier schuil te houden.'

'Lila,' zei ik, 'op dit moment ís dit mijn leven.'

Toen kwam Camilla naar buiten schuifelen, terwijl Gaynelle haar ondersteunde. Ze droeg een katoenen rok en een witte blouse, die nu te wijd was maar nog steeds mooi stond. Haar haren waren in keurige vlechten opgestoken op haar hoofd en ze had lipstick opgedaan. Ze rook zoals gewoonlijk naar *Calèche*. Ik vond dat ze er veel beter uitzag dan ik.

'Lila heeft helemaal gelijk,' zei ze terwijl Gaynelle haar in haar schommelstoel hielp. 'Ik heb jullie gehoord. Anny, je moet echt terug naar huis, in elk geval door de week. Ik heb Henry en Gaynelle. Ik wil jullie gewoonweg niet opeisen.'

Ik keek naar mijn handen. Die waren tot vuisten gebald, en de knokkels zagen wit.

'Dat kan ik niet,' fluisterde ik. 'Nu niet. Ik zou niet weten waar ik moest beginnen en... ik weet het niet. Ik denk niet dat ik daar alleen kan zijn.'

'Nou, dat is makkelijk opgelost,' zei Gaynelle met een glimlach. 'Ik ga mee en dan hebben we alles in een mum van tijd weer op een rijtje. Ik zou het heel graag willen.'

Ik haalde diep adem om te weigeren, en toen hief ik mijn handen op en liet ze vallen.

'Je hebt gelijk. Ik moet het doen. En ik zou heel blij zijn met je hulp, Gaynelle.'

'Goed zo!' riep Lila.

Camilla glimlachte.

Op dat moment hoorden we de Rubbertail terugkomen en zagen we de stofwolk erachter. We hoorden kreten en gelach. Zelfs Lila moest glimlachen toen ze het hoorde. Toen de motor de oprit op scheurde en T.C. en Henry eraf stapten, zag ik Henry opeens echt voor het eerst sinds weken. Toen hij naar ons liep, een beetje gebruind en met zijn ogen dichtgeknepen tegen de lage zon, leek hij opeens zo op de Henry van jaren geleden dat mijn hart ineenkromp. Camilla dacht blijkbaar hetzelfde. Ik hoorde hoe ze even haar adem inhield.

'Ik heb het een beetje koud,' zei ze tegen Gaynelle. 'Ik denk dat ik tot het eten maar een dutje ga doen. Lila, het was heerlijk om je weer te zien. Geef Simms een kus van me.'

Lila kuste haar vluchtig op de wang en Gaynelle bracht haar weg toen Henry net de trap op kwam.

'Ik heb je toch niet weggejaagd?' riep hij haar na.

'Natuurlijk niet. Ik zie je wel bij het eten. Je lijkt wel een vuilnisman.'

Die zaterdag namen Gaynelle en ik schoonmaakspullen mee en we reden naar Charleston om mijn huis in Bull Street onderhanden te nemen. Henry zat met Camilla op de veranda. Het was nog steeds mooi weer en het moeras begon groen te kleuren. Het was de tweede keer dat ik hier de lente zag komen. Hier had Lewis me voor het eerst gezien. Ik kneep mijn ogen stijf dicht. Later was er tijd genoeg voor tranen. Henry en Camilla zaten koffie te drinken en te lachen toen we weggingen. Ik vond het fijn om haar te zien lachen.

We sloegen Bull Street in en mijn hart begon te bonzen. Het zweet brak me uit. Als hij er was, zou ik het dan kunnen verdragen? Zou ik bang worden, net als de laatste keer dat ik hier was?

Zou ik het kunnen verdragen als hij er niet was?

Gaynelle zette de auto op het parkeerterrein en keek naar het huis, en toen naar mij. Mijn mooie huis glansde als een juweel in de groene gloed van de eiken.

'Het is een prachtig huisje,' zei ze. 'Net als in een sprookje. Het lijkt op jou. Maar het is moeilijk, hè? Je ziet zo wit als een doek. Als het te zwaar is, kan ik het in een paar uurtjes doen en ga je boodschappen doen of koffiedrinken of zo. Het zal makkelijker zijn om naar binnen te gaan als alles is opgeruimd.'

'Nee,' zei ik. 'Het is mijn huis. Van mij en van Lewis. Ik wil er niet bang voor zijn. We gaan het doen.'

Het kostte ons net iets meer dan vier uur om het huis in orde te brengen. We schrobden, veegden, brachten boenwas aan, stofzuigden, stoften af en ruimden de dingen op die ik had laten slingeren toen ik uit het huis was gevlucht. Ik leek het aan te kunnen zolang ik bij Gaynelle was. Ze leek het aan te voelen. Ze liet me nooit alleen in een kamer. Terwijl ik het mooie oude hout en de stoffen aanraakte, het porselein en kristal, de boeken en snuisterijen die bij ons leven hadden gehoord, zocht ik Lewis, luisterde ik of ik hem hoorde, wachtte ik op zijn aanraking. De eerste keer had ik zijn aanwezigheid zo sterk gevoeld. Als ik sindsdien aan hem dacht, leek het of hij op de een of andere manier in dit huis wachtte. Ik schaamde me. Ik had hier naartoe moeten gaan om me aan hem te laven, maar in plaats daarvan was ik van hem weggevlucht, weggevlucht van een dode man met parels in plaats van ogen, een man die ik niet kende.

'Lewis,' fluisterde ik een paar keer. 'Ik ben thuis. Waar ben je? Laat het me alsjeblieft weten.'

Maar hij was er niet. Terwijl we methodisch elke kamer onder handen namen en schrobden en boenden en luchtten, voelde ik hem nergens. Het verdriet rees op in mijn keel Ik besefte dat ik tot op zekere hoogte werkelijk had verwacht hem hier te vinden. Maar als hij ooit in dit huis was geweest nadat ik hem had verloren, dan was hij nu weg. Van nu af aan zou ik hem moeten beschouwen als begraven in de aarde van Sweetgrass. Op de een of andere manier kon ik dat niet verdragen.

Ik smoorde een snik en Gaynelle sloeg haar armen om me heen. 'Ga nu maar naar buiten. Alles is klaar voor als je terug wilt komen, maar het is genoeg geweest voor vandaag. Ga op die bank in de zon zitten. Ik hoef alleen de kasten na te lopen... maar misschien wil je dat liever zelf een andere keer doen?'

'Nee,' fluisterde ik. 'Alsjeblieft, doe jij dat maar.'

En ik wachtte terwijl ze Lewis' kast leegruimde, zijn kleren in een paar koffers deed, ze in de achterbak van de bestelauto legde en er een zeildoek overheen legde. Ik vroeg haar of ze er een goede bestemming voor wilde zoeken en ze zei dat ze er precies de juiste plek voor wist. Ik heb nooit gevraagd waar dat was.

De hele weg naar huis zat ik zachtjes te huilen, en ze reed kalm, zonder te praten, en ze gaf alleen af een toe een klopje op mijn knie. Ik vond het vreselijk om te huilen waar andere mensen bij zijn, maar bij haar leek het niet erg. Tegen de tijd dat we op de oprit naar de kreek waren, was ik opgehouden en veegde mijn gezicht af. Gaynelle omhelsde me een laatste keer.

'Je bent heel dapper geweest vandaag,' zei ze, en toen reed ze weg. Ik liep langzaam de trap naar mijn huis op, leeg en uitgeput tot in mijn botten. Ik had minstens voor een maand genoeg gehuild, dacht ik.

Henry zat op mijn bank de *New York Times* te lezen en rode wijn te drinken. Hij had een vuur aangelegd en de lampen aangestoken, en de kamer strekte zijn armen naar me uit. Het begon donker te worden en de temperatuur daalde.

Hij keek naar me op en klopte toen op de bank naast hem. Ik ging zitten.

Hij bestudeerde me en zei toen: 'Slecht. Daar was ik al bang voor. Je bent dapperder dan ik. Ik kan nog steeds niet naar huis.'

'Ik ook niet.' Mijn stem beefde. 'Nog niet. Dat heb ik vandaag begrepen. O, Henry, hij was er niet.'

Hij sloeg zijn arm om mijn schouder en ik legde mijn hoofd ertegen.

'Vertel,' zei hij.

En dat deed ik, pratend in zijn trui, die vochtig werd van mijn tranen.

Ik vertelde hem hoe sterk ik had gevoeld dat Lewis er was die eerste keer, en dat ik vol afschuw van hem was weggevlucht.

'Henry, na zijn dood heb ik weken over hem gedroomd, en ik zag hem altijd uit zwart water naar boven komen, met parels op de plek waar zijn ogen hoorden te zijn. Hij was dood. Dat is iets wat ik me herinner uit *De storm*. "Vijf vaam diep ligt uw vader op het wad..."'

'Parels waar hij ogen had,' mompelde Henry. 'Dat heb ik ook moeten bestuderen...'

'En ik ben van hem weggerend, en toen ik terugkwam was hij er niet. Ik dacht dat hij zou wachten...'

Henry legde zijn kin op mijn hoofd.

'Ik droomde dat Fairlie in brand stond,' zei hij. 'Ze kwam in vlammen gehuld naar me toe.'

'Maar nu droom je dat niet meer.'

'Nee.'

Vaag hoorden we het belletje naast Camilla's bed rinkelen. Ik snoof en stond op. Het was tijd voor het eten. Ik zou pasta met mosselen maken.

'Dank je,' zei ik tegen Henry.

'Graag gedaan,' antwoordde hij.

Een week later gingen Henry en ik met T.C. en Gaynelle naar Britneys generale repetitie voor haar verkiezing. Die was pas in mei, maar Gaynelle zei dat Britney zo graag wilde dat ik kwam kijken, dat ze niet ophield met huilen tot ze het me ging vragen.

'Natuurlijk,' zei ik met een glimlach, terwijl ik dacht dat ik nog liever een week in een Turkse gevangenis zou doorbrengen.

'T.C. zei dat je tegen Henry moet zeggen dat hij een reservemotor heeft, als hij die van tevoren wil uitproberen. Dan kunnen we allemaal tegelijk gaan.'

Henry was dolblij, en Camilla was vol angst.

'Henry, alsjeblieft...'

'Toe, Cammy. Het is klaarlichte dag. T.C. zal je wel vertellen hoe veilig het is.'

Maar toen de bestelwagen kwam, gevolgd door T.C. op de Rubbertail, ging Camilla naar haar slaapkamer en sloot de deur.

'Ik ben heel moe,' zei ze met een glimlach. 'Vertel me morgen maar hoe het was.'

Gaynelles zus JoAnne, een stevige vrouw die maar tot de schouder van haar zus reikte, zou bij Camilla blijven. Ze was, zei Gaynelle, verpleegster en Camilla zou in bekwame handen zijn.

'Is dit mijn oppas?' zei Camilla toen we JoAnne voorstelden. Maar ze zei het glimlachend.

Henry reed achterop bij T.C. en ik ging met Gaynelle en Britney in de bestelauto. Britney was helemaal door het dolle heen en stelde zich vreselijk aan. Voor het eerst vond ik het niet leuk om in haar buurt te zijn. Ze was helemaal opgemaakt, met lipstick, mascara, glitter op haar wangen en nagels, en grote ronde vlekken rouge op haar wangen. De vertederende sproeten waren niet te zien en haar rode krullen waren getoupeerd en met haarlak in bedwang gehouden. Ze was niet het brutale kleine meisje dat ik zo lief vond. Ze was een afschuwelijke kopie van een popster of, dacht ik, zelfs een pornoster. Gaynelle glimlachte vertederd naar haar en trok aan haar haren of bette haar make-up. Gelukkig lag haar kostuum op de achterbank in plastic gewikkeld. Haar kleine spijkerbroek en trui zorgden dat ze nog enige band met de werkelijkheid had.

Op het terrein voor tweedehands auto's waar de vriend van T.C. de reservemotor had staan, lieten we T.C. en Henry achter. Henry wilde niet dat we zouden wachten.

'Ga maar vast,' zei hij. 'Alleen T.C. mag me zien tot ik zeebenen heb gekregen of hoe je het ook moet noemen. Waarschijnlijk een motorkont.'

Dus reden we naar de lagere school waar de generale repetitie werd gehouden en wachtten op het parkeerterrein, terwijl Britney zat te wiebelen en te zeuren tot haar moeder zei dat ze moest ophouden.

Eindelijk hoorden we het bekende geronk van motoren en T.C. kwam op de Rubbertail het parkeerterrein op en hield naast ons stil. Achter hem volgde Henry op een kleinere, lichtere motor die ik meer op een flinke fiets vond lijken. Hij droeg een helm en een jack en een motorbril zodat hij wel iedereen had kunnen zijn, maar hij was onmiskenbaar Henry, en hij grijnsde zo breed dat zijn tanden oplichtten in de vallende schemering. Hij stopte naast T.C., zette de motor af en stapte van de motor alsof hij het al jaren gewend was.

'Zie je wel? Ik zei toch dat je het niet verleert,' zei hij triomfantelijk. 'Ik zou van hier naar Key West kunnen rijden. Ik heb er geen seconde problemen mee gehad.'

'Hij deed het goed,' knikte T.C. plechtig. 'Foutloos. Ik denk dat deze geschikt is om mee te beginnen. Een vriend van me had hem voor zijn zoon gekocht. Het is een mooie basis. Naderhand kan Henry een zwaardere proberen als hij dat wil.'

'Misschien doe ik dat wel,' zei Henry.

'Waar heb je dat pak vandaan?' vroeg ik lachend.

'Dit is T.C.'s reservepak. De laarzen zitten een beetje krap, maar dat jack zou ik wat graag willen hebben,' zei Henry.

'Je lijkt wel een crimineel,' zei ik.

'Zo voel ik me ook een beetje. Een heerlijk gevoel.'

De missverkiezing was precies zoals ik had verwacht: een opeenvolging van mini-delletjes in popsterrenkostuums die met hun magere kontjes draaiden en hun rode lippen tuitten. Sommige van hen zongen, sommigen dansten, sommigen deden turnoefeningen, sommigen goochelden met batons. Britney was de enige die mondharmonica speelde. Ik vond het gewoonweg gênant, zo slecht klonk het, maar de prestaties van de anderen waren net zo erg. Henry en ik schokten van het ingehouden lachen en we keken niet naar elkaar. T.C. glimlachte vertederd. Gaynelle maakte uitvoerig aantekeningen na elk optreden.

Toen de generale repetitie voorbij was, werden de meeste deelneemsters uit hun kostuum geholpen door hun moeders. Britney stond erop dat van haar aan te houden tot ze thuis was. Ze was bijna hysterisch van opwinding. Ze sprong in mijn armen en omhelsde me zo hard dat ik onder de make-up en glitters kwam te zitten, en ik glimlachte van opluchting dat onder al dit glazuur nog steeds dit kind zat, het kind dat ik kende.

'Ik was de beste!' kraaide ze. 'En ik was ook de mooiste. Ze zeggen dat Cindy Sawyer, die LeAnn Rimes deed, gaat winnen, maar ik vond dat ze er maar stom uitzag. Ik ga winnen!'

Ze begon op de mondharmonica te spelen, en Gaynelle trok een grimas en pakte het instrument af.

'Niet zoveel praatjes,' zei ze. 'Je deed het goed maar je kunt het nog veel beter. Ik heb aantekeningen gemaakt. We gaan ze morgen nalopen.'

Toen we terug waren bij het autoterrein om de motorfiets terug te brengen en Henry op te pikken, zei T.C.: 'Heb je zin om bij mij achterop terug te gaan, Anny? Het is een warme avond en je kunt Gaynelles motorkleding aan. Ik beloof dat ik heel rustig zal rijden.'

'O, nee, ik zou niet kunnen...' begon ik.

'Jawel,' zeiden Henry en Gaynelle tegelijk, en ik wist dat ze dit al die tijd al van plan waren geweest.

'Ach, waarom niet?' zei ik. Als ik hard genoeg zou schreeuwen, zou T.C. wel stoppen en me eraf laten gaan. Ik trok Gaynelles kleren aan en ik wist dat ik er als een kleine beer in uitzag. Toen klom ik achterop bij T.C. Mijn hart bonsde bijna uit mijn borstkas.

'Ga alsjeblieft langzaam!' riep ik, en hij knikte en startte de Rubbertail.

Het voelde als een gigantisch levend wild beest tussen mijn benen. De pure kracht ervan schoot langs mijn rug omhoog en tot in mijn tenen en vingertoppen. Ik greep T.C. om zijn middel en stopte mijn gezicht in zijn jack, en toen stoven we weg. De eerste kilometers probeerde ik alleen maar naar lucht te happen en ik klemde me met gesloten ogen vast. Toen, heel geleidelijk, voelde ik de avondwind op mijn gezicht en rook ik het vochtige, leemachtige begin van de lente op de donkere, met mos overhangen weg naar de kreek, en het ritme van de motor en de weg drong door in mijn benen en heupen. Ik hief mijn hoofd op en keek om me heen: het was alsof ik vloog. Er zat niets tussen mij en de frisse, ruisende nacht. Toen we bij de kreek kwamen, lachte ik van blijdschap. Toen ik afstapte, begaven mijn benen het en T.C. moest me vastgrijpen.

'Dat overkomt iedereen de eerste keer,' zei hij. 'Ik heb meegemaakt dat mensen een hele dag niet konden lopen. Je hebt het prima gedaan.'

Henry en Gaynelle en Britney stopten achter ons op de oprit.

'Je ziet eruit als een echte motorgrietje,' zei Henry. Hij omhelsde me. 'Hoe vond je het?'

'Motorgrietje? Pas op je woorden, maat. Ik vond het heerlijk. Echt waar.'

'Zie je wel,' zei Henry.

Toen ik het de volgende ochtend aan Camilla vertelde, glimlachte ze alleen hoofdschuddend.

'Straks ga je nog huizen schoonmaken met Gaynelle,' zei ze. 'En dan neem je dat kind mee om acrylnagels en collageen te laten aanbrengen.'

'O, Camilla...' Ik voelde me vreemd gekwetst.

'Sorry. Ik kan dat arme kind alleen om de een of andere reden niet uitstaan. Ze is veel te ouwelijk voor haar leeftijd. Het is gewoon eng. Straks is ze op haar twaalfde al afgebrand.'

De volgende dag, zondag, vroeg Gaynelle of ze mocht komen om wat boeken te lenen.

'Natuurlijk,' zei ik. 'Breng Britney mee, dan ga ik met haar varen in de Whaler als het weer goed blijft.'

Het bleef even stil, en toen zei Gaynelle: 'Ik denk dat ik haar deze keer thuislaat. Ze is niet erg dol op Camilla. Ik denk zelfs dat ze bang voor haar is.'

'Dat meen je toch niet?' zei ik geschokt. Camilla was altijd alleen maar aardig geweest tegen het kind, hoewel ik wist dat ze er niets om gaf.

'Het is vreemd,' zei Gaynelle. 'Meestal heeft ze geen hekel aan mensen, maar ze voelt bepaalde dingen aan. Al vanaf dat ze heel klein was.'

'Wat voor dingen?'

'Wie haar aardig vindt en wie niet. Dat soort dingen.'

'Gaynelle, ik denk niet dat Camilla een hekel heeft aan Britney,' zei ik. 'Ze is gewoon ziek. Je weet dat het niet goed met haar gaat.'

'Ik denk niet dat het daardoor komt. Het doet er niet toe. Niet iedereen houdt nu eenmaal van kinderen. En ik denk niet dat Camilla echt zo ziek is. Soms, als ze in haar boek zit te schrijven, straalt ze energie uit. Ze schrijft als een bezetene.'

'Maar je weet dat ze slecht ter been is.'

'Ja,' zei Gaynelle.

Het weer bleef de volgende week inderdaad goed. Het was makkelijk om te vergeten dat de ijzige vochtigheid terug kon komen. De eerste levende dieren keerden terug. We hoorden kikkers, en de eerste plons van een harder en, op een avond na het eten, het bloedstollende gebrul van een grote mannetjesalligator. Het klonk alsof hij onder de veranda was.

Camilla slaakte een kreet en ik hield mijn adem in.

'Ik was vergeten dat te vertellen,' zei Henry. 'Ik heb zijn sporen gezien waar hij zijn staart over de oever laat slepen, op iets meer dan een kilometer van de steiger. Ik denk dat hij een vrouwtje zoekt. Over een poosje wemelt het van de alligators. Of misschien zit hij achter de harders aan.'

'Is hij gevaarlijk?' Camilla legde een hand tegen haar hart. Haar gezicht zag bleek.

'Nee, tenzij je een harder of een poedel bent,' zei Henry. 'Ze gaan hier niet ver weg van het water. Bij Hilton Head en Fripp, waar ze villa's boven hun natuurlijke omgeving hebben gebouwd, komen de alligators op de terrassen en in de zwembaden. En chihuahua's hebben er geen lang leven.'

'Maar hij komt toch niet hier, naar het zwembad of zo...'

'Nee. Er is hier niets wat hij zou willen. Hij heeft alles in en naast het water.'

We praatten over allerlei dingen, zoals altijd. Het was die week aangenaam en kalm geweest tijdens het eten, en Camilla leek beter dan sinds dagen, en ze praatte levendig met Henry over de tijd dat ze over Sullivan's Island zwierven, vóór de einddiploma's, vóór de huwelijken, vóór de kleine kinderen kwamen... vóór de sterfgevallen. Op een avond, toen ik opstond om de tafel af te ruimen, zei ze tegen Henry: 'Blijf nog even wat praten met me.'

Hij knikte.

Ik voelde me belachelijk buitengesloten.

'Roep me maar als je naar bed wilt,' zei ik.

'Dat kan Henry wel doen,' zei ze. 'Ga jij maar eens lekker slapen.'

Maar ik bleef nog heel lang wakker liggen. De lichten van Camilla's huis waren pas om twee uur in de ochtend uitgegaan. Ik draaide me om en stopte mijn hoofd in mijn kussen. Het laatste wat ik hoorde voor ik in slaap viel, was de brul van de grote alligator, die zijn rijk opeiste en zijn koningin riep.

14

Het mooie weer hield aan, en februari hield zich aan zijn belofte. In de Low Country is februari een lange zucht van opluchting. Het zal niet echt koud meer worden, niet de bloesemverschrompelende kou van januari. De grote camelia's in de tuinen van Charleston en op de plantages langs de rivier hangen vol bloesem, en langs de wegen naar de stad bloeien narcissen en forsythia als gele vlammetjes. Voor mij was de stralende zachtheid van deze lente als een dolk in mijn hart. Het was heel lang geleden dat ik een lente in Charleston zonder Lewis had doorgebracht.

'Wat zou ik graag willen dat het volgend jaar om deze tijd was,' zei ik een keer tegen Gaynelle, terwijl wij en Camilla keken hoe Britney rondscharrelde aan het einde van de steiger. Er hing al ongeveer een week een school rivierdolfijnen rond, vaak zo dichtbij dat je hun gladde, rubberachtige huid had kunnen aanraken. Ze staken hun kop boven water en glimlachten listig naar je, met een samenzweerderige blik uit het ene grote oog dat zichtbaar was. Ze leken zo goedmoedig en vriendelijk dat je in de verleiding kwam om ze te aaien, maar Henry had ons gezegd dat we dat niet moesten doen.

'Ze moeten niet denken dat ze hier wonen,' zei hij. 'Als je te aardig tegen ze doet of ze eten geeft, gaan ze niet meer weg als ze het zouden moeten.'

'Zal de alligator ze niet opeten?' vroeg Britney ongerust. De grote mannetjesalligator was nu bijna elke avond te horen, hoewel we hem nog niet hadden gezien.

'Dat denk ik niet. Maar je kunt beter het zekere voor het onzekere nemen,' zei Henry.

Dus stak Britney niet haar handen uit om ze te aaien. Maar ze bleef uren op de steiger om naar ze te kijken.

'Ik denk dat ze met elkaar praten,' zei ik een keer met een glimlach tegen Gaynelle.

'Dat zou me niets verbazen,' antwoordde ze.

Nu raakte ze even mijn arm aan.

'Ik weet het,' zei ze. 'Je denkt steeds dat het beter zal gaan als er een jaar voorbij is en je alle speciale dagen al een keer achter de rug hebt gehad. Voor mij was het lang niet zo erg na Randy, maar leuk was het ook niet.'

'De tijd gaat voorbij,' zei Camilla dromerig. 'Na een poos lopen alle bijzondere dagen in elkaar over en kun je ze niet meer uit elkaar houden.'

'Gaat het dan beter?' vroeg ik.

'Nee,' zei ze. En ik voelde schaamte in me opwellen omdat ik zo was opgegaan in mijn eigen verdriet dat ik er heel lang niet meer aan had gedacht dat Camilla ook nog steeds om Charlie treurde.

Britneys naschoolse opvang had de tarieven drastisch verhoogd, en ik wist dat Gaynelle het geld maar met moeite bijeen kon schrapen. Dus in een opwelling zei ik dat ze Britney naar de kreek kon brengen voor die paar uurtjes in de middag dat haar moeder nog werkte. Soms bleef Gaynelle langer dan gewoonlijk om iets voor het avondeten te bereiden dat Camilla lekker zou vinden, of om een schoonmaakkarwei aan te pakken waaraan ik niet was toegekomen. Dus bleef Britney vaak tot laat bij ons, en een paar keer stond ik erop dat zij en haar moeder bleven eten.

'Kun je het aan, een paar keer maar?' vroeg ik aan Camilla. 'Ze is al een stuk rustiger geworden. Ik heb de mondharmonica in geen weken meer gehoord.'

'O, natuurlijk,' zei Camilla. 'Let maar niet op mij. Ik ben zo kribbig aan het worden dat ik mezelf niet eens aardig vind. En ik weet dat jij en Henry erg op het kind gesteld zijn.'

Dat was ik ook. En tot mijn verbazing was Henry dol op Britney. Ik wist niet goed waarom. Hij hield van zijn eigen kleinkinderen en zag die vaak, maar Britney leek meer een dochtertje dat hij op latere leeftijd had gekregen. Hij nam haar mee in de Whaler en leerde haar vissen en krabben vangen, en ze ging vaak met hem mee als hij ritjes ging maken op de lichte motor, die de vriend van T.C. hem voor een maand of zo had geleend.

'Je verwent dat kind vreselijk,' zei Camilla een keer terwijl ze toegeeflijk naar hem glimlachte. Hij was van de kliniek teruggekomen met een plastic zak met goudvissen voor Britney. 'En ze is al zo verwend.'

'Niet op de juiste manier,' zei Henry. 'Ze weet hoe ze met haar kontje moet draaien op een toneel, maar ze weet niet hoe ze kind moet zijn.'

Gaynelle was blij met de hechte band tussen hen.

'Ze kan dingen van hem en jou leren die ik haar niet kan bijbrengen,' zei ze. 'Ik heb het nooit prettig gevonden dat ze denkt dat met haar achterwerk draaien het belangrijkste is wat er bestaat.'

'Ik heb me altijd afgevraagd waarom je haar aan die missverkiezingen laat meedoen,' zei ik, in de veronderstelling dat ik Gaynelle nu goed genoeg kende om die vraag te kunnen stellen.

'Ik kon haar zo weinig geven,' zei Gaynelle zacht. 'Ik heb haar wel leren lezen en ze begint nu aardig te leren schrijven, maar ik kan geen particuliere school voor haar bekostigen. En ze wilde zo graag aan die verkiezingen meedoen. Ik weet dat ze ordinair zijn. Ik hoopte dat ze er genoeg van zou krijgen. Ik wou haar er toch van afhalen volgend jaar. Nu vindt ze jou en Henry en de kreek belangrijker dan die wedstrijden. Het is een buitenkans.'

Henry en Britney kwamen net op dat moment terugronken van een ritje naar Edisto Beach, en ze liepen lachend de veranda op.

Britney had de slappe lach, en haar sproetengezichtje was erdoor verwrongen. Ze zat onder het stof en haar krullen zaten helemaal in de war.

'Wat is er zo grappig?' vroeg ik, glimlachend om Henry's gezicht, dat er nu zongebruind en veel jonger uitzag dan toen hij in augustus naar de kreek was gekomen. Zijn tanden blonken wit door het stof.

'Henry vertelde hoe stout hij en dokter Aiken deden op Sullivan's Island toen ze nog klein waren,' zei ze. 'Ze gingen altijd in hun blootje door tunnels rennen!'

'Dat laat jij uit je hoofd, hoor je?' zei Gaynelle lachend tegen haar dochter. Er was geen spoor van het prinsesje meer te bekennen in Britney.

'Ik ben ook met hen opgegroeid op het eiland,' zei Camilla. 'Ze waren mijn beste vrienden.'

'Liep u ook in uw blootje?' vroeg Britney benieuwd.

'Naar binnen,' zei Gaynelle. 'Nu!'

Ze gingen hun gezichten wassen. Gaynelle volgde hen en ik zei tegen Camilla: 'Weet je, ik heb me altijd afgevraagd of Britney Henry misschien een beetje aan Fairlie doet denken. Ze hebben veel gemeen, als je erover nadenkt.'

'Ik mag hopen van niet,' zei Camilla vlak. 'Dat ordinaire kind kan zich nooit meten met Fairlie, of die nu leeft of dood is.'

Ik staarde haar aan.

'Zo bedoelde ik het niet...'

'Wil je me even helpen, Anny?' zei ze zwakjes. 'Ik heb een barstende hoofdpijn. Ik denk dat ik een dutje ga doen tot het avondeten. Blijven ze eten?'

'Dat hoeft niet.'

'O, vraag ze maar. Anders is Henry teleurgesteld.'

Ik hielp haar in bed, trok de sprei over haar heen en deed het licht uit. Ik had gedacht dat Camilla wel anders over het kind zou denken als ze haar wat vaker meemaakte; Britney was immers opmerkelijk veranderd. Maar dat was niet gebeurd. Ik zou de bezoeken moeten beperken. Het was niet eerlijk tegenover Camilla om haar een kind op te dringen aan wie ze zo'n hekel had. Ze was ook een van ons en ze kon niet, zoals wij, gewoon weglopen. Ik kon voorstellen of Henry af en toe Britney wilde meenemen om ergens een hamburger te eten in plaats van haar zo vaak hier te laten blijven voor het diner. Toch was het vreemd...

'Cammy is echt niet in orde,' zei Henry toen ik het onderwerp Britney en Camilla ter sprake bracht. 'Ze is zichzelf niet. Ik neem haar deze week nog mee om een algeheel lichamelijk onderzoek te laten doen, al moet ik haar dragen. Kun jij intussen ergens anders iets met Britney zien te doen tijdens de middagen? Is er niet iets wat ze leuk zou vinden?'

'Ik denk dat we een boekenclub gaan oprichten,' zei ik luchtig, en toen besefte ik dat het misschien wel een heel goed idee was.

Op een zaterdagochtend, eind februari, belde Linda Cousins me op.

'Er lopen hier wat kerels van een of ander makelaarskantoor rond te neuzen bij het huis en in de bossen,' vertelde ze. 'Ze zeiden dat Lewis afgelopen herfst had gezegd dat ze mochten komen kijken. Robert en ik geloven daar niet veel van. Wil je dat we zeggen dat ze weg moeten?'

Ik wilde net ja zeggen toen Henry in de kamer kwam, en ik legde mijn hand over de hoorn en vertelde hem wat Linda had gezegd.

'Zeg dat ze hen niet moet wegjagen,' zei hij. 'Ik ga er nu meteen heen om te zien wat er aan de hand is. Je weet net zo goed als ik dat Lewis hier nooit toestemming voor heeft gegeven.'

'Ik ga mee.'

'Anny, ik weet hoe moeilijk het voor je is...'

'Het is nu mijn huis, Henry. Ik heb het te lang verwaarloosd. Ik wil geen makelaars op Sweetgrass. Nu niet en nooit.'

We wilden net naar de bestelbus lopen toen Gaynelle Camilla naar buiten bracht.

'Jullie gaan toch niet zo vlak voor de lunch weg?' riep ze.

Henry vertelde haar in het kort wat er aan de hand was.

'Anny, ik zou er niet heen gaan als ik jou was. Herny kan het wel af.'

'Het is mijn huis, Camilla,' zei ik. 'Ik ben blij met Henry's gezelschap, maar als iemand hoort te zeggen dat ze van het terrein wegmoeten, dan ben ik het.'

We stapten in de bestelauto en Henry startte de motor. Boven het geluid van de motor uit hoorden we Camilla roepen: 'Zorg dat jullie voor het donker terug zijn!' Haar stem klonk heel ongerust.

'Ze is zo bezorgd tegenwoordig,' zei ik onderweg naar Sweetgrass bezorgd tegen Henry. 'Ze maakt zich overal druk om en ze is zo zwak. En het is zo snel gegaan. Ik wist niet dat mensen zo snel oud konden worden.'

'Zo gaat het over het algemeen ook niet. Meestal zie je het allang aankomen voor er definitieve symptomen zijn. Ik meen het dat ik haar uitgebreid laat onderzoeken. Het begint heel zwaar te worden voor je.'

'Welnee. Niet zwaarder dan voor jou. Het maakt een enorm verschil dat Gaynelle er is. Ik wil alleen maar dat het goed gaat met Camilla.'

'Ik ook,' zei hij. We brachten de verdere rit zwijgend door.

Toen we de lange oprit naar Sweetgrass insloegen, klaarde ik helemaal op bij het zien van het groen van de lange tunnel onder de eiken door, en de kleurvlekken van wilde kamperfoelie en kornoelje die als verstilde sneeuwvlokken tussen het schemerige groen stonden. Ik herinnerde me de eerste dag dat ik dit had gezien. Het leek bijna niet te geloven dat er sindsdien zoveel jaren waren verstreken. Hier hielden het moeras, de rivier en de diepe bossen de tijd tegen. Ik had net zo goed de jonge vrouw met de woeste haardos en de te nieuwe gymschoenen kunnen zijn die Lewis hier voor het eerst bracht, en hij kon net zo goed op me wachten op de steiger boven de rivier met pasgekamd, nat rood haar en een glas wijn voor me, zoals hij zo vaak had gedaan. Ik slikte.

'Zou het wel gaan, denk je?' vroeg Henry.

We reden de laatste bocht om en het huis kwam in zicht, zowel in de grond geworteld als in de lucht geheven als een zeil, en ik knikte. Die eerste aanblik had me altijd met blijdschap vervuld.

'Ja.'

En het ging inderdaad. Het was zo prettig om met Henry de trap van het huis op te lopen, erdoorheen en naar buiten naar de steiger. Niet zoals het met Lewis was geweest, dat zou nooit kunnen. Maar het ging makkelijk. Ik stak al mijn voelhoorns uit: in de mooie bibliotheek met de lichte lambriseringen, in de schemerige slaapkamer boven waar ik hem voor het laatst had gezien, aan het uiteinde van de steiger, waar we gevrijd hadden en naakt hadden gezwommen in het water dat zo warm was als bloed. Waar we de rode lynx hadden gezien. En ik meende hem in mijn nabijheid te voelen: een diffuse aanwezigheid die me omhulde. Maar hij liep niet gretig achter me aan, zoals in Bull Street. Ik dacht dat hij hier werkelijk rust had gevonden, en dat zei ik tegen Henry toen we aan Lewis' graf op de door eiken omgeven plek stonden. De steen die ik had besteld was er nog steeds niet, maar de varens die Linda en ik hadden geplant, waren prachtig gegroeid en de kleine, witte azalea stond in knop.

'Waarom zou dat niet zo zijn? Het is hier paradijselijk,' zei Henry. 'Ik heb altijd iets dergelijks voor Fairlie en mij gewild. Lewis zei altijd dat hij wel iets voor ons zou kunnen vinden...'

We zwegen allebei. Ik herinnerde me wat hij had gezegd toen hij de boerderij van Fairlies familie voor het eerst zag. Ik wist dat hij daar ook aan dacht.

Toen we kwamen had er geen andere auto op de oprit gestaan dan de jeep van Linda Cousins. Linda, in de keuken waar ze altijd leek te zijn, vertelde dat ze naar de mensen van het makelaarskantoor had geroepen dat mevrouw Aiken onderweg was en dat ze op haar konden wachten, en even later waren ze vertrokken.

'We dachten al dat ze niets goeds in de zin hadden,' zei ze. 'Er komen wel eens mensen over de oprit rijden om naar het huis te kijken, maar die stappen niet uit en gaan niet rondsnuffelen. Ik zal zorgen dat Robert een hek met een alarm erop gaat neerzetten, als je het goedvindt.'

Ik was het met haar eens en bedacht, niet voor het eerst, dat ik me echt meer met de dagelijkse gang van zaken op Sweetgrass moest bezighouden. In Bull Street kon je de deur achter je dichttrekken en er vrijwel zeker van zijn dat alles nog hetzelfde was als je terugkwam. Maar bij deze uitgestrekte plantage ging dat niet. Die moest elke dag worden bijgehouden, en ik was heel dankbaar dat de Cousins waren gebleven, zoals ik had gevraagd, en toezicht hielden. Maar ik mocht hen niet te veel belasten. Ze waren nu allebei oud, ouder dan Lewis, ouder dan Henry, hoewel ze nog fit en actief waren.

'Jullie moeten hier hulp krijgen,' zei ik. 'Ik heb het allemaal te lang op zijn beloop gelaten. Ik ga meteen op zoek. Henry zal me helpen.'

Ik keek naar hem op en hij knikte.

'Nou,' zei Linda, 'als je het wilt, dan denk ik dat Tommy er wel belangstelling voor heeft. Hij gaat trouwen... had ik dat al verteld? Nee? Met een studente medicijnen, Jennie. We zijn dol op haar. Ze vindt het hier heerlijk, en Tommy is hier natuurlijk opgegroeid en ze waren van plan om, als ze een stukje grond van je konden kopen, een huis aan de rivier te bouwen bij ons in de buurt. Jennie blijft natuurlijk studeren, maar Tommy wil nu iets gaan doen met landbeheer of natuurbescherming. Ik denk dat hij er heel goed in zou zijn. Hij is hier overal met zijn vader mee geweest sinds hij amper kon lopen. En hij heeft een oogje gehouden op de dennenaanplant en met de agent gepraat als hij het nodig vond. Niet dat hij aanmatigend wilde zijn, maar we wisten dat je daar nog niet toe in staat was, en hij vond het leuk om het allemaal bij te houden. Dus hebben we gezegd dat we je zouden vragen of...'

'O ja, graag!' riep ik al voor ze was uitgesproken. Sinds Lewis' dood had ik gepiekerd over de plantage. Ik wist dat Linda en Robert het huis en de tuin konden bijhouden, maar de uitgestrekte aanplant die de inkomsten vormde voor de plantage, had voortdurend aandacht nodig en daar had ik geen enkel zicht op.

'Je weet niet wat een opluchting dit voor me is,' zei ik tegen Linda Cousins. 'Het lijkt wel of ik een cadeau heb gekregen. Zeg maar tegen Tommy dat ik Fleming Woodward, onze advocaat, hem van de week laat bellen en dan gaan we alles regelen. O, dat het kan doorgaan met jullie allemaal... wat zou Lewis daar blij mee zijn.'

'En wij ook,' zei Linda, en ze omhelsde me.

We aten de koude, fluwelen aspergesoep die ze voor onze lunch had gemaakt, en liepen nog een keer de steiger op voor we vertrokken.

'Op de eerste avond dat Lewis me hier bracht, zagen we een

rode lynx,' zei ik tegen Henry. 'Daar. Lewis zei vlak voordat... niet zo lang geleden dat hij hier weer sporen had gezien. Het kan onze lynx natuurlijk niet meer zijn, maar ik vond het altijd fijn om te denken dat een van zijn nazaten hier ook niet weg wilde.'

'Waarschijnlijk heeft hij nu vijftien kleinkinderen,' zei Henry. 'Anny, mag ik vragen wat je met Sweetgrass wilt doen? Uiteindelijk, bedoel ik. Je zei dat je voldoende inkomsten hebt, maar ik weet dat je dit hier niet in verval wilt laten raken...'

'Nee. Ik denk dat ik alles overdraag aan Natuurbehoud, met de bepaling dat wie er ook in het grote huis komt te wonen, de Cousins en hun nazaten – zoals Tommy – hier hun leven lang mogen wonen als ze dat willen. Lewis heeft altijd gewild dat dit gebied gevrijwaard zou blijven van projectontwikkelaars.'

'Dat is precies wat hij zelf ook gedaan zou hebben,' zei Henry instemmend. 'Wil je dat ik Fleming Woodward daar ook over bel?'

'Tja,' zei ik aarzelend. 'Ik denk eigenlijk dat ik dat hoor te doen.'

Henry begon te lachen.

'Natuurlijk. Wat bezielde me? Maar kun je je dat allemaal echt wel veroorloven? Je hoeft Sweetgrass niet te verkopen om aan geld te komen?'

'Nee,' zei ik. 'Lewis heeft alles aan mij nagelaten, behalve de fondsen voor de kinderen en de legaten aan Robert en Linda en een afzonderlijk fonds voor het onderhoud van Sweetgrass. Het was meer dan ik had gedacht. Lewis kon goed met geld omgaan. Ik weet dat de mooie, slimme Sissy een poging heeft gedaan om mijn erfenis op te eisen, maar Fleming heeft daar snel een stokje voor gestoken en pas veel later kreeg ik het te horen. Mijn taken zijn al veel te lang door anderen waargenomen. Ik wil niet een hekel aan mezelf krijgen.'

'Nee. Dat mag niet.'

Het was net donker toen we voor de drie huizen rond de oprit stopten. Ik was doezelig en voldaan, alsof ik een uitgebreide maaltijd had gegeten, maar ik wist dat het gewoon door de opluchting kwam en het feit dat ik orde op zaken had gesteld wat Sweetgrass betrof. Ik had het gevoel dat een lang uitgesteld karwei eindelijk geklaard was.

'Waar is iedereen?' zei Henry, en ik keek naar hem. Zijn wenkbrauwen waren gefronst. Ik keek naar de huizen. Die van mij en Simms en Lila waren donker, maar in dat van Camilla brandde volop licht, zoals het ook hoorde. Maar toen zag ik dat de voordeur wijd openstond en dat Gaynelles bestelauto weg was.

Henry en ik sprongen de auto uit en waren al in haar huis voor de portieren achter ons waren dichtgevallen.

Op Camilla's hordeur zat een memosticker.

C. flauwgevallen in bad. Flinke jaap aan haar hoofd. Breng haar naar Eerste Hulp van Queens. Kom zo snel mogelijk. Het was ondertekend met *G.*

Henry belde naar Queens en beet het dienstdoende hoofd van de afdeling orders toe, en toen reden we zwijgend terug over de donkere, met mos overkoepelde weg naar Charleston, met een snelheid waarmee ik niet graag nog eens zou rijden. Toen we over de West Ashley Bridge reden en het grote ziekenhuiscomplex als een lichtschip voor ons lag, zei ik tegen Henry: 'Laten we nu een besluit nemen. Ik denk dat het haar dood zou zijn als we haar naar huis brengen of naar een verpleeghuis of iets dergelijks. Misschien kan ze later naar Gillon Street met hulp aan huis, maar laten we een paar maanden ons best doen om haar bij de kreek te houden, en bij haar te blijven. Die eed die we vroeger hebben afgelegd, betekent alles voor haar. Ik wil haar graag beloven dat we zullen blijven, als ze er niet al te slecht aan toe is. Dat kan natuurlijk niet als ze ernstig gewond of ziek is. Maar zullen we het proberen?'

Hij keek naar me. Zijn magere gezicht was groen in het schijnsel van het dashboard.

'Ben je bereid om zoveel van je leven op te offeren?'

'Wat moet ik anders?' zei ik. 'Vroeg of laat zal ik plannen voor de langere termijn moeten maken, maar een van de dingen die ik zo prettig vind aan de kreek, is dat niemand me tot iets dwingt. Net of je een kind bent en de zomervakantie is net begonnen. Herinner jij je dat nog? Alsof er oneindig veel tijd en ruimte voor je lag.'

'Dat was het mooiste van de zomer,' zei Henry. 'Goed. Als we het kunnen, proberen we het tot de herfst. Dat kunnen we tegen haar zeggen. Dan zal ze zich rustiger voelen. Ik weet dat ze steeds bang is dat we haar in de steek zullen laten. Ze heeft het er vaak over.'

'Vind je het erg om tot die tijd alles zo te houden zoals het is?'

Hij grinnikte. 'Helemaal niet zelfs. Lila probeert me al weken te koppelen aan de een of andere leuke vrouw. Volgens mij heeft ze me al minstens tien keer uitgenodigd voor een diner. Ik durf niet eens meer terug naar huis.'

Ik lachte even. Het was de waarheid. Een begerenswaardige vrijgezel in Charleston is van onschatbare waarde. Zijn leeftijd of omstandigheden doen er niet toe. Als hij van oorsprong uit de stad komt, kan hij voor de rest van zijn leven overal dineren, zolang hij nog maar over zijn geestelijke vermogens beschikt. Ik heb me zelfs af en toe afgevraagd of ook dat werkelijk van belang was. De grootste en aardigste excentriekelingen van Charleston zijn bijna hun verstand kwijt, en niemand heeft bezwaar tegen hen zolang ze netjes in het pak zitten en weten in wiens eetkamer ze zich bevinden.

'Achter mij zit niemand aan,' zei ik. 'Moet ik dat jammer vinden?'

'Absoluut niet! Ik denk trouwens dat je de dames van Charleston afschrikt.'

'Wat bedoel je daar nu weer mee?'

Hij keek naar me.

'Je bent een door en door goed mens, Anny. En je bent knap, al vind jij van niet. En nu ben je nog rijk ook. Wie denk je voor de gek te houden? Ze zijn als de dood dat die zogenaamde "begerenswaardige vrijgezellen" achter jou aan gaan in plaats van achter hun nicht uit Columbia of hun beste vriendin die net gescheiden is. Ze zullen maar wat blij zijn als ze horen dat je bij de kreek blijft wonen.'

'Dus we zijn het eens,' zei ik toen hij voor de Eerste Hulp van Queens stopte. Zijn gezicht was weer ondoorgrondelijk.

'We zijn het eens,' zei hij.

Camilla was nog in de behandelkamer toen we in de wachtkamer kwamen, waar allemaal vermoeide, zwijgende mensen zaten. Gaynelle sprong op en haastte zich naar ons toe.

'Weet je al wat meer?' vroeg Henry.

'Ze is nog in een van de behandelkamers,' zei ze. 'Niemand wil iets tegen me zeggen. Ik vind het zo erg. Ze vroeg om een kop thee. Die ging ik zetten, en toen ik terugkwam lag ze half in en half uit de badkuip, buiten bewustzijn, en ze bloedde als een rund uit een wond op haar voorhoofd. Ik wist niet dat ze in bad wilde. Ze zat in haar boek te schrijven toen ik wegging om thee te zetten. Ik zal het mezelf nooit vergeven als er iets ergs met haar is.'

'Het is hoe dan ook niet jouw schuld,' zei Henry. 'Ze weet dat ze je moet roepen als ze naar de badkamer wil. Ik ga even kijken.'

Hij verdween door de klapdeuren in de wirwar van behandelkamers, en Gaynelle en ik gingen zitten. In het felle licht van de tl-lampen zag ze er uitgeput uit, en ouder dan ik haar ooit had gezien. Waarschijnlijk gold dat ook voor mij. Ik kneep even in haar hand.

'Je kunt haar gedachten niet lezen,' zei ik. 'Dat kan niemand. Je weet hoe vreselijk ze het vindt om afhankelijk te zijn. Ze dacht waarschijnlijk dat ze zelf wel in bad kon gaan...'

Gaynelle leunde met haar hoofd tegen de rug van de bank. Haar ogen waren gesloten.

'Ik laat haar nooit meer alleen,' zei ze. 'Geen seconde.'

'En dat is goed voor haar, denk je? Ze wil niet dat ze steeds in de gaten wordt gehouden.'

'Het is goed voor ons allemaal,' zei ze.

Even later kwam Henry terug en hij ging bij ons zitten.

'Het valt mee,' zei hij. 'Die hoofdwond in elk geval. Ze hebben hem gehecht en foto's en scans gemaakt. Misschien heeft ze een lichte hersenschudding, maar niets om je zorgen over te maken. Ik heb haar wel laten opnemen. Deze keer krijgt ze een uitgebreid onderzoek. Ze wil dat ik bij haar blijf. Ze is helemaal van streek, dus ik denk dat ik het maar doe. Gaan jullie naar huis. Ik breng morgenochtend wel verslag uit.'

'Waar ga jij slapen?' vroeg ik.

'In de kamer van de artsen die dienst hebben. In een kamer die leegstaat. In de linnenkast. In het jaar dat je stage loopt, leer je wel overal te slapen. Ik zorg dat ze zo'n flinke dosis slaapmiddel krijgt dat ze tot de ochtend slaapt. Dus ik heb tijd genoeg om uit te rusten.'

Gaynelle en ik zeiden niet veel op de terugrit. Op een gegeven moment zei ze wel: 'Ik wou dat hij in die kamer bij haar bleef slapen.'

'Waarom? Ze kan toch nergens heen.'

'Dat weet je maar nooit,' zei Gaynelle.

Henry kwam op tijd terug voor het ontbijt, vlak voor ik naar mijn werk ging. Gaynelle was er al, hoewel ik had gezegd dat ze moest uitslapen nu het kon. Ze had wentelteefjes gemaakt, en Henry viel aan alsof hij was uitgehongerd.

'Ze is wakker en het gaat redelijk goed,' zei hij. 'Haar hoofd doet pijn en ze ziet bont en blauw, maar voor de rest gaat het goed. Ze gaan bloedonderzoek en van alles en nog wat doen vandaag. Afhankelijk van de resultaten mag ze misschien morgen of overmorgen naar huis. Ik maak me zorgen om haar botten. Op de röntgenfoto's leken ze zo poreus als gaas.'

De uitslagen kwamen en Henry keek ernstig.

'Haar bloed is goed, hoewel ze wat last heeft van bloedarmoede. Daar komt die duizeligheid waarschijnlijk door. Haar hartslag is nogal traag en ze heeft een lage bloeddruk. Maar ik maak me zorgen om haar botten. Haar enkel en pols genezen niet zoals zou moeten, en één heiligbeen lijkt wel een Zwitserse kaas. Ze kan al een heup breken door zich alleen maar in bed om te draaien, en dat zou het einde betekenen van ons verblijf hier. Dat weet ze allemaal. Ik heb haar laten beloven dat ze zich voortaan alleen in een rolstoel mag voortbewegen. Ze vindt het niet leuk, maar ze weet volgens mij wel dat het haar enige kans is om bij de kreek te kunnen blijven wonen. Ik heb beloofd dat we allemaal blijven, zoals we overeen zijn gekomen, zolang ze zich goed gedraagt. Gaynelle, denk je dat je overweg kunt met een rolstoel? We kunnen extra hulp vragen, als je dat wilt.'

'Nee, dat lukt wel,' zei ze. 'Ergens is het zelfs makkelijker. Dan hoef ik me niet druk te maken of ze niet ergens rondsluipt op plekken waar ze niet hoort te zijn.'

Twee dagen later kwam Camilla thuis met een glimmende opvouwbare rolstoel, afgezet met donkerblauw leer. Ze nam ook een lading bloemen mee. Ze had een blauw oog en bijna de helft van haar gezicht was beurs. Het was lunchtijd, dus hadden we Lila uitgenodigd voor een lichte, feestelijke lunch. Ze was gekomen met haar armen vol lelies en Honey in haar draagtas, en zij en ik zaten met aperitiefjes op Camilla's veranda terwijl Britney en Honey elkaar achternazaten op het grasveld.

Het was een schitterende dag, zo'n dag waarop zelfs het licht in glinsterende scherven uiteen lijkt te vallen. De jonge blaadjes glansden, het kabbelen van de kreek klonk als rimpelend aluminiumfolie, en de lucht was zo blauw dat het bijna pijn aan je ogen deed. Met de wind mee kwam de frisse geur van vochtige leemgrond en dennen. Toen Henry uitstapte, de rolstoel uitklapte en Camilla erin hielp, juichten we haar allemaal toe en ze lachte haar aloude glimlachje. Britney kwam aanhollen en legde een boeket vroege tulpen op haar schoot.

'Die mocht ik van mama geven,' zei ze verlegen.

'Dank je, lieverd,' zei Camilla. 'Ik ben dol op tulpen.'

Britney kronkelde zich van plezier en holde toen achter het hondje aan, dat heftig stond te keffen aan de oever van de kreek.

'Breng haar dichter bij het huis, Britney,' riep Lila. 'Ik heb liever niet dat ze zo dicht bij het water komt, met die alligator.'

'Ik heb de alligator nog nooit hier gezien, mevrouw Howard,' zei Britney.

'Doe wat je gezegd wordt, Brit,' zei Gaynelle, en Britney gehoorzaamde.

Ik had een nieuw, lavendelkleurig wollen vest gekocht voor Camilla, en we wikkelden het om haar heen toen we op de veranda gingen lunchen. Ze zag er levendig en als herboren uit, ondanks de grote, blauwe plek.

'Dit is heerlijk,' zei ze, terwijl ze haar ogen sloot en de zoete geur diep inademde. 'Hoe kan iemand ooit ergens anders willen zijn?'

'Behalve misschien op die prachtige bovenverdieping van jou, of in Anny's schat van een huisje in Bull Street,' zei Lila. 'En wat Henry betreft, met dat schitterende oude huis in Bedon's Alley...'

'Het besluit is genomen,' zei Camilla. 'We blijven. Alleen als ik Anny kan overhalen om naar huis te gaan en alleen in de weekends te komen. Ze is nog jong en knap. Ze hoort gezelschap en plezier te hebben...'

'Ik blijf,' zei ik. 'Einde verhaal. Denk je dat ik het hier niet ook heerlijk vind?'

Camilla wierp me een onderzoekende blik toe en knikte toen glimlachend.

Gaynelle zette schalen garnalensalade en tomaten in aspic en versgebakken kaasstengels op tafel, en als dessert aten we een heerlijke, lichte pudding met verse aardbeien. Na de koffie plukte Henry Britney van het grasveld en droeg haar naar de Whaler, terwijl ze giechelend tegensputterde.

'Heb je Honey in huis opgesloten?' riep Lila haar na.

'Ja, mevrouw!' riep Britney terug, en ze gleden langzaam uit het zicht over de kreek. Camilla wilde een dutje doen, en Gaynelle bracht haar naar bed en ging vervolgens in mijn keuken, waar ze de lunch had bereid, afwassen. Lila en ik liepen naar het uiteinde van de steiger en gingen met onze benen bungelend in de zon zitten.

'Dit doet me denken aan het eiland,' zei Lila. 'Als we op de steiger zaten te wachten tot de jongens terugkwamen van het zeilen. Jou niet?'

'Nee,' zei ik. 'Dat is een van de redenen waarom ik hier kan blijven. Het is gewoon een plek op zich. Het maakt geen deel uit van een ander stuk van mijn leven.'

Ze knikte begrijpend.

'Maar denk je nog wel aan het strand?'

'O, Lila. Elke dag.'

'Je bent dapperder dan ik ooit zou kunnen zijn,' zei ze, en ze kneep even in mijn hand.

'Ik heb veel steun,' zei ik.

Ze draaide zich naar me om.

'De mensen vragen vaak aan me of, je weet wel, of er iets is tussen jou en Henry. Ik bedoel, jullie zijn hier steeds...'

'Lewis was de enige voor mij, Lila,' zei ik geërgerd. Ik wilde niet dat het voortdurende gespeculeer van Charleston deze kreek voor me zou bezoedelen.

'Ik dacht trouwens dat het wel iets zou worden tussen Henry en Camilla,' zei ik. 'Lewis zei dat ze zo'n hechte band hadden voor Charlie kwam...'

'Dat was ook zo. Ze waren bijna onafscheidelijk. We stonden allemaal versteld, maar Charlie kwam en dat was het. Maar het is nu heel lang geleden dat hij is gestorven.'

'Lewis zei een keer dat ze samen te veel geschiedenis hadden,' zei ik, en ze knikte.

'Te veel verleden. Dat is heel goed mogelijk.'

Na een poos stak er een bries op, en we kregen het koud. We stonden op en liepen naar onze huizen, nadat we hadden afgesproken om eens samen te lunchen als ik uit mijn werk kwam. Opeens had ik vreselijke slaap en snakte ik ernaar om op bed te gaan liggen. Lila zei dat ze terugmoest naar Charleston. We omhelsden elkaar even en toen ging ik mijn huisje in. Het was er koel en stil. Mijn oogleden voelden zwaar aan.

Door Lila's schreeuw gingen de haren in mijn nek letterlijk overeind staan. Het was een bijna onmenselijk geluid, een dierlijke kreet. Ik rende naar haar huis terwijl mijn hart in mijn keel bonsde. Gaynelle kwam uit de keuken rennen.

Lila stond op haar veranda terwijl de tranen over haar gezicht stroomden.

'Ze heeft de deur opengelaten,' snikte ze. 'De voordeur stond wijdopen toen ik hier kwam. Honey is nergens te bekennen. Ik heb overal gekeken. En die deur stond al minstens twee uur open! Ze is naar de kreek, dat weet ik zeker. Ik heb nog zo tegen dat kind gezegd dat ze de deur dicht moest doen, en ze zei dat ze het had gedaan...'

We zochten naar Honey tot het donker was geworden. Toen Henry met Britney terugkwam van de kreek, ging Lila tegen haar tekeer en Gaynelle ging voor haar dochter staan. Henry sloeg een arm om Lila en nam haar mee terug naar de veranda. We hoorden Camilla verontrust uit haar huis roepen: 'Wat is er? Wat is er?' Gaynelle stuurde met een strakke mond de snikkende Britney naar binnen en ging mee zoeken. We zochten de kreek en het moeras af en Henry ging er zelfs met de kajak op uit om dichter bij het water en de oever te kunnen komen. Maar er was geen spoor te bekennen van het witte hondje. En evenmin van de alligator.

Lila wilde die nacht blijven om te zoeken, maar Henry overtuigde haar dat ze beter naar huis kon gaan.

'Wij blijven zoeken,' zei hij. 'We hebben veiligheidslampen. Waarschijnlijk is ze verdwaald of ze houdt zich ergens schuil. Weet je nog dat Sugar zich ook altijd ging verstoppen als ze dacht dat je haar mee terug ging nemen van het strand?'

'Dat is niet hetzelfde,' snikte Lila. 'Ik weet dat Honey dood is. Dat weet ik gewoon. Ik wil een excuus van dat kind, en daarna wil ik haar nooit meer in de buurt van mijn huis zien.'

Gaynelle kwam naar haar toe.

'Mevrouw Howard, ze zegt dat ze heel zeker weet dat ze die deur heeft dichtgedaan. Ze heeft het nog gecontroleerd. U weet hoeveel ze van dat hondje houdt. Ze is nooit onvoorzichtig geweest.'

'Ik wil haar niet meer in mijn huis hebben,' zei Lila. Haar gezicht was rood en gezwollen, en haar ogen zaten bijna dicht van verdriet.

'Ik denk niet dat ze dat ooit nog zal willen,' zei Gaynelle op vlakke toon.

‘En ik verwacht een excuus.’

‘Nou, dat krijgt u niet van mijn dochter. Als ze zegt dat ze het niet heeft gedaan, dan is dat zo,’ viel Gaynelle uit.

De twee vrouwen keken elkaar woedend aan, en toen ging Lila snikkend naar huis. Gaynelle nam haar verslagen dochtertje mee. Henry en ik gingen even bij Camilla kijken. Ze lag te slapen, dus gingen we weer naar buiten. We zochten tot middernacht met zaklampen, en we bleven roepen. Maar we hebben Honey nooit meer gezien, en voorzover ik weet heeft niemand haar nog gezien.

Het volgende weekend vertrokken Lila en Simms voor een maand naar de Grenadines, waar je, zei Simms, kon zeilen als bijna nergens anders.

‘Ze komen niet terug,’ zei Camilla bitter tijdens het eten. ‘Niet naar de kreek. Ik ken Lila. Ik wist dat we hen kwijt zouden raken. Maar ik had nooit gedacht dat het door het criminele dochtertje van de werkster zou komen.’

Henry en ik keken elkaar aan, maar we zeiden niets. We dachten geen van beiden dat Britney de deur open had laten staan, maar we wisten niet precies wat er wel was gebeurd, en daarbij was dit niet het juiste moment om Camilla ermee lastig te vallen. Het verlies van Lila en Simms en het hondje raakte ons diep. Eerst moest de wond beginnen te genezen.

15

Britney wilde niet meer terugkomen naar de kreek. Hoe we ook smeekten en haar probeerden te lokken met tochtjes met de Whaler en zwemmen en barbecues met hamburgers, ze trok een strak mondje en weigerde.

'Wat is er?' vroegen Henry en ik steeds weer aan Gaynelle. 'Ze weet toch dat we haar niet de schuld geven over Honey. En je hebt haar toch verteld dat ze Lila niet meer hoeft te zien? We missen Britney echt. Ze heeft hier leven gebracht.'

'Dat heb ik allemaal tegen haar gezegd,' antwoordde Gaynelle. 'Maar het heeft geen zin. Ze wil niet komen en ze wil er niet over praten. Ze heeft na die dag heel veel gehuild, maar nu niet meer. Ze lijkt alleen... verdrietig. Ze hield van dat hondje. En niemand is ooit zo tegen haar tekeergegaan als mevrouw Howard.'

Gaynelle was zelf iets van haar aanstekelijke geestdrift kwijt, hoewel ze nog steeds even energiek en bekwaam was. Ik vond haar ook magerder geworden. Haar korte broek hing los, en je kon duidelijk haar ribben zien onder haar T-shirt. Daardoor leken haar borsten nog meer naar voren te komen. Het stemde me triest om die borsten dapper boven Gaynelles ribben uit te zien steken.

In Henry's ogen was even pijn te zien. Toen niet meer. Zijn gezicht was weer het neutrale masker van de afgelopen tijd. Ik wist dat hij heel kwaad was op Lila en dat hij zich verbaasde over wat er met het hondje was gebeurd. Maar het meeste van alles miste hij Britney. En dat deed me pijn.

‘Wat doet ze nu na school?’ informeerde ik toen Britney bleef weigeren om met haar moeder mee naar de kreek te gaan.

‘JoAnne haalt haar op,’ zei Gaynelle. ‘Zij heeft een dochter die maar drie jaar ouder is dan Brit. Maar het is toch een groot verschil. Ik denk niet dat ze echt vriendinnen willen worden. Ik heb een nieuwe cursus voor missverkiezingen gevonden voor haar, op James Island. De leidster heeft die school al dertig jaar, en ze weet wat ze doet. Ze neemt maar vijf meisjes per klas aan. Ik was echt blij dat Britney erbij mocht. Mevrouw Delaporte laat ze vijf middagen per week zwoegen, maar Britney leert alle kunstjes. Volgens mevrouw Delaporte is ze een natuurtalent.’

‘Mogen wij die cursus dan betalen?’ vroeg ik. Ik vond het vreselijk dat Britney weer in de tredmolen van de missverkiezingen zat, maar ik wist dat ik dat beter niet kon zeggen. ‘Als verjaardagscadeau van Henry en mij.’

‘Meneer Howard heeft me een cheque gestuurd,’ zei Gaynelle zonder me aan te kijken. ‘Hij was heel royaal. Daar gebruik ik zijn geld voor. Dat lijkt me niet meer dan logisch.’

Henry en ik keken elkaar aan, maar we zeiden niets.

Camilla had het er nooit over dat Britney opeens wegbleef. Gaynelle was bij Camilla net zo opgewekt als altijd. Ze liet Camilla geen moment uit het oog, behalve als een van ons in de buurt was. Maar ze bleef niet meer eten en T.C. kwam ook niet zo vaak meer.

‘Ik mis jullie,’ zei ik. ‘Het lijkt wel of ik familie kwijt ben. Ik zou het niet kunnen verdragen als je je niet op je gemak zou voelen bij ons.’

‘Nee. Jullie zíjn familie. En ik ga niet weg. Niet nu mevrouw Curry zoveel hulp nodig heeft.’

‘Ik weet het,’ zei ik. ‘Het lijkt wel of ze de strijd heeft opgegeven. Ze ligt nu steeds in bed, behalve als we haar in de rolstoel zetten en haar een bord voor haar neus duwen. Ik vind het vreselijk. Juist door haar kracht en haar wil hebben wij ons staande kunnen houden.'

'Ik denk niet dat ze de wil kwijt is,' zei Gaynelle. 'Ze is nog steeds in die aantekenboekjes bezig. Ik raapte er een op die van het bed was gegleden, en ze viel me bijna aan.'

'Dat mag ik hopen,' zei ik. 'Ik zie alleen maar dat het niet goed met haar gaat, maar dat is natuurlijk pas na een lange dag.'

Half februari bracht Henry me naar het huis van JoAnne, de zus van Gaynelle. Het was een zaterdag, en Britney was vrij van haar opleiding tot kinderkoninginnetje. Gaynelle was bij Camilla. Ze wilde per se naar de kreek toen ik haar vertelde wat we wilden doen.

'Het zou Brit veel goed doen,' zei ze.

En dat was zo. Toen Britney het gesputter van de motor hoorde, schoot ze uit de flat en stortte zich in Henry's armen voor hij nog maar van de motor kon stappen.

'Ik wist wel dat jullie zouden komen,' zei ze terwijl ze mij en Henry omhelsde. 'Dat zei ik al tegen tante JoAnne en tegen T.C. Willen jullie mijn nieuwste trucje zien voor de verkiezing?'

'Nee,' zei Henry. 'Ik wil jou en Anny meenemen naar Stanfield en dan gaan we ijs eten.'

'Ja!' riep ze, en ze gaf hem een *high five*.

We reden naar de ijssalon in de geleende auto van JoAnne en gingen aan een betonnen tafeltje onder een parasol ijs eten. Ik nam chocolade met munt. Henry koos kersen met vanille. Britney lepelde in een banana split en had die al op voor we halverwege onze portie waren. Ze glimlachte naar ons met een rand van chocola om haar lippen.

'Ga je mee terug met ons, Brit?' vroeg Henry vriendelijk.

Ze wendde haar blik af en zei: 'Ik ben bang dat Honey boven

komt drijven, of misschien wel een stuk van haar als ik er ben. En mevrouw Curry wil me er al helemaal niet hebben.'

Ik kromp ineen bij het beeld van het dode hondje. Ik wist hoe het voelde. Was ik niet zelf gevlucht voor mijn dode echtgenoot toen ik nog dacht dat hij rondzwierf met parels in plaats van zijn ogen?'

'Lieverd, dat is niet waar. En in elk geval denk ik niet dat je haar zou zien. Ze slaapt bijna altijd.'

'Nee, dat is niet waar,' zei Britney koppig. Maar meer wilde ze niet zeggen.

Dus bleven we Britney opzoeken bij haar thuis of bij haar tante, en eind februari gaf Henry haar een puppy van een dwergkeesje, en ik heb nog nooit een kind gezien dat zo gelukkig was.

'Ik noem haar Henrietta,' zei ze terwijl ze het spartelende hondje tegen haar borst klemde. 'En ik laat haar nooit buiten. Nooit.'

Nu we Britney alleen in de weekends konden opzoeken, was er een dilemma over wie Camilla gezelschap zou houden. Gaynelle loste het op. Ze stond erop om op zaterdag halve dagen te komen, als Camilla toch sliep en wij tijd konden doorbrengen met het kind. We maakten bezwaren.

'Je hebt geen leven buiten ons,' zei ik. 'We kunnen de zaterdagen afwisselen. Dan ben ik er de ene week en Henry de andere. Je mag je leven niet voor ons op een laag pitje zetten.'

Die avond trok ik mijn kleren uit en keek naar mezelf in de badkamerspiegel. Ik kon me niet herinneren wanneer ik dat voor het laatst had gedaan. Ik zag mijn ribben en heel vaag mijn heupbeenderen, en die had ik nooit eerder gezien. Ik keek naar een heel andere persoon.

'Zou je me nu nog herkennen, Lewis?' fluisterde ik. 'Stel dat je me niet meer herkent?'

Het was een nare gedachte die ik zo snel mogelijk uit mijn hoofd zette. Ik keek niet meer in de spiegel.

Op de laatste zaterdag van februari was Henry vroeg op, en hij dwong me om op de veranda te komen. Hij grijnsde breed. Voor ik kon vragen wat hij zo grappig vond, hoorde ik het bekende geronk van naderende motoren, en T.C. en Gaynelle kwamen over de oprit aanscheuren terwijl een wolk van stof en grind achter hen opspoot. T.C. zat op zijn Rubbertail en Gaynelle op haar roze Harley.

'Tijd voor de les,' riep T.C. joviaal, alsof hij ons pas gisteren had gezien in plaats van enkele weken geleden.

'Henry, vandaag ga je op de Rubbertail leren rijden. En Anny, jij maakt een proefrit op Henry's 230.'

'Nee!' riep ik.

'Ja,' zei Henry onaangedaan.

Na enige beginnersfouten scheurde Henry als een volleerde motorrijder naar de grote weg, waarbij hij een grote stofwolk achterliet. Ik was echter totaal onbeholpen. De kleine motor hobbelde en bokte, en ik gaf gas zonder weg te durven rijden. Maar uiteindelijk reed ik haperend een rondje en toen begon ik de motor aan te voelen, en tegen de tijd dat Henry terugscheurde op de Rubbertail, kon ik zo rijden dat ik de wind in mijn gezicht voelde en mijn haren naar achteren wapperden.

'Goed gedaan!' riep Henry terwijl hij van de Rubbertail stapte en met zijn vlakke hand tegen die van mij sloeg toen ik van de kleine motor stapte. Mijn benen begaven het.

'Ik wist wel dat je het kon!' riep Gaynelle van de veranda. Ik keek naar haar. Ze stond achter Camilla, en ze zwaaide. Camilla, gehuld in een groengestreepte katoenen kaftan, zwaaide niet, maar ze glimlachte.

'Net de familie Snope!' riep ze, en het schaamrood brandde me op de kaken. Ik vroeg me af of iemand de verwijzing naar de verwilderde mensen in het boek van William Faulkner herkende. Ik keek naar Gaynelle en zag dat zij het begreep. Natuurlijk, Gaynelle las immers alles. Haar mond werd strak, maar ze zei niets.

'Rij nog maar een rondje,' riep ze. 'Camilla en ik gaan krabkoekjes maken voor de lunch.'

'Ze laat Camilla geen seconde alleen,' zei ik tegen Henry. 'Hoe hebben we zo kunnen boffen?'

'Dat weet ik niet,' antwoordde Henry. 'Maar het stelt me wel gerust.'

Later die middag, toen ik me ging verkleden voor het avondeten en al het stof weg had gedoucht, wilde ik een gouden armband pakken die Lewis me had gegeven toen we een jaar getrouwd waren, maar ik kon hem nergens vinden. Het verbaasde me omdat ik hem zelden afdeed, en na grondig gezocht te hebben, werd ik ongerust. Ik wist dat ik hem had afgedaan voor ik op de motor stapte, maar ik wist niet waar ik hem had gelaten.

'Heeft iemand misschien mijn gouden armband ergens gezien?' vroeg ik tijdens het eten. 'Ik heb hem vanmorgen afgedaan, maar ik weet niet waar ik hem heb gelegd. Willen jullie er even op letten of jullie iets zien?'

Er viel een lange stilte, en toen zei Camilla zacht: 'Ik mis ook een paar dingen. Die zegelring van mijn grootmoeder, en een paar smaragden oorknoppen die ik ooit van Charlie heb gekregen. Ik denk dat we niet verbaasd moeten zijn als...'

Ik hief met een ruk mijn hoofd op en keek naar haar. In het kaarslicht leek haar gezicht heel sereen. Haar lange wimpers omfloersten haar ogen.

'Wat bedoel je, Camilla?' zei ik.

'Niets, eigenlijk. Net als jij kan ik ze ergens hebben weggelegd en zijn vergeten waar,' zei ze. 'Ik wilde er niet eens iets over zeggen, maar toen jij het over je armband had...'

‘Als je denkt dat het Britney was, die is hier al drie weken niet meer geweest,’ zei ik.

‘Dat weet ik,’ zei Camilla zacht, zonder op te kijken.

‘Dus je denkt...’

Toen sloeg ze eindelijk haar ogen op. Maar ze zei niets.

‘In geen duizend jaar,’ zei ik. ‘Nooit. Je wilt haar er toch niet op aanspreken, hoop ik? Want anders...’

‘Natuurlijk niet,’ zei ze verontwaardigd. ‘We zijn haar zoveel verschuldigd. En dat dacht ik toch al niet. Ik vond het alleen vreemd, dat we allebei sieraden kwijt zijn.’

‘Dan kunnen we ze misschien ook samen terugvinden.’

‘Ongetwijfeld,’ zei Camilla.

We hadden het verder niet meer over de sieraden, maar nadat ik haar naar bed had gebracht en de lichten uit had gedaan, bleef ik nog lang in de kille lentenacht zitten, gewikkeld in de oude badjas van Lewis, en ik deed mijn best om niet aan dat enerverende gesprek te denken. Ik vertikte het om ook maar een spoortje van twijfel in mijn gedachten toe te laten.

Toen ik eindelijk om een uur of twee naar bed ging, was alles donker in Camilla’s slaapkamer, maar in het gastenverblijf was het licht bij Henry nog steeds aan.

Het volgende weekend belde Gaynelle zaterdagochtend vroeg en zei: ‘De Iron Johns en de Thunderhogs – dat zijn wij – gaan vanmiddag naar Folly Beach. Gewoon een lenterit. Dat doen we twee of drie keer per jaar met de Johns. Deze keer om geld op te halen voor Tim Satterwhite en zijn gezin. Tim werd op de I 26 geschampt door een vrachtauto en zijn wervelkolom ligt in gruzelementen. Hij moet een keer of vijf geopereerd worden. Dus wilden we dit voor hem doen. T.C. en ik dachten dat jij en Henry misschien zin zouden hebben om mee te gaan. We rijden er alleen heen, drinken een biertje bij Sandy Don, gaan misschien wat garnalen eten en daarna rijden we terug. Het is een mooie introductie. Geen groot gebeuren, geen wedstrijd. Allemaal vrienden onder elkaar. We gaan niet racen of zo. Henry kan bij T.C. achterop en jij bij mij. Wat vind je?'

Het was een prachtige dag na een week miezerige lenteregen, en ik popelde om naar buiten te gaan. Wij drieën en Gaynelle hadden weinig anders gedaan dan binnenblijven en lezen of naar muziek luisteren, of heel af en toe televisiekijken. Camilla had heel veel geslapen. De gedachte aan zon en wind en drukte en een strand dat niet ons vertrouwde oude strand was, leek opeens onweerstaanbaar.

Ik vertelde het aan Henry en zijn gezicht klaarde op. Voor we van gedachten zouden veranderen, zei ik tegen Gaynelle dat we graag mee wilden gaan.

'Dan pikken we jullie om een uur of twaalf op, zei ze. 'Trek een jack aan en neem zonnebrandcrème mee.'

Ik ging Camilla halen om te ontbijten en we vertelden haar over de rit. Ze deed een poos haar ogen dicht.

'Ik raak jullie toch niet kwijt aan een motorbende?' zei ze, maar ze glimlachte.

'O, natuurlijk niet,' zei ik. 'Het is maar voor een keertje. Wanneer krijg ik ooit de kans om met een motorclub uit rijden te gaan?'

'Ik begrijp het,' zei Camilla. 'En wie blijft er bij de ouwe taart?'

'Zeg dat niet,' smeekte ik. 'Je ziet er jonger uit dan wij. JoAnne zei dat ze graag wil komen en ze brengt haar oudste dochter en haar vriendin mee. Daar zul je geen last van hebben. Ze willen alleen maar op de steiger liggen zonnen. Hun vrienden halen hen om zes uur op en JoAnne zal koken. Wij zijn vlak na donker terug.'

'Dat klinkt goed,' zei ze wrang. 'Dan kunnen JoAnne en ik ons gesprek vervolgen over het continuüm van tijd en ruimte.'

Henry en ik lachten. JoAnne was een van de aardigste vrouwen die ik ooit had ontmoet, maar haar belangstelling lag meer bij reality-tv.

'Weet je wat,' zei Henry. 'Morgen nemen we je mee naar de Yacht Club om te lunchen. Je bent in geen maanden in Charleston geweest.'

'O, Henry, liever niet,' zei Camilla. 'Binnenkort, maar nu nog niet. Ga maar krabben voor me vangen, dan stomen we die voor de lunch.'

Ik was heel opgelucht. Lunchen in de Yacht Club was wel het laatste wat ik aan zou kunnen. Net als Camilla, dacht ik. Binnenkort, maar nu nog niet.

Om twaalf uur kwamen T.C. en Gaynelle aanronken op hun motoren, met JoAnne en de kinderen achter hen in de bestelauto. Nadat ze ons had voorgesteld aan de twee tiener-Lolita's, die nauwelijks in staat leken iets te zeggen, bracht JoAnne Camilla naar de veranda.

'Ik heb een aardappelsalade met kerrie gemaakt voor de lunch,' zei ze trots. 'Mijn gezin is er dol op.'

Ik trok een grimas en zei zachtjes tegen Camilla: 'We maken het wel goed met je.'

'Reken maar,' zei ze zachtjes terug.

Eenmaal op de weg, toen we door schaduwen en in de zonneschijn reden, ontspande ik me en gaf me over aan het ritme van de weg en het gestadige geronk van de roze Harley onder me. Ik was niet bang meer voor motoren, als ze maar niet te snel gingen, maar behalve die eerste avond achterop bij T.C. had ik er niet meer echt van genoten. Vandaag was het anders. Vandaag genoot ik met volle teugen van de wind en de zon. Henry draaide zich om op de Rubbertail en stak zijn duim naar ons op. Hij droeg een helm en een bril, maar je kon zien dat hij breed grijnsde. Ik stak mijn duim ook op. Dit heerlijke gevoel was totaal nieuw voor me.

De twee clubs kwamen bijeen op het parkeerterrein van de supermarkt aan Folly Beach Road. We waren een beetje laat, en toen we op het terrein kwamen, wemelde het van de motoren en rijders. Opeens dacht ik aan een schilderij dat ik als kind zo mooi had gevonden. Het was Rosa Bonheurs 'De paardenmarkt', een romantisch tafereel met grote, gespierde paarden die bokten en steigerden. Hun verzorgers vielen in het niet bij die prachtige reuzen. Ik kon uren in mijn kamer zitten kijken naar de afbeelding van het schilderij in een boek dat ik uit de bibliotheek had gehaald, en probeerde te besluiten welk paard ik het liefste zelf zou willen hebben. Dit deed me er weer aan denken.

We maakten met iedereen kennis. Ze waren vriendelijk en misschien een beetje verbaasd mensen zoals wij in het gezelschap van Gaynelle en T.C. te zien, en dan nog mensen op leeftijd ook. In hun ogen moesten we bejaard lijken. Sommige motorrijders waren weliswaar van middelbare leeftijd maar de meesten waren jonger, mannen en vrouwen, gehuld in zwart leer en vaak met ingewikkelde tatoeages. Bijna alle mannen hadden zakdoeken om hun hoofd gebonden en veel hadden baarden en paardenstaarten. Bijna alle vrouwen waren jonger, met slanke ledematen en lange haren. Veel van hen waren al een beetje roodgekleurd door de lentezon. De meesten leken me wel aardig, maar van de namen onthield ik er niet één.

Het lawaai was overweldigend. De suizende lucht en de kracht onder je waren op zich al verleidelijk, maar door het gebrul van al die motoren raakte je letterlijk buiten jezelf. We waren met niet meer dan vijfendertig of veertig, maar het enorme, primitieve gebulder van de rijen motoren overstemde alle geluid. Ik was onder een soort hypnose die pas overging toen we op het parkeerterrein van Sandy Don kwamen.

'Hoeveel dove leden hebben jullie?' vroeg ik aan Gaynelle.

'Je moet ze eens horen als we het toerental opvoeren. Je staat op de rem en geeft gas, en daarna vlieg je zowat weg. De politie pakt je natuurlijk meteen als ze het zien.'

Sandy Don was een verweerd, verzakt grijs gebouw dat op palen boven het strand in de zee stond, vlak bij het Holiday Inn en de grote, tamelijk nieuwe pier. De palen waren glibberig en groen van de golven die er twee keer per dag omheen sloegen, en bedekt met schelpen.

'Vroeger stond het veel verder op het strand,' vertelde Gaynelle. 'Maar er slaat steeds meer weg van het zand, en niemand denkt dat Don hier nog lang zal staan. Een heleboel strandhuizen zijn gewoon onder water verdwenen.'

Als iemand op Folly Island van plan was om deze dag bij Sandy Don te gaan lunchen, dan wachtte hun een teleurstelling. Het parkeerterrein stond vol motorfietsen, sommige al geparkeerd, andere kwamen net aan. Motorrijders liepen over het terrein en beklommen de wankele trap naar het restaurant. Vanaf binnen galmden de Shirelles en de onvermijdelijke Billy Gilman over het parkeerterrein en het strand. We liepen achter Gaynelle en T.C. naar boven, met prikkende gezichten van de wind en wankelend op benen die wel van rubber leken.

Op het strand beneden kon ik vroege zonnebaders en surfers zien. Het was eb, en een paar kinderen en honden plonsden rond aan de rand van de vlakke golfjes. Een steek van pijn schoot door me heen: heel even zag ik de kinderen van Sullivan's Island en onze eigen honden. Ik zag Henry, voor me, even aarzelen en ik wist dat hij hetzelfde zag. Maar toen verdwenen de kinderen en honden van Sullivan's Island in de verblindende middaggloed, en alleen de kinderen en honden die je op elk strand kon tegenkomen, bleven.

Er stonden tafeltjes op het terras, maar de zon was fel en T.C.'s hoofd zag al vuurrood. Mijn eigen wangen gloeiden en Henry's gezicht zag rood, behalve waar de bril had gezeten. Gaynelle was iets donkerder rood geworden en ze had er ontelbare nieuwe sproeten bij. T.C. vond een tafeltje in de schemerige, koele, verste hoek van het restaurant en daar gingen we zitten. Algauw was de hele ruimte vol motorrijders, die allemaal riepen en lachten en bankbiljetten stopten in de helm die een van hen liet rondgaan. De jukebox dreunde en als bij toverslag verschenen kannen ijskoud bier op de tafeltjes, ook op dat van ons. Gewoonlijk geef ik niet veel om bier, maar dit was zo koud dat het bijna pijn deed en het vloeide heerlijk in onze droge kelen. Ik dronk gretig. Op een gegeven moment verschenen schalen gebakken garnalen en oesters en uienringen op de tafels, en nog meer bier. We aten; ik weet dat we dat deden, maar naderhand kon ik me er niet veel meer van herinneren, alleen dat ik zoveel had gegeten dat ik bijna misselijk werd. Nog later, alsof er een teken was gegeven, stond iedereen op om te dansen. Daar herinner ik me ook weinig van, alleen hoe heerlijk het was om in een menigte te dansen op muziek waarvan mijn voeten het ritme leken te kennen, en dat ik bij elk liedje losser en leniger leek te worden. Ik danste met een heleboel mensen, maar het meeste met Henry. Hij danste losjes en elegant, en opeens kreeg ik een vertekend beeld van hem en Fairlie, dansend in de branding van Sullivan's Island op een dag in augustus. Ik verdrong het, en op dat moment kwam het heden weer terug.

'Ik wist niet dat je zo kon dansen,' zei Henry tijdens een korte pauze om bier te drinken.

'Dat heeft Lewis me geleerd,' zei ik. 'O, Henry, wist je dat? Hij leerde het me bij Booter! Dat was tijdens mijn eerste afspraakje met hem.'

'Er is niets nieuws onder de zon,' zei Henry plechtig, en hij trok me mee om weer te gaan dansen.

'Dit is heerlijk,' zei ik tegen Gaynelle en T.C. toen we terugkwamen bij ons tafeltje. We waren allemaal buiten adem. 'Is het altijd zo gezellig met motorrijders onder elkaar?'

Ze lachte. 'Dit is nog niets. Je zou Myrtle Beach moeten zien tijdens de Motorweek; dan zijn we een week lang met vijfduizend. En Daytona, mijn hemel; een miljoen motorrijders en tien dagen lang altijd wel iets te doen. Sommige mensen worden pas weer nuchter als ze onderweg naar huis al bijna bij Waycross zijn.'

'Wat is er dan allemaal te doen?'

'Waar zal ik beginnen? Races en wedstrijden en loterijen en overal liveoptredens. Bier, drank, dansen en alle uitrustingen die je je maar kunt voorstellen, en alle soorten motoren... het is ongelooflijk. Misschien gaan we er volgend jaar heen.'

'Ja,' viel T.C. haar bij. 'Henry zou de miss Wet T-shirtverkiezingen wel leuk vinden, en vooral het damesworstelen en boksen en tatoeagewedstrijden. We kunnen Anny inschrijven voor het koolslaworstelen, of misschien voor cornflakesworstelen. Je mag kiezen.'

Ik moest zo hard lachen dat ik bijna niet meer op adem kon komen, en Henry klopte op mijn rug.

'Koolslaworstelen, dat lijkt me wel wat,' hikte ik. 'Is het zoals het klinkt?'

'Ja. Grote kuipen vol koolsla achter een paar clubs. De vrouwen gaan erin worstelen. Eentje uit Omaha wint altijd. Volgens ons slaapt ze in mayonaise. De tweede dag, in de zon, is de koolsla behoorlijk verlept.'

Ik schoot weer in de lach, en Henry stond op.

'Het wordt tijd om Assepoester naar huis te brengen,' zei hij. 'Zullen we gaan?'

‘Natuurlijk,’ zei Gaynelle terwijl ze op haar horloge keek. ‘Mijn hemel, het is al negen uur. Ik had tegen JoAnne gezegd dat we voor donker terug zouden zijn. Ik zal haar even bellen, en dan gaan we.’

Ergens tijdens de heerlijke, donkere terugrit werd ik weer nuchter. Ik had een vieze smaak in mijn mond van het bier dat steeds omhoogkwam en mijn gezicht en armen gloeiden, maar ik voelde me heerlijk licht en vrij en jong. Ik wist dat ik me de volgende dag afschuwelijk zou voelen, maar dat kon me geen barst schelen. Ik wilde iets in Gaynelles oor schreeuwen, en merkte dat iemand me met een zacht touw netjes aan haar middel had vastgebonden. Dat vond ik zo grappig dat ik weer in de lach schoot. Ik lachte nog steeds toen Gaynelle en T.C. bij de oprit naar de drie huizen stopten. We zouden het laatste stuk lopen om Camilla niet wakker te maken.

Ik struikelde in het donker en Henry pakte me bij de hand.

‘Ik voel me net alsof je vader me met een geweer staat op te wachten,’ zei hij.

‘Een lege whiskyfles lijkt me aannemelijker,’ giechelde ik.

JoAnne zat op de bovenste tree van de trap naar de veranda met haar mand en het blijkbaar eindeloze vest dat ze aan het breien was. De achterkant van Camilla’s huis was in duisternis gehuld, maar in de woonkamer brandde een lamp. JoAnne glimlachte.

‘Ze slaapt al twee uur,’ zei ze. ‘Heeft mijn kleine zusje goed voor jullie gezorgd?’

‘Het was fantastisch,’ zei ik.

Henry liep met haar mee naar de bestelauto en toen ze was weggereden, kwam hij terug.

‘Wil je nog een kop koffie?’ vroeg ik halfgemeend.

‘God, nee. Ik duik mijn bed in. Maar ik hou me wel voor een kop koffie morgenochtend aanbevolen.’

We liepen door mijn donkere huis terwijl we tegen meubels stootten, en we lachten zacht.

'Koolslaworstelen,' snoof Henry. 'Hoe is het mogelijk.'

Ik schoot weer in de lach, en lachte nog steeds toen we op de achterveranda kwamen. Henry zou de kortste weg rond het zwembad nemen naar het pad dat naar het gastenverblijf voerde.

We bleven even op de veranda staan en keken omhoog naar de kristallen sterren boven de kreek. De Grote Beer straalde fel.

'Zal ik het licht aandoen?' vroeg ik.

'Nee. Ik kan genoeg zien.'

Hij aarzelde even, bukte zich toen en kuste me heel even zacht en lief. Ik voelde dat zijn lippen gebarsten waren door de zon en de wind. Hij deed een stap terug en keek op me neer.

'Mijn god, ik heb sinds de universiteit geen afspraakje meer goedenacht gekust,' zei hij. 'Moet ik mijn excuses aanbieden?'

'Nee,' zei ik. Ik voelde me vreemd en afgezonderd van de nacht om ons heen.

Hij draaide zich om, zwaaide even en verdween in de richting van het pad. Ik bleef staan zonder iets te denken. Ik wás alleen maar.

Uit het donker bij het zwembad hoorde ik Camilla's stem.

'Henry,' riep ze zacht. 'Heb je het leuk gehad?'

O shit, dacht ik. Ik vraag me af wat ze heeft gezien? Want dat zou alles anders maken.

'Hoe ben jij daar gekomen?' hoorde ik Henry streng zeggen.

'In de rolstoel,' zei Camilla. 'Het terras is op dezelfde hoogte als het huis. Ik begin er goed in te worden.'

'Wacht, dan breng ik je terug naar je bed,' zei Henry in het donker. 'Dit is niet grappig, Camilla.'

Ik draaide me om en ging mijn huis binnen, en ik sliep al voor ik mijn spijkerbroek had uitgetrokken.

Maar uiteindelijk was er de volgende ochtend niets veranderd. En maandagochtend kwam Gaynelle zoals gewoonlijk en ze vertelde Camilla over de rit naar Folly Beach.

'Die twee hebben talent,' zei ze. 'Volgend jaar neem ik ze mee naar Daytona.'

'Ja,' zei Henry. 'Vertel haar eens over dat koolslaworstelen.'

Dat deed Gaynelle, en Camilla lachte als een jong meisje.

Halverwege de week erop kwam Henry thuis uit de kliniek en zei: 'Susie belde vandaag naar mijn werk. Morgen wordt ze acht. Ze heeft een feestje en ze zegt dat ze alleen maar wil dat ik kom logeren en pannenkoeken voor haar ga bakken voor het ontbijt. Nancy zei dat ze dat inderdaad wilde. Ik denk dat ik ga. Ik kan het niet blijven uitstellen.'

'Natuurlijk moet je gaan,' zei Camilla hartelijk. 'Het wordt hoog tijd. Breng wat verjaardagstaart mee terug voor ons.'

Toen Henry vertrok, zei hij: 'Gaynelle komt vanavond hier slapen. Ze stond erop. En ik vind het een goed idee. Cammy, als je zo onbesuisd doet met je rolstoel, dan wil ik dat jullie hier met zijn drieën zijn. Anders breek je nog een heup.'

'O, Henry!' snauwde Camilla. 'Ik krijg bijna nooit meer de gelegenheid om alleen te zijn met Anny. Ik beloof dat ik niet eens in mijn eentje naar de badkamer zal gaan.'

Maar Henry liet zich niet vermurwen, en tegen zonsondergang kwam Gaynelle in de bestelauto aanrijden en droeg schalen en een gebloemde cadeautas naar binnen.

'Citroenkip en verse asperges,' zei ze. 'En T.C. heeft champagne meegegeven. Hij zegt dat zelfs een meidenavond chic hoort te zijn.'

'Hij is een schat, zeg hem dat maar,' zei ik terwijl ik een glimlach inhield. T.C. en champagne?

Camilla glimlachte, maar ze zei niets.

Het eten was verrukkelijk. We aten tot alles op was en de kaarsen op Camilla's mooie eettafel bijna waren opgebrand. Toen wendde Camilla zich tot Gaynelle.

'En nu wil ik dat je naar huis gaat,' zei ze. 'Je doet al genoeg voor ons. Het eten was werkelijk heerlijk. Maar ik wil bijpraten met mijn vriendin en het is niet nodig dat je blijft. We gaan het over vroeger hebben en we drinken de champagne van T.C., zij brengt me straks naar bed en dat is alles.'

'Nee, mevrouw,' zei Gaynelle formeel. 'Ik heb het Henry beloofd.'

Camilla verloor haar geduld. Dat had ik zo zelden meegemaakt dat ik mijn adem inhield.

'Ik meen het, Gaynelle,' siste ze haar toe. 'Ik wil dat je weggaat. Het is nog steeds *mijn* huis. Ik zal leven hoe *ik* wil. EN IK WIL NIET DAT ER OP ME GEPAST WORDT!'

Ze was zo van streek dat ik zei: 'Toe maar, Gaynelle. Je kunt wel een vrije avond gebruiken en ik kan het wel af voor één nacht. Je moet begrijpen hoe moeilijk het voor haar is om steeds betutteld te worden. Ik meen het. Ga maar.'

'Goed dan,' zei Gaynelle vlak. 'Bel me als er iets is. Ik heb altijd mijn mobiele telefoon bij me.'

'Hartelijk bedankt,' zei ik toen ze wegging, en ik omhelsde haar. Ze omhelsde me terug, hard.

'Wees voorzichtig,' zei ze.

Weer binnen reed ik Camilla naar haar woonkamer en hielp haar in een diepe stoel, en ik stak het appelhout aan dat al in de haard lag. Ze rekte zich uit, slaakte een diepe zucht en glimlachte.

'Dat was niet aardig van me,' zei ze. 'Ik zal morgen tegen haar zeggen dat het me spijt. Ik word er alleen.... zo moe van. Het houdt maar niet op.'

'Dat kan ik me best voorstellen,' zei ik hartelijk. 'Het is fijn om je even voor mezelf te hebben.'

We bleven een poos naar de sissende blauwe vlammetjes staren. Toen vroeg Camilla: 'Denk je dat we Henry kwijt zullen raken aan Charleston?'

'Welnee,' zei ik. 'In elk geval niet in de nabije toekomst. Hij wil niet terug naar de stad. En daarbij heeft hij het beloofd.'

'En jij? Mis jij de stad niet?'

Ik dacht na, en ik was een beetje verbaasd.

'Soms,' zei ik. 'Niet de dingen die je zou verwachten, de dingen die Lewis en ik samen deden, maar gewone dingen die bij Charleston horen. Ik mis het wandelen over de Battery op een winderige dag. Ik mis winkels kijken in King Street. Ik mis de paarden, de klokken van de St. Michael en de zonsondergang aan het einde van Broad Street boven de palmen. Ik mis de moddergeur.'

Ze lachte.

'Daar heb je hier meer dan genoeg van.'

'Modderlucht hoort gefilterd te zijn door de geuren van blauweregen en benzine en paardenpoep,' zei ik. 'Soms mis ik buren. Niet dat ik ooit echt mijn buren in Bull Street heb gekend, maar ik wist dat ze er waren.'

'Voel je je hier eenzaam?' vroeg ze.

'Nooit. Geen minuut. Ik kan naar Charleston wanneer ik wil. Nee, dit is nu mijn thuis.'

'Ben je daar zeker van?'

'Dat weet je. Ik heb het ook beloofd.'

Ze zuchtte en zei toen: 'Ik weet dat je het hebt beloofd. Ik moet er alleen steeds naar vragen om te zien of je niet van gedachten bent veranderd. Ik dacht nog steeds dat je misschien toch...'

'Geen kans,' zei ik, en ik stond op, ging naar haar toe en gaf een kus op haar wang.

Ze legde even een hand tegen mijn gezicht.

'Ik heb altijd van je gehouden, Anny,' zei ze.

'En ik van jou. En nog steeds. Zullen we nu wat champagne drinken?'

Ze keek naar me op. Er stonden tranen in haar ogen, maar ze lachte.

'Dat lijkt me heerlijk,' zei ze.

Ik bracht de champagne en twee van haar kristallen hoge glazen, en schonk die vol met de schuimende drank.

'Dit is net als vroeger,' zei ik, en ik hief mijn glas. 'Op ons. We zijn nog steeds de Scrubs.'

'Nog steeds de Scrubs,' zei ze lachend. Ik wist dat we het geen van beiden geloofden, maar het leek bemoedigend om het te zeggen.

Het was trouwens een avond die voldoening schonk. Vredig. Vol van de oude genegenheid die we vanaf het begin voor elkaar hadden gevoeld.

'Ik ben blij dat we deze avond voor onszelf hadden,' zei ik. 'Dat moeten we vaker doen.'

'Daar sta ik helemaal achter,' zei ze terwijl ze van haar champagne nipte. 'O ja, dat zou ik bijna vergeten. Ik heb iets voor je. Ik kwam het vandaag tegen en toen dacht ik aan jou. Wil je dat in vloeipapier gewikkelde dingetje van mijn nachtkastje pakken?'

Dat deed ik. Toen ik terugkwam, zat ze nog steeds in het vuur te staren, haar champagne vrijwel onaangeroerd.

'Maak open,' zei ze. In het gekleurde vloeipapier lag een snoer van kleine, roze parels.

'O, Camilla!' riep ik uit. 'Wat prachtig! Maar ik kan dit niet...'

'Ik draag het toch nooit,' zei ze. 'Ik heb het eigenlijk nooit gedragen. Mijn vader kocht het voor me voor mijn debutantenbal en ik heb het die avond gedragen om hem een plezier te doen, maar het stond me helemaal niet. Mijn hals is te lang voor zulke kleine parels. Maar jou zal het prachtig staan. Neem het alsjeblieft van me aan.'

Ik glimlachte terwijl ik tranen in mijn ogen voelde komen.

'Ik doe het meteen om,' zei ik.

'Het staat perfect,' zei ze. 'Laten we proosten op de uiteindelijke bestemming van papa's parels. Drink op.'

We dronken onze glazen leeg. De champagne was koel en smaakte heerlijk. Ik vroeg me af wie deze had uitgekozen.

'Wil je ook nog wat?' vroeg ik terwijl ik mijn glas weer volschonk.

'Nee, ik zit toch al bijna te knikkebollen. Stop me maar in en drink er nog een voor je naar bed gaat. Ik durf te wedden dat je er lekker van gaat dromen.'

Ik reed haar naar haar slaapkamer, hielp haar in de witte zijden nachtjapon die klaarlag, en keek hoe ze onder de dekens ging liggen.

'Welterusten,' zei ik, en ik gaf een kus op haar voorhoofd. 'Dat de engelen je maar in slaap mogen zingen.'

Ze draaide haar hoofd opzij.

'En jou,' fluisterde ze. Ik deed haar lamp uit en ging terug naar de woonkamer.

Ik nam inderdaad nog een glas champagne, maar het was niet meer gezellig zonder Camilla, dus deed ik een kurk op de fles, zette die in de koelkast en ging naar buiten. De prik zou er wel af gaan, maar ik kon er een lekkere saus voor bij de zalm mee maken, dacht ik. Ik liep over de oprit naar mijn huis, en ik voelde me opeens zo moe dat ik amper mijn ene voet voor de andere kon zetten.

Het zal wel door de emotie komen, dacht ik met een glimlach toen ik tussen de koele lakens ging liggen en de lamp op mijn nachtkastje uitdeed. 'Wat was dat lief van haar. Ze was weer echt Camilla. Misschien, heel misschien, hebben we haar weer terug.'

Ik wilde daar verder over nadenken, maar opeens kreeg de slaap me te pakken en voerde me mee, heel ver en diep, waar dromen huizen.

Zelfs diep in de droom wist ik dat het een droom was, maar de zoete realiteit ervan werd er niet door bedorven. De werkelijkheid is vaak realistischer in dat soort dromen omdat de dromer weet dat hij die binnenkort moet verlaten, of het nu een prettige droom is of niet. En deze droom was heel prettig.

Ik was in een huis aan het water. Niet een van de drie nieuwe, maar dat van ons allemaal was, het grote, oude, jarentwintig-huis op palen aan het onmodieuze, westelijke uiteinde van het eiland. Dat was het eerste strandhuis waar ik ooit was geweest; Lewis nam me er mee naartoe in de zomer vlak voor ons huwelijk, en vanaf het begin vond ik het er heerlijk, net als in alle volgende jaren dat we er kwamen. Dat zei ik nooit tegen de anderen omdat het nogal aanmatigend klonk, alsof een buitenstaander aanspraak maakte op iets wat hij nog niet verdiend had. En hoewel ze me vanaf het begin in de armen sloten en in hun kring opnamen, wist ik dat ik inderdaad een buitenstaander was. Lewis was degene van wie ze hielden, in elk geval toen.

In de droom was het winter, en een gure wind gierde over het strand en joeg grijsbruine, striemende zandwolken op. Ik wist hoe die tegen mijn huid zouden voelen als ik het strand op zou gaan: als diamantsplinters die je bijna deden bloeden. Dat vond ik gewoonlijk niet erg, maar deze keer was ik blij om binnen in de grote woonkamer te zijn. De lampen brandden en het was er warm, en de kamer schommelde bijna in de wind, als een hut op een schip. Alle oude, scheve lampen straalden een gele gloed uit en in de open haard aan de ene kant brandde een vuur, knetterend, omdat het hout nooit helemaal droog bleef in de schuur buiten. Aan de andere kant, waar de trap omhoogging over de rommelkast, stond een grote, oude kachel met een dieprode gloed te sissen. Het rook in de kamer naar brandend hout en petroleum en vochtige kleden en zout. In mijn droom leek het de tastbare adem van het huis, en ik ademde de geuren met diepe teugen in. Ze schonken leven.

'Ik weet dat dit een droom is, maar ik hoef toch nog niet wakker te worden?' zei ik tegen Fairlie McKenzie, die op de bank onder een door zout stijf geworden oude deken lag te lezen. Haar haren vielen over het gerafelde kussen als een waterval, die zo rood zag als de gloeiende as. Ik vond Fairlie altijd op een schepsel van licht en vuur lijken: ze leek er door te glinsteren, zelfs als ze stillag.

'Nee, nog niet,' zei ze terwijl ze naar me glimlachte. 'We hebben geen haast. De jongens blijven nog uren weg. Ga zitten. Ik zal dadelijk theezetten.'

'Dat doe ik wel,' zei Camilla Curry van haar kaarttafeltje naast de kachel aan de andere kant van de kamer. Ze zat iets uit een groot boek over te schrijven in een geel aantekenboek, haar gezicht en handen in het licht van de bridgelamp. Ik zag Camilla zelden zonder pen en aantekenboek. Ze was altijd bezig met projecten die haar volkomen in beslag leken te nemen, en de rest van ons wist nooit precies wat die projecten waren.

'O, van alles,' zei ze altijd op die zachte, zangerige toon van haar. 'Misschien laat ik het jullie wel zien als ik klaar ben.' Maar haar projecten waren nooit klaar, want we kregen ze nooit te zien.

'Laat mij maar,' zei ik, dankbaar dat ik een nuttig onderdeel kon zijn van het droomweefsel. Camilla was, zelfs in de droom, krom door de osteoporose. Dat was ze al heel lang. Op de een of andere manier deed het geen afbreuk aan haar tere schoonheid: in mijn gedachten had ze altijd een kaarsrechte houding. Lewis zei dat ze die altijd had gehad, tot de slopende ziekte haar botten begon te verteren. We hadden het er nooit over, maar we probeerden allemaal Camilla onnodige fysieke inspanning te besparen als het kon. Ze doorzag ons altijd en ze vond het vreselijk.

'Jullie blijven zitten, meisjes. Jullie kunnen hier maar zo kort blijven en ik ben hier het vaakst van iedereen,' zei ze. 'Ik vind het leuk om in de keuken te rommelen.'

Fairlie en ik keken elkaar glimlachend aan om dat 'meisjes'. Ik was bijna vijftig en Fairlie was slechts een paar jaar jonger dan Camilla. Maar Camilla was de moeder van de groep. Ze was altijd iemand geweest naar wie je ging om iets te vragen, te leren, op te biechten en te ontvangen. We wisten allemaal dat ze die rol zelf op zich had genomen. Zelfs de mannen hielden zich aan de onuitgesproken regel. Camilla zorgde dat je haar zoveel mogelijk wilde geven van wat haar hart begeerde.

Ze stond op en zweefde als een kolibrie recht op de keuken af. Haar schouders waren recht en haar tred was zo licht als die van een jong meisje. Ze zong een liedje terwijl ze liep: '*Maybe I'm right and maybe I'm wrong, and maybe I'm weak and maybe I'm strong, but nevertheless I'm in love with you...*'

'Charlie vindt het een stom liedje, maar ik ben er dol op,' riep ze over haar mooie schouder. Ze droeg een dunne blouse en een gebloemde rok en hooggehakte sandalen. Omdat het een droom was, leek het heel normaal dat ze als een jong meisje liep, dat ze de kleren uit haar jeugd droeg en dat Charles leefde. Door dat alles voelde ik me nog gelukkiger.

'Camilla, ook al is het een droom, ik wil blijven,' riep ik haar na. 'Ik wil niet terug.'

'Je mag blijven, Anny,' klonk haar volle stem uit de keuken. 'Lewis komt je nog niet halen.'

Ik nestelde me op het kleed voor de open haard naast Fairlie op de bank, en legde zachte, oude kussens om me heen. Ik wikkelde me in de verschoten lappendeken van de bank. De vlammen zagen blauw van het vocht, maar gaven een gestadige warmte af. Buiten gierde de wind, die de winterdroge palmen deed zwiepen en de ramen geselde met zand. Op de ruit zaten zoutkorsten. Ik rekte mijn armen en benen zo ver mogelijk uit tot mijn gewrichten kraakten en ik de warmte erin voelde stromen. Ik keek naar Fairlie om de gloed van het vuur over haar gezicht te zien spelen. De schemering viel snel; de mannen zouden dadelijk handenwrijvend binnenkomen en koude, klamme wind met zich meebrengen.

'Niet van die stinkende vis binnenbrengen,' zou Fairlie vanaf de bank zeggen. 'Ik ga geen vis schoonmaken, vandaag niet of wanneer dan ook.'

En omdat het een droom was, zou Lewis er zijn met Henry, net als vroeger, en dan zou hij zeggen, zoals altijd als hij terugkwam van een tocht waarop ik hem niet had vergezeld: 'En hoe gaat het met dat luie meisje van me?'

Ik deed mijn ogen dicht en gleed weg naar een droomslaap voor de gloeiende houtblokken. Het geluksgevoel prikte als lichtjes achter mijn oogleden. In de keuken begon de theeketel te fluiten.

'Er is tijd genoeg,' mompelde ik.

'Ja,' zei Fairlie.

We zwegen.

Toen kwam het vuur...

16

Ik werd wakker en zag een rode gloed op het plafond, en ik dacht dat het of nog heel vroeg moest zijn en de zon net op begon te komen, of heel laat en de zon onderging. Ik wilde een hand uitstrekken naar het reiswekkertje dat Lewis me had gegeven, en merkte dat het hevige pijn deed om zelfs maar mijn arm te bewegen. Ik probeerde te gaan zitten, en dat deed nog meer pijn. Ik tilde mijn arm op voorzover dat kon en zag dat die in verband gewikkeld was. Mijn andere arm was ook verbonden, tot mijn elleboog. Ik wist niet wat ik hiermee aan moest. Het leek wel of mijn hoofd gevangenzat in een soort doorschijnende bol van plastic.

'Probeer niet te veel te bewegen,' zei Henry's stem naast me. 'Ik zal je wat tegen de pijn geven als het te erg wordt. Je mag nu een beetje overeind komen. Hoe voel je je?'

Ik draaide mijn hoofd op het kussen naar hem toe. Hij zat in de kleine stoel die ik in King Street had gekocht. Dus ik was in Bull Street, en de gloed op het plafond kwam van de lamp op mijn nachtkastje. Het was dus avond. Henry hing onderuit in de stoel, zijn lange benen voor zich uitgestrekt en met zijn handen in de zakken van een tweedjasje. Hij zag er vreselijk uit, uitgeteld, de dood nabij. Mijn hart ging tekeer als een spartelende vis aan een haak.

'Wat heb je?' probeerde ik te zeggen. 'Wat is er met me aan de hand?'

Maar ik kon alleen een krakend geluid uitbrengen, en ik voelde een verzengende pijn in mijn keel en borst. Ik zweeg en keek alleen maar naar Henry, afwachtend. In de veilige, luchtloze bol wist ik dat Henry me alles zou vertellen. Henry zou de pijn wegnemen.

Hij pakte voorzichtig mijn verbonden hand. 'Weet je waar je bent?' vroeg hij.

Ik knikte. Toen sprak ik weer, de verzengende pijn vergetend.

'Henry, ik heb vreselijk gedroomd,' bracht ik schor uit. 'Er was brand...'

'Sst,' zei hij. 'Probeer niet te praten. Er was ook brand, Anny. Bij de kreek. Je hebt wat oppervlakkige brandwonden. Die doen wel pijn, maar ze zullen snel genezen. Maar je hebt veel rook ingeademd voor ze je naar buiten haalden, en je hebt longontsteking gehad. Ik heb je pas gisteravond hier gebracht.'

Ik keek verbijsterd naar hem. 'Kreek?' vormde ik met mijn mond. 'Wanneer? Hoe?'

'Je bent een week vrijwel buiten bewustzijn geweest. We hebben je grotendeels onder verdoving gehouden opdat je niet zou hoesten en je keel en longen verder zou beschadigen. Er is vocht uit je longen gezogen. Het verbaast me niet dat je je niets herinnert. Ik ben bang dat je huis weg is. Het spijt me.'

'Camilla's huis?' vroeg ik stilzwijgend.

'Alleen wat rookschade. Maar Anny...' – en hij pakte mijn andere hand zodat hij mijn beide handen vasthield – '... Anny, Camilla is dood.' De tranen sprongen hem in de ogen en hij wendde zijn blik af.

Vanuit de beslotenheid van de doorschijnende bol staarde ik naar hem. Waar had hij het over? Buiten de bol zag ik duizenden beelden van Camilla voorbijtrekken: Camilla op het strand, met wapperende haren en de honden die om haar heen sprongen. Camilla, lachend bij het licht van kaarsen en het houtvuur. Camilla die haar handen naar me uitstak onder de parasol, op de dag dat ik haar voor het eerst ontmoette. Camilla op het duin, terwijl haar regenjas als een grijze wolk om haar heen waaide. Henry had het mis. Dat zou ik dadelijk wel merken.

'Ik geloof je niet,' zei ik schor, en de pijn laaide weer op.

Hij schudde zijn hoofd. 'Luister, Anny. Ze was in jouw keuken. Ze lag op de grond achter het kookeiland. Gaynelle wist niet dat ze er was, dus ging ze niet terug toen ze jou naar buiten had gesleept, en de brandweer wist het evenmin. Toen Gaynelle in Camilla's huis ging kijken en zag dat ze er niet was, waarschuwde ze de brandweer en ze gingen naar binnen in jouw huis. Het vuur was toen toch al bijna gedoofd. Het kwam door de rook, niet door het vuur. Ze zag er helemaal niet erg uit.'

Waarom wilden mijn hersenen niet werken? Wat deed Camilla in mijn keuken? Hoe had ze daar kunnen komen zonder dat ik die rolstoel had gehoord? Ik herinnerde me dat ik haar naar bed had gebracht. Ik herinnerde me dat ik doodmoe thuis was gekomen en naar bed ging en meteen in slaap was gevallen. Ik herinnerde me de droom over het strandhuis en de brand aan het einde ervan...

Maar verder kon ik me niets herinneren. Waarom wist ik niet dat er brand was geweest? Er was geen touw aan vast te knopen. Ik kon niet meer denken van uitputting.

Mijn gezicht moest meelijwekkend zijn geweest, want hij boog zich voorover en streek het haar van mijn voorhoofd, en toen ging hij weer in de kleine stoel zitten, die nog kleiner leek door zijn lange lijf. Ik had nog nooit een man gezien die zo doodmoe was.

'Ik zal je alles vertellen,' zei hij. 'We vonden dat we het je nu alleen in grote lijnen moesten vertellen, maar ik zie dat het niet voldoende is. Probeer me niet in de rede te vallen. Ik geloof niet dat ik het kan verdragen om het te herhalen.'

Toen kwam Gaynelle de kamer in. Ik glimlachte als een onnozele naar haar. Ik vroeg me af waarom ik niets kon voelen. Dat kwam natuurlijk door die doorschijnende bol. Sylvia Plath had over iets dergelijks geschreven in *De glazen stolp*. Ik was blij te weten wat het was, dit gevoel dat de wereld onbereikbaar voor me was.

Ze gaf een kus op mijn voorhoofd, trok de lakens recht en ging op het bankje aan de andere kant van de kamer zitten.

'Ik heb gevraagd of Gaynelle wilde komen,' zei Henry. 'Ze blijft bij je tot je weer op de been bent. Als zij er niet was geweest, zou je hier niet meer zijn. Het was een felle, korte brand. Zij heeft ook nog het een en ander te zeggen.'

Hij haalde diep adem en vervolgde: 'In je bloed is een aanzienlijke hoeveelheid slaapmiddel gevonden. Ambien, daar ben ik bijna zeker van. Ik denk niet dat je wakker zou zijn geworden, niet voor het te laat was. We denken dat Camilla het in je champagne heeft gedaan. Je moet op een bepaald moment even uit de kamer zijn geweest. We onderzoeken nu de glazen en de fles uit haar keuken. Ik weet zeker wat we zullen vinden.'

De parels, dacht ik. Ze vroeg of ik de roze parels wilde gaan halen. Wat waren ze dom. Ze had me een cadeautje gegeven uit liefde.

'En toen je sliep, moet ze naar je huis zijn gegaan en brand hebben gesticht. In de keuken hebben ze een blik petroleum en een aansteker gevonden.'

We bleven allemaal een poos stil. Dit ging alle pijn te boven. Het leek of ik een verzonnen verhaal hoorde voorlezen.

'Ze kon lopen,' zei Henry met een monotone stem. 'Al die tijd. Gaynelle heeft het een keer gezien. Sindsdien heeft ze Camilla zo goed mogelijk in de gaten gehouden. Je weet dat ze je niet met haar alleen wilde laten. Gaynelle had het veel eerder door dan ik.'

'Ik had het meteen tegen Henry moeten zeggen,' zei Gaynelle mistroostig. 'Maar het leek zo... krankzinnig. Ik twijfelde aan mijn eigen ogen. Ik besloot een oogje in het zeil te houden, en samen konden we zorgen dat jou niets zou overkomen. Toen ik hoorde dat ze niet meer mocht lopen en in een rolstoel moest, was ik opgelucht. Maar eigenlijk heb ik het nooit echt geloofd. Ik zal het mezelf nooit vergeven.'

'Dan ben je niet de enige,' zei Henry.

'Haar heup was gebroken,' vervolgde hij toen. 'Ik denk dat die gewoon onder haar geknapt is in jouw keuken. Dat gebeurt vaak met vergevorderde osteoporose zoals bij Camilla. Ze moest op weg naar buiten zijn geweest toen haar heup brak. Ze moet geroepen hebben, maar je kon haar niet horen. Jezus, die laatste momenten voor de rook haar bereikte...

Hoe dan ook, Gaynelle zat buiten in haar bestelauto. Ze was helemaal niet naar huis gegaan. Ze zat op de uitkijk, en toen ze de rook zag belde ze 911 en ging naar je toe. Toen ze je naar Queens hadden gebracht, belde ze mij. Tegen de tijd dat ik er kwam, had je al een flinke longontsteking. Dat gaat heel snel als je rook hebt ingeademd. We hebben je gewoon vol antibiotica gepompt en je onder verdoving gehouden tot je vervoerd mocht worden. Ik wist dat je niet in het ziekenhuis bij zou willen komen. En ik wilde je in de buurt hebben zodat ik je in het oog kon houden. Dit leek de beste oplossing.'

Ik knikte sereen. Alles wat hij zei klopte precies. Het universum leek zijn oude ordelijkheid terug te krijgen als Henry praatte. Pas als hij zweeg, duwde die pijn die zo groot en meedogenloos was als een grote, witte haai, met zijn bek tegen de plastic bol. Maar toen zwom hij weg. Ik wist dat hij er niet in kon komen. Niets zou dat kunnen.

'Goed, dan komt nu het ergste,' zei Henry.

Ik schudde heftig met mijn hoofd, maar hij knikte.

'We moeten alles zeggen, Anny. Anders kan het blijven doorwoekeren.

We zijn er nu bijna zeker van dat Camilla de brand heeft gesticht in het strandhuis. Niemand kan dat werkelijk bewijzen, maar ik zie bewijs genoeg. Toen had ze het op Fairlie gemunt, en deze keer op jou. Ik weet niet of ik daar ooit mee zal kunnen leven.'

'Waarom?' vroeg ik door de plastic bol heen. 'Waarom?' Hoorden ze dan zelf niet hoe absurd ze klonken?

Ik verslikte me prompt. Henry gaf me een injectie.

'Hier ga je niet van onder zeil,' zei hij, 'maar je wordt er wat rustiger door. Je mag gewoonweg niet praten. Anders breng ik je terug naar Queens. Afgesproken?'

Ik knikte.

'Goed. Dit deel van het verhaal gaat jaren terug. Lewis heeft je verteld dat ik met Camilla verkering had toen ik jong was. Dat klopt. We waren al sinds onze kinderjaren samen. We waren niet verloofd, maar we wisten allebei dat het ervan zou komen. Het leek de juiste manier, de weg naar het simpele, liefdevolle huwelijksleven dat ik altijd had gedacht te willen. Geen van ons had ooit echt iets met iemand anders gehad.

En toen kwam ik Fairlie tegen, en alles veranderde meteen, en het was me duidelijk bij wie ik hoorde. Ik vertelde het de volgende avond aan Camilla, toen we in de auto zaten bij Lowndes Grove. Het was Lila's debutantenbal, dat weet ik nog goed.

Ik had nooit zo'n reactie verwacht. Ik wist dat het haar zou kwetsen en dat vond ik vreselijk. Maar het zou ondraaglijk en oneerlijk zijn geweest om op de oude voet door te gaan. Ik maakte een kant van haar mee die ik in al die ongeveer twintig jaar nooit had gezien. Ze huilde en schreeuwde tot ze buiten adem was, en ze viel bijna flauw. Ik hield haar vast tot ze kalmeerde, en toen begon ze opnieuw. Een vriend van me werkte op de Eerste Hulp in Queens en ik ging een kalmerend middel voor haar halen, en tegen de tijd dat we terug bij haar huis waren, was ze helemaal van de wereld.

Ik moest haar ouders wakker maken en alles vertellen. Ze brachten Camilla naar boven en ik gaf hun de rest van het kalmerende middel voor haar, en toen viel ze eindelijk in slaap. Ik wachtte tot ze weer beneden waren. Het was een van de ergste nachten die ik ooit heb meegemaakt. Ik dacht werkelijk dat haar vader me zou neerschieten. Tegen de ochtend hadden we iets bedacht: we zouden tegen iedereen zeggen dat Camilla me had gedumpt en dat ik pas naderhand belangstelling voor Fairlie had gekregen. Als reactie, desnoods.'

Hij glimlachte zonder enige humor. Het was meer een grimas van pijn.

'Zelfs Fairlie begon het te geloven, hoewel ik haar later heb verteld was er was gebeurd,' zei hij. 'Ze heeft het nooit aan iemand verteld. Ik denk dat niemand het wist. Toen Camilla niet lang erna Charlie ontmoette, was heel Charleston ervan overtuigd dat Camilla het had uitgemaakt tussen ons en dat ik gek van verdriet was. En ik speelde het spelletje mee, of in elk geval heb ik het nooit ontkend. Ik heb me altijd schuldig gevoeld over wat ik Camilla heb aangedaan. Ik zal nooit haar gezicht vergeten toen ik het haar vertelde. Ik vond het vreselijk om te liegen, maar daardoor kon ze in Charleston blijven zonder gezichtsverlies. Destijds waren dat soort zaken belangrijker dan nu.

Dus een hele tijd ging het goed. Camilla deed hartelijk tegen me, ze was een goede vriendin voor Fairlie en Charlie aanbad haar. Daar twijfelde niemand aan. Je herinnert je die jaren nog wel. Het was idyllisch. Wie had daar ooit anders over kunnen denken? Na een poosje wist ik niet beter. Ik had jullie allemaal en Fairlie, en Camilla was gelukkig met Charlie. Iets wat heel erg had kunnen worden, was goed afgelopen. Wij waren de Scrubs.

En toen Charlie stierf, was Camilla de volmaakte weduwe. Mijn god, wie zou haar niet hebben bewonderd om haar kracht en haar moed? Zij hield de Scrubs bijeen. Het zou anders het begin van onze breuk zijn geweest. Zij hield ons bijeen met haar liefde. Dat deed ze tot Fairlie en ik met nieuwjaar aan jullie allemaal vertelden dat we naar Kentucky zouden verhuizen. En toen de gelegenheid zich voordeed, op die avond dat ik het vergat van de opera en Fairlie kwaad op me werd en naar het strandhuis ging, zag Camilla haar kans schoon. Ze was bereid geweest om alles voort te laten kabbelen, tot ze wist dat we voorgoed weg zouden gaan. En toen Fairlie dood was, hielp ze Lila om de huizen aan de kreek te vinden en ze hield letterlijk iedereen bij elkaar tot ik halfdood terugkeerde uit Yucatán en ze voor me kon zorgen. Ze wist dat ik nergens anders naartoe had kunnen gaan. Toen niet. En ze zorgde fantastisch voor me. Weet je nog?'

Ik knikte heftig, als een braaf kind dat iets op school leert. Ik wist het inderdaad nog heel goed. Camilla had Henry letterlijk overeind gehouden en weer tot zichzelf laten komen. Goed. Tot nu toe kon ik het verhaal helemaal volgen. Ik was trots op mezelf.

'Dus was ze tevreden met het leventje dat wij allemaal leidden. Het leek of we voorgoed bij de kreek zouden blijven. En toen was Lewis... weg en jij bleef alleen achter en het was duidelijk dat ik erg gesteld op je was. Ze kon niet hebben gedacht dat het iets anders was dan de genegenheid die ik voor ons allemaal voelde, maar ze kon ook niet hebben dat zij niet het middelpunt was van mijn gevoelens. Ze deed haar best om je over te halen om terug naar de stad te gaan. Ze kreeg haar ongelukjes steeds als wij samen weg waren. Ze werd echt ziek toen we vaker uit rijden gingen met Gaynelle en T.C. En ze kon het niet uitstaan dat ik zo dol was op Britney. Gaynelle weet zeker dat Camilla de voordeur van Lila heeft geopend en Honey naar buiten heeft gelaten. En wat die sieraden betreft die Gaynelle volgens haar had gestolen, die zijn na de brand in de la van haar bureau gevonden. Al die tijd was

Camilla de dader, en ik heb het nooit gemerkt, en ik word er niet goed van als ik bedenk dat ik het misschien allemaal had kunnen voorkomen.'

Er drupten nu tranen over zijn gezicht. Ze trokken een zilveren spoor door de witte stoppels. Henry leek wel tien jaar ouder te zijn geworden. Tien zware jaren.

'Je kon het toch niet weten?' zei ik met een rasperige stem, en ik schudde mijn hoofd toen hij me het zwijgen op wilde leggen. 'Hoe had je dat ooit kunnen weten? Hoe kun je het nu weten?'

Gaynelle kwam op de rand van mijn bed zitten. Het was donker in de kamer, op de kring warm licht van de lamp na. Haar gezicht was droog en gefronst en zo smal als dat van een vos. Er waren meer dan twee slachtoffers door deze vreselijke, onvoorstelbare gebeurtenis.

Henry legde zijn hoofd tegen de leuning en sloot zijn ogen. Het leek wel of hij dood en gebalsemd was. Het kwam bij me op dat Henry misschien letterlijk niet in staat was om met dit verder te kunnen leven. De angst daarvoor knaagde aan de rand van de bol, maar kwam niet naar binnen.

'Ik heb haar dagboeken gevonden, of wat het ook mogen zijn,' zei Gaynelle. 'Ik heb ze allemaal gelezen, die ze bij zich had, tenminste. Ze begonnen na de dood van mevrouw McKenzie, maar ik denk dat er nog meer moeten zijn die teruggaan tot de dood van haar man, toen ze besefte dat ze vrij was. Ik heb er helemaal geen spijt van dat ik heb zitten snuffelen. Tegen die tijd kreeg ik al een raar gevoel over haar. Ik had haar zien lopen terwijl ze verondersteld was in haar rolstoel te zitten, weet je nog. En ik weet nu zeker dat ze zelf die wond op haar voorhoofd heeft aangebracht en in het bad is gekropen op die dag toen jij en Henry naar Sweetgrass gingen en zo lang zijn weggebleven. Ik heb het zeepbakje gevonden waarmee ze het had gedaan. Er zat nog bloed en haar aan. Ik had meteen naar Henry moeten gaan op de dag dat ik die boeken had gelezen. Maar het klonk allemaal zo idioot. Ik dacht eerst dat ze een roman had geschreven.'

Een kille vrees nam bezit van mijn maag en mijn hart. Ik wist dat ze me ging vertellen wat er in die aantekenboeken stond waar Camilla altijd in zat te schrijven, en ik wist dat het mijn leven op een vreselijke manier voorgoed zou veranderen. Ik draaide mijn hoofd om en sloot mijn ogen.

'Nee, blijf luisteren,' zei Henry. 'Het zal alles duidelijk maken. Je komt het nooit te boven als je het niet begrijpt.'

Maar toch deed ik mijn ogen niet open.

'Elke bladzij was als een bladzij in een dagboek,' zei Gaynelle. 'Alsof ze de gebeurtenissen van de dag opschreef. Ze waren kalm en gewoon en zelfs af en toe grappig; ze kon goed schrijven. Het enige verschil is dat het allemaal nooit gebeurd was. Het ging over wat zij en Henry elke dag deden. Over wat ze bij het ontbijt hadden gegeten, wat ze overdag deden, waar ze naartoe gingen, wat ze voor het avondeten maakte, en over... hoe ze elke avond gingen vrijen. Ze schreef zelfs een paar keer over hun huwelijk. Het was de grootste en mooiste bruiloft die Charleston ooit had meegemaakt. Ze schreef ook over hun kinderen. Niet haar eigen zoons, maar over de kinderen van Henry en haar. Ze waren volmaakt, een combinatie van hun beste eigenschappen. Toen ik alles uit had, wist ik hoe ze waren opgegroeid, waar ze gingen studeren, met wie ze trouwden, en alles over alle kleinkinderen. Ze had het over Henry's onderscheidingen in het ziekenhuis, de boeken die ze uitgaf en de plantage die ze hadden aan de Edisto. En elke avond de grote liefdesscène. Elke avond. Ze had het verder over niemand van jullie. Niet over haar man, niet over jou. O, god, had ik het die dag maar aan Henry verteld. Maar ik kon het gewoon niet geloven.'

'Je moet het jezelf niet zo moeilijk maken,' zei Henry. 'Ik ben degene die het had moeten zien.'

Ik zou niet weten hoe, dacht ik. Wie had dit ooit over Camilla willen geloven? Ik niet. Helemaal niet. Ze zei die avond tegen me dat ze van me hield. Ze gaf me alle kans om te zeggen dat ik niet zou blijven; ze had tranen in haar ogen... wie kon daar aan twijfelen? Ik denk dat ze wel van me hield. Misschien alleen niet zoveel als van Henry. Niet genoeg. Dat kan ik begrijpen...

'Wie weet ervan?' bracht ik uit.

Henry schudde zijn hoofd. 'Dat weet ik niet. Niemand was op de hoogte van wat er in die aantekenboeken stond, maar ik moest ze aan de politie geven. Anders hadden ze jou steeds lastiggevallen. Het is tenslotte in jouw huis gebeurd. De boeken hebben een heleboel onbeantwoorde vragen duidelijk gemaakt over... Fairlie, denk ik, maar het had geen zin om die zaak te heropenen. Het zou niets veranderen. De inspecteur zei dat de zaak gesloten was, maar dit is Charleston. Het kan zijn dat niemand het weet, en het kan zijn dat de halve stad het weet. Er is in elk geval genoeg over gepraat. Er is te veel gebeurd met steeds dezelfde mensen. Dezelfde mensen die altijd een hechte eenheid hadden gevormd. Dat is onweerstaanbaar. Ik denk dat Simms iets ervan de kop heeft weten in te drukken. Freddy Chappelle van de *Post and Courier* is een goede vriend van hem, en na het eerste bericht is er geen woord meer over geschreven. Ook op de televisie wordt er geen aandacht aan besteed. Niemand heeft mij er rechtstreeks naar gevraagd, maar Gaynelle heeft een hoop te horen gekregen en dat zal waarschijnlijk bij jou ook het geval zijn als je weer op de been bent. En er hebben zoveel mensen naar Lila gebeld dat ze een geheim nummer heeft genomen. Ze weet trouwens nog niet alles; vertel jij het haar maar als je het wilt.'

'Wist Lewis het?' vroeg ik schor. Het was of ik vuur at, maar de pijn bleef buiten de doorschijnende bol.

'Dat denk ik niet. Misschien heeft hij iets aangevoeld, maar ik denk niet dat hij het echt wist. Dan zou hij niet naar Fort Lauderdale zijn gegaan en jou hier hebben achtergelaten. Maar hij zou er wel achter zijn gekomen als hij hier de laatste weken was geweest. Hoewel, bij nader inzien zou niets van dit alles zijn gebeurd als hij hier was geweest. Dan zouden het nog steeds gewoon bladzijden zijn in die vreselijke boeken.'

'Ik ben blij dat hij het niet wist,' fluisterde ik. 'Ga je het aan Lila en Simms vertellen?'

'Ik ga niemand iets vertellen. Ik blijf niet langer in Charleston, Anny. Ik kan het niet. Ik kan hier niet meer blijven. Als ik iets kon veranderen, dan bleef ik, maar ik kan het niet en ik moet ergens naartoe waar ik mijn gedachten kwijt kan raken. Er zal goed voor je worden gezorgd. Nu kan ik weg.'

'Waarheen?' vroeg Gaynelle. Ik sloeg hen kalm gade. Het klopte allemaal zo goed.

'Dat weet ik niet. Misschien ergens heen met de dokters. Misschien... ach, ik weet het niet. Het spijt me dat ik ervandoor ga. Maar ik vind het hier te benauwend.'

'Was ze gek?' vroeg Gaynelle. 'Dat moet toch wel? Maar ze leek zo normaal...'

'Ik weet niet wat "gek" betekent,' zei Henry moeizaam. 'Misschien was het een obsessie. Maar het maakt immers niets meer uit?'

Hij gaf me nog een injectie, kuste me op de wang en zei dat hij nog langs zou komen voor hij vertrok. Ik wist dat hij dat niet zou doen. Buiten de plastic bol wankelde de wereld gevaarlijk, maar stortte niet in. Ik gleed weer weg in slaap, wat ik nu al dagen moest hebben gedaan, en het laatste wat ik dacht was:

toch heeft Camilla ons al die tijd bijeengehouden. Alleen niet zoals we dachten.

De doorschijnende bol bleef nog weken op zijn plaats. Ik at Gaynelles heerlijke maaltijden, sliep veel en keek eindeloos naar de televisie. Ik ging zelden naar beneden. We hadden een klein toestel in de bibliotheek staan en daar keek ik, liggend op de bank onder een lappendeken van Lewis' moeder. Ik deed de lampen niet aan en ik wilde niet dat Gaynelle de gordijnen opende om het lentelicht binnen te laten. Ze was zo verstandig om niet aan te dringen.

Mensen belden op en ze vertelde dat het goed met me ging maar dat ik rust moest houden. Mensen kwamen aan de deur en ze deed open en zei dat ik aan het rusten was maar dat ik hen binnenkort graag zou ontvangen. In de eerste week of zo rinkelden de telefoon en de deurbel bijna onophoudelijk, maar uiteindelijk bleek ik een niet te vangen prooi te zijn en lieten ze me met rust. Daar was ik blij om. Het lawaai had mijn televisieprogramma's verstoord.

Ik raakte verslaafd aan verscheidene dagelijkse herhalingen – *The X-Files, The Twilight Zone, Jag* – en ik werd onrustig als iets me stoorde tijdens het kijken. Ik keek niet naar CNN, en nooit naar de lokale televisiezenders. Maart ging over in april en april in begin mei zonder dat ik het echt besefte. Gaynelle was fantastisch. Ieder ander zou hebben aangedrongen en gesmeekt en gedreigd om me weer op de been te krijgen, maar ze leek precies aan te voelen hoe lang het zou duren voor de genezing begon. Slechts één keer zei ze iets over mijn zelfopgelegde afzondering.

'Ik zal dit zeker achter me moeten laten en doorgaan met leven, hè?' merkte ik op een avond op terwijl ik in het tijdschrift *People* zat te bladeren. Gaynelle kocht stapels tijdschriften voor me en ik las ze gretig. Maar ze kocht nooit de wekelijkse opiniebladen.

‘Ik denk niet dat je het ooit achter je kunt laten,’ zei ze. ‘Maar je kunt beter vandaag dan morgen je leven weer oppakken.’

Meer zei ze echter niet.

In de doorschijnende bol was ik warm en veilig en steeds maar slaperig. Ik probeerde Gaynelle over de bol te vertellen, en hoeveel troost die me bood.

‘Dat klinkt naar Sylvia Plath,’ zei ze, en ik glimlachte. Ik was weer eens vergeten hoe graag ze las. ‘En je weet hoe zij is geëindigd,’ voegde ze eraan toe.

Ik geloof niet dat ik veel aan Henry dacht of zelfs maar aan Camilla. Ik wist dat ik het op een dag zou moeten, maar niet nu. Niet nu. Ik kon nu echter wel aan Lewis denken, en soms praatte ik tegen hem.

‘Je vindt het toch niet erg als ik me nog een poos langer schuilhoud?’ zei ik. En ‘Mijn god, Lewis, ik zat gisteravond tv te kijken en ze zeiden dat het 1 mei was. Weet je nog wat we altijd op het strand zongen? “*Hey, hey, the first of May, outdoor screwing starts today.*” En weet je nog die eerste mei dat we dat deden? Op Sweetgrass. Er staken nog dagen nadien dennennaalden in mijn billen.’

Ik wist toen niet dat ik hardop praatte.

Britney logeerde bij haar tante en ze had het druk met haar missverkiezingen en met de kleine Henrietta naar hondentraining gaan. Gaynelle zag haar vaak ’s avonds en meestal een dag in het weekend, als JoAnne bij me kwam. We keken samen trouw televisie. Gaynelle zei dat Britney stond te popelen om me op te zoeken in Bull Street, maar ik glimlachte alleen vaag.

‘Nog niet. Binnenkort.’

Op een dag kwam Marcy. Ze omhelsde me en huilde, en ze zei dat ik me geen zorgen moest maken om Outreach. Camilla’s zoons hadden het huis in Gillon Street dankbaar verkocht aan Simms

Howard voor ze Camilla mee naar Californië namen om haar daar te begraven, en hij was de bovenverdieping aan het opknappen, maar hij had gezegd dat Outreach net zo lang in ons deel van het gebouw kon blijven als we wilden, voor dezelfde huurprijs. Vroeger zou ik me venijnig hebben afgevraagd voor wie Simms de bovenverdieping opknapte, maar dat kwam nu niet bij me op.

'Wat fijn,' zei ik. Marcy bleef nog een poos wanhopig doorkletsen en ging toen naar huis. Ik vond *The Big Chill* op een kabelzender, en ging die kijken met Gaynelle.

Linda Cousins belde vanaf Sweetgrass om te zeggen dat alles in orde was en dat Tommy het heel goed deed met de dennenaanplant en dat ik me nergens zorgen over hoefde te maken.

'Wat lief, hè?' zei ik.

Lila kwam en gaf Gaynelle een afdruk die ze had laten maken van de foto van de Scrubs op hun eerste dag in het strandhuis, de foto waarop we allemaal hadden gezworen, en afdrukken van andere foto's van ons allemaal, in het water, in de duinen, stoeiend met de honden, aan het eten bij kaarslicht. Gaynelle was eerst bang geweest om ze aan me te geven, bang dat ze mijn wankel evenwicht teniet zouden doen, maar toen ik ze eindelijk zag, glimlachte ik alleen met een vaag genoegen.

'O, kijk, Gaynelle. Wat zien we er allemaal jong uit. En dat is Gladys. Je weet wel, ik heb je toch verteld over Gladys?'

Het was of je naar foto's keek in een biografie van iemand die je wel goed kende, maar niet echt vertrouwd mee was.

Gaynelle knipte mijn haar en het zat nu als een helm van krullen om mijn hoofd.

'Je lijkt wel achttien,' zei ze.

En ze kocht nieuwe spijkerbroeken en T-shirts voor me omdat die van mij te groot en versleten waren. Tegenwoordig droeg ik niet veel anders.

'Je moet de zon in om die benen een kleurtje te geven,' zei ze. 'Je hebt mooie benen.'

'Binnenkort,' zei ik. 'Dat beloof ik echt. Binnenkort.'

Het leek wel midden in de nacht toen Gaynelle begin juni in mijn slaapkamer kwam en me wakker schudde.

'Je hebt bezoek,' zei ze met een grijns. 'Sta op en kleed je aan. Trek een lange broek en een trui aan. Ik heb ze al klaargelegd.'

'Gaynelle, het is nog niet eens ochtend,' jammerde ik. 'Zeg maar dat ze overdag terug moeten komen. Mijn hemel, wat bezielt sommige mensen?'

'Sta op en trek die kleren aan!' schreeuwde ze. 'Ik meen het! Nu meteen!'

Ik was zo verbijsterd dat ik deed wat ze zei. Er kwam een barstje in het dunne oppervlak van de doorschijnende bol.

Beneden wachtte Henry op me in de woonkamer. Hij was zo bruin als zadelleer en hij had een beginnend baardje. Zijn haar was langer dan ik het ooit had gezien, en bij de hoeken van zijn blauwe ogen waren nieuwe zonnerimpeltjes ontstaan. Hij droeg een spijkerbroek, een zwart leren jack en laarzen. Ik staarde alleen maar.

'Hallo, Henry,' zei ik ten slotte. 'Allemachtig, moet je jou zien. Je lijkt *The Wild One* wel. Waar is je wasbeer?'

'Hallo, Anny. Heb je zin om een ritje te maken?'

Het duizelde me.

'Natuurlijk,' zei ik. 'Wat dan ook.'

We liepen over het pad door de tuin en het trottoir op. Het was heel donker. De straatverlichting in de vorm van een oude gaslantaarn voor mijn huis was uitgegaan.

'Je ziet er leuk uit met je haar zo,' zei hij.

'Dank je. Je ziet er zelf ook niet gek uit.'

Geen van ons had het over het tijdstip.

Op de hoek van Bull Street en Wentworth bleef hij onder een straatlantaarn staan en keek me aan.

'Ga je niet vragen waar ik ben geweest?'

'Wil je dat dan vertellen?'

'Dat wil ik zeker. Ik ben in Iowa geweest met T.C. We zijn naar een grote bijeenkomst van motorrijders gegaan. Ik heb de hele weg meegereden. Het was fantastisch.'

'Ben je naar Iowa gereden op een motor?' vroeg ik onnozel. Door de barst in de doorzichtige bol sijpelde iets van een lach naar binnen, bruisend.

'Nou en of,' zei hij. 'En terug op deze.'

We sloegen de hoek om en het licht viel op een enorme, bolvormige motor die langs de stoep stond geparkeerd. Hij glom zwart in het licht. Het leek net een oeroude Kretenzer tekening van een stier.

'Het is een Indian,' zei hij. 'Ze zijn net begonnen die weer te maken. Ik heb hem in Iowa gekocht. T.C. vindt dat ik gek ben, hij zegt dat er te veel mankeert aan dit model, maar tot dusver heb ik daar niets van gemerkt. Ik ben er helemaal weg van. Kom, Anny. Achterop.'

'Achterop?' Ik was me ervan bewust hoe onnozel ik klonk.

'Stap achterop. Ik ga eens wat spinnenwebben uit je hoofd laten waaien. Het is tijd, Anny. Hoog tijd.'

'Hoe wist je dat van die spinnenwebben?'

'Omdat ik die ook had, tot we onderweg naar Iowa waren. En Gaynelle zegt dat je het huis niet eens uit bent geweest. We gaan nu beginnen. Stap op.'

Ik gehoorzaamde. De grote motor had een breed, diep zadel en ik paste er makkelijk in. Ik sloeg mijn armen om Henry's middel en legde mijn gezicht tegen zijn jack, en zo bleef ik zitten terwijl ik leer en benzine en juni en Henry inademde.

'Dit is fijn,' mompelde ik.

'Dit is nog niets,' zei hij.

De motor kwam brullend tot leven. Ik was het geluid vergeten. Mijn hoofd bonsde ervan. Ik had zo'n lawaai niet meer gehoord sinds de rit naar Folly Beach. Dat leek wel een mensenleven geleden. En zo was het eigenlijk ook. Een enorme giechelbui rees hikkend op uit mijn maag en barstte als moerasgas uit.

We reden naar Hasell en draaiden East Bay op. De wind was koel en geurde naar jasmijn en oleander. Ik hield mijn ogen stijf dicht en klampte me vast aan Henry. Het giechelen bleef opborrelen. Ik kon niet zien of er veel verkeer was op East Bay, maar ik merkte er in elk geval niets van. De stilte werd verscheurd door het gebrul van de motor.

'Waar gaan we naartoe?' riep ik. Het leek niet belangrijk.

'Al sla je me dood, geen idee. Misschien naar de beruchte koolsla in Daytona. Misschien naar een wegrestaurant om te ontbijten. Misschien gewoon rondjes rijden. Kies jij maar.'

'Ik wil naar Sweetgrass,' zei ik, en opeens wist ik dat ik dat meer dan wat ook wilde. Ik snakte naar Sweetgrass en de rivier en het nieuwe groen van het moeras.

'Dan wordt het Sweetgrass. Maar ik wil eerst even één ding doen.'

'Wat dan?'

'Dat zal ik je laten zien.'

We denderden naar de Battery. De grote, oude huizen waren in duisternis gehuld en sliepen. Achter West Point Gardens kon ik het eerste tere roze van de dageraad boven de haven zien. Henry's jack rook ruw en mannelijk en op de een of andere manier controversieel. Ik giechelde weer en deed mijn ogen open.

Midden op de Battery remde Henry abrupt en gaf toen vol gas. Het gehuil van de Indian spleet de wereld doormidden. De doorzichtige bol verbrijzelde in miljoenen scherven. Ik wierp het hoofd in de nek en schreeuwde.

'Jieee-HA!'

Achter ons, op de High Battery, gloeide het ene na het andere raam op in een woedend licht.

Dankbetuiging

U zult het strandhuis niet op Sullivan's Island vinden, noch de duinen waar het op stond, hoewel u er misschien nog wat oude huizen kunt zien die er op lijken. En voorzover ik weet staat er geen verzameling huisjes aan een kreek op John's Island. Maar voor mij horen bij Charleston en de Low Country zowel gevoelens als feiten, en dat is wat ik heb geprobeerd weer te geven.

Daarbij leven de mensen in dit boek alleen in mijn eigen fantasie. Als er overeenkomsten zijn met bestaande inwoners van Charleston, dan hoop ik dat ze die niet vervelend zullen vinden.

Wederom mijn dank aan Duke en Barbara Hagerty, die veel over hun favoriete plekken hebben verteld, en die voor mij nog steeds de ziel van Charleston zijn. Tevens dank aan Nance Charlebois, door wie ik verslaafd raakte aan Harleys en koolslaworstelen. En al mijn dank aan de toegewijde mensen die hun best doen om de prachtige Gullah-taal en -cultuur in stand te houden.

En tot slot, zoals altijd, mijn dank aan het A-team: Heyward, Martha, en mijn dierbare agent en mijn redacteur, Ginger Barber en Larry Ashmead. Bedankt voor de herinneringen, jongens.

Interview met Anne Rivers Siddons

Van uw boeken zijn er in Amerika meer dan 240.000 exemplaren verkocht. Ontvangt u ook veel fanmail? En wat zijn de meest voorkomende opmerkingen die u krijgt? Wat spreekt de lezers naar hun eigen zeggen het meest aan in uw romans?

Ik krijg inderdaad veel post en de reacties zijn me allemaal even dierbaar. Ik lees heel vaak: 'Het lijkt wel alsof u tegen me praat.' Waarschijnlijk spreekt mijn lezers de ontwikkeling – van gekwetste tot sterke vrouw – die sommige van mijn personages meemaken het meest aan.

Waarom hebt u voor South-Carolina gekozen als setting voor het verhaal?

Ik woon in de winter in Charleston, South-Carolina. Voor mij is het een oneindig mooi en complex gebied.

Maakt u zelf deel uit van een vriendengroep die gezamenlijk een (strand)huis bezit?

Mijn echtgenoot en ik hebben een zomerhuis aan de kust van Maine en een huisje op een klein eiland in South Carolina. We hebben vaak gasten maar de huizen zijn van ons.

Wat betekent familie voor u? Voor Anny is het blijkbaar heel belangrijk ergens bij te horen, onderdeel te zijn van een groep die haar onvoorwaardelijk accepteert. Is dit voor u ook belangrijk?

Familie is een groep waartoe je behoort, onvoorwaardelijk en zowel in het verre verleden als in de verre toekomst.

Met wie van de vrouwelijke hoofdpersonen voelt u zich het meest verwant?

Volgens mij is dat in dit boek ontegenzeggelijk Anny, maar er zijn ook eigenschappen van Camilla die me erg aanspreken.

Zit er een boodschap verborgen in uw boek? En zo ja, wat is het belangrijkste inzicht dat u de lezers heeft willen meegeven?

Er is niets verborgen. Ik zou het fijn vinden als de lezers zouden inzien dat we alleen een familie kunnen zijn wanneer mensen samenzijn en voor elkaar zorgen.

Zijn hechte vriendschappen met generatiegenoten uw inziens uiteindelijk belangrijker bij het ouder worden dan de band met de eigen kinderen?

Ja, absoluut. Je kinderen zullen, en moeten, hun eigen leven leiden. Je vrienden maken onderdeel uit van jouw leven.

Camilla laat nooit merken aan de anderen dat ze in haar jeugd heel erg gekwetst is door Henry. Denkt u dat vrouwen goed zijn in het zo lang verborgen houden van hun ware gevoelens?

Over het algemeen denk ik dat vrouwen niet zo goed zijn in het verbergen van hun gevoelens als mannen. Vrouwen leven op gevoel. Maar Camilla had enorm veel te winnen door te blijven zwijgen.

Werkt u aan een nieuwe roman?

Jazeker. Ik ben bezig met een roman genaamd *Sweetwater*, waarin een jong meisje en een vrouw proberen zichzelf met behulp van de ander te hervinden. Het heeft ook te maken met plantages, honden en hun bazen, en Charleston.

Discussievragen

1. Is vriendschap altijd onbaatzuchtig? Of moet er wederzijds voordeel te behalen zijn om de relatie in stand te houden?

2. Wat vindt u van het plan, zoals de echtparen in deze roman, om samen de oude dag door te brengen onder één dak? Naïef of spreekt het u wel aan?

3. Bent u weleens, zoals Anny, als eenling een hechte groep binnengekomen en wat is volgens u de beste opstelling in zo'n situatie: observeren en dan jezelf manifesteren of direct laten zien wie je bent, wat je levensopvattingen zijn, zodat duidelijk is welk karakter je hebt?

4. Is het mogelijk iemand echt helemaal te kennen of houden we altijd een deel van onszelf achter, zoals minder mooie karaktertrekken?

5. Wraak en jaloezie zijn sterke menselijke drijfveren met soms afschuwelijke gevolgen. Hoe geeft u dit soort emoties een plek?

6. Henry kende Camilla het beste en toch heeft hij nooit vermoed dat zij de brand stichtte. Hebben mannen oogkleppen op als het gaat om gevoelens van hen die het dichtst bij hen staan?

7. Hebt u het verraad van Camilla zien aankomen? En had Camilla's onnatuurlijk kalme reactie op Charlie's dood een signaal moeten zijn voor de anderen dat zij psychisch niet in orde was?

8. Gaynelle is blijkbaar intelligenter dan Camilla dacht. Een grove onderschatting die mensen vaker maken als ze in aanraking komen met personen uit een lagere sociale klasse dan zijzelf. Herkent u dit?

9. Zullen Anny en Henry een nieuw stel vormen?